평촌에서 세종으로 가족들과 함께 이사하면서 2년 동안 오송역을 이용했다. 매일 서울과 세종을 오가는 입장에서 바라본 오송역은 모든 아집과 망상이 만들어낸 실패가 집약된 곳이었다. 지역개발도 교통편의도, 하다못해 주변지역의 그럴싸한 발전도 달성하지 못한 실패의 총합이 오송역이라는 사실은 모두가 동의할 것이다.

모두가 알지만 감히 이야기하지 못하는 그런 대상이 된 오송역을 전현우는 당당하게 잘못이 어디에서부터 시작되었는지, 그리고 어떤 과정이었는지 담담하면서도 가차없이 파고든다. 〈오송역〉은 잘못을 저지르고 뉘우치지 않는 우리 모두의 반성문이기도 하다.

최준영(공학박사, 최준영 박사의 지구본 연구소)

철도의 궤간과 표정속도로부터 시작해 지역정치, 그리고 전국적인 지역균형발전의 정책까지 방대하게 논할 수 있는 유일한 저자가 전현우다. 전현우는 인천부터 회기역까지 통근하면서 번역과 집필을 하고, 이따금 궁금하면 전국의 모든 철도노선을 누비고 그 시간에 다른 나라의 철도 네트워크를 분석한다.

〈오송역〉은 그러한 저자의 미덕을 완벽하게 드러낸다. '왜' 오송이었는지를 넘어 구체적으로 '어떻게' 오송역이 탄생했으며 오송역으로 인해 '무엇'이 우리 앞에 놓여 있는지 이보다 더 이해하기 쉬우면서도 풍부한 맥락으로 다루기는 쉽지 않아 보인다. 기차를 타고 천안아산-오송-대전역을 거쳐 서울과 마산을 오가는 사람으로서 KTX 열차가 주는 '불만의 여행'이 어디서 시작되는지 이 책을 통해서 분명하게 알 수 있었다. 저자가 제안하는 '오차 수정'의 방식들이 폭넓게 토론됨으로써 기후위기에 대응하기 위한 철도의 역할 강화의 길이 펼쳐질 수 있으리라 믿는다.

양승훈 (경남대학교 사회학과)

오송역

오송역

이상한 분기역의 비밀과 오차 수정의 길

초판 1쇄 펴냄   2023년 5월 3일

지은이   전현우
책임편집   김미선
편집   이화정

펴낸곳   도서출판 이김
등록   2015년 12월 2일 (제2021-000353호)
주소   서울시 마포구 방울내로 70, 301호 (망원동)

ISBN   979-11-89680-43-5 (03530)

값 22,000원
잘못된 책은 구입한 곳에서 바꿔 드립니다.

오송역　전현우

**이상한 분기역의 비밀과
오차 수정의 길**

임

차례

들어가며   11

1부.   오송역으로
1장.   오송의 아침   21
2장.   오송역의 발 밑: 49
      시생대의 암석부터 2020년의 교통망까지

2부.   저발전 설화부터 경부고속철도 오송역까지
3장.   충남북 접경 지역 속의 청주와 고속철도 이전 시대   75
4장.   경부고속철도와 오송역의 탄생   113

3부.   오송 분기에 이르는 길
5장.   호남고속철도와 오송 분기역의 탄생   145
6장.   분기 논쟁의 논리   193
7장.   정책 흐름 모형, 정책의 창, 오송 분기   221

4부. **비판: 정책의 실패와 성공 사이**

8장. 오차 수정 관점: 237
　　　 이미 벌어진 실수에 대응하려면

9장. 지역균형발전 그 자체: 257
　　　 오송역은 어떤 지역균형발전을 불러온 것일까

10장. 결론   301

부록1. 오송역 연보   307
부록2. 용어 설명   310
참고문헌   318
찾아보기   321

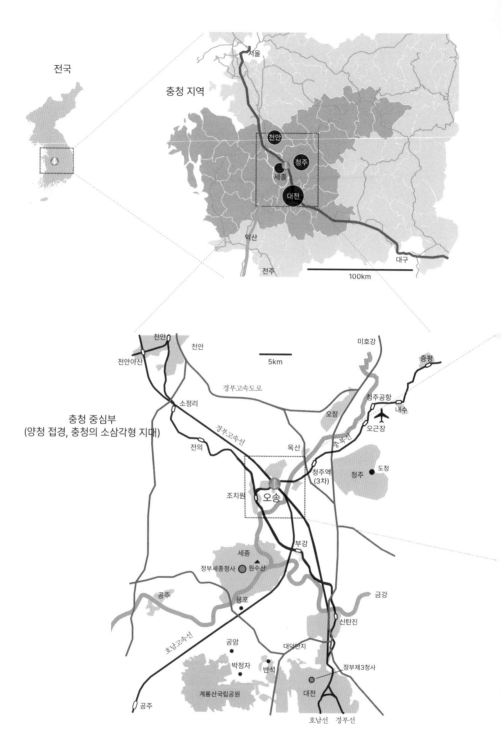

전국

충청 지역

서울

천안

청주

세종

대전

익산

전주

대구

100km

충청 중심부
(양청 접경, 충청의 소삼각형 지대)

천안

천안아산

천안

경부고속도로

미호강

증평

청주공항

내수

오창

오근장

소정리

전의

경부고속선

옥산

충북선

청주역
(3차)

청주 ● 도청

5km

조치원

오송

세종

정부세종청사 ● 원수산

공주

용포

부강

금강

신탄진

호남고속선

공암

박정자

반석

대덕반지

정부제3청사

계룡산국립공원

대전

공주

호남선 경부선

🚉 기차역	▨ 시가지	━━ 고속도로
━━ 철도	▨ 공업용지	━━ 도로
• 주요 장소	━ 강	━━ 오송~세종 BRT

오송 반경 5km

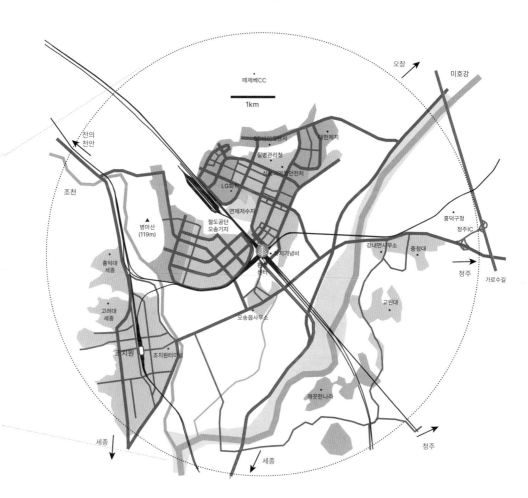

지도 0-1. 오송역의 위치. 전국, 충청권, 주변 광역권(r=30km), 오송 도시권(r=5km). 전국, 충청권과 주변 철도망, 반경 약 30km 주변의 도시, 철도, 고속도로망, 그리고 반경 5km 주변의 주요 지형지물과 핵심 시설물 속에서 오송역의 위치를 확인할 수 있다. 이 책에서 녹색 원 안에 솔잎 모양이 포함된 기호는 모두 오송역의 위치를 나타낸다.

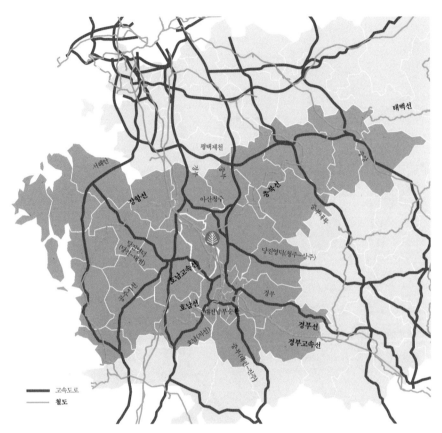

태백선

평택제천

서해안

장항선

아산청주

충북선

당진영덕
(당진~대전)

당진영덕(청주~상주)

중부선

남남고속선

경부

호남선

대전남부순환

호남(서산)

경부선

경부(대전~김천)

경부고속선

━━━ 고속도로
━━━ 철도

지도 0-2. 충청 지역의 교통망(2022년 7월 1일 현재).

들어가며

오송역. 이 역에 대해 뭔가 쓰고 있다고 말하자 주변 사람들의 반응은 나뉘었다. 대체 무슨 책인지 이해할 수 없다는 표정을 짓는 사람들, 이미 끝난 일인데 뭘 또 작업을 하냐는 사람들. 그리고, 대체 무엇부터 잘못된 것인지 이해조차 어려웠는데 잘 되었다고 말해 준 사람들. 이 문장을 쓰는 날에만 해도 수만 명의 사람들이 이 역 때문에 생긴 비용을 치르고 있음에도, 무엇이 문제인지조차 가시화조차 쉽지 않은 갑갑한 상황 속에서, 이 책은 시작했다.

이 역은 그리 유명하지는 않지만 겉모습만은 남다르다. 거대한 고가 구조물이 미호강 범람원을 가로지른다. 고속열차는 남측으로 길게 뻗은 양 갈래 고가 철길을 따라 분기해 나간다. 고속열차의 분기는 이 역 말고는 국내 어디서도 볼 수 없는 장관이다. 역 아래쪽으로는 충북선 역이 고속선과 십자 모양으로 교차하는 데다 수많은 측선까지 있어, 그 모습이 자못 웅장하기까지 하다. 신전의 회랑(回廊)을 이루는 열주 같은 고속선 기둥 위를 전속력으로 달리는 열차의 굉음을 듣고 있노라면, 나는 마치 물신(物神)을 떠받드는 예식에 참여한 것 같은 감상에 잠기곤 했다.

물신을 섬기는 예식의 현장. 이것이 이 책에서 내가 오송역과 그 주변을 파헤치고자 하는 이유이다. 이 역 주변에는 온갖 신화가 즐비하다. 고속열차의 힘 그 자체는 물론, 지역균형발전 또는 지역이기주의, 정책의 실패와 성공…. 이 신화가 차곡차곡 쌓여 만들어진 분기 선로를, 열차는 달려 나간다. 예식 속에 활자를 통해서나마 난입해 물신과 신화의 정체를 밝혀 내려는 작업이 바로 이 책의 목표이다.

하지만 부산과 광주 방면으로 가는 많은 승객들은 여전히 오송역의 존재를 모르는 듯하다. 단잠에 빠진 채 오송역을 지나치는 승객도 많을 것이다. 분기역이라는 것 그 자체만으로는 사람들이 내릴 이유가 없으니 그렇다. 이 역의 고속열차 승객(하루 2.4만 명, 2019)은 인접한 대전역(하루 3.7만, 오송역의 158%)이나 천안아산역(하루 2.5만 명, 오송역의 106%)과 비교하면 적은 편이다. 천안과 아산의 인구(102만, 2020)보다 청주와 세종의 인구(121만, 2020)가 20% 많다는 점을 감안하면, 그리고 대전의 인구(149만, 2020) 역시 청주와 세종의 인구에 비해 23% 많을 뿐임을 감안하면, 이 역은 인구에 비례하는 활약[1]을 하지 못한다.

이야기의 방향을 살짝 바꾸어, 방금 나온 다섯 지명 가운데 오송역에 얽힌 지명이 어디인지 골라 보라. 쉽게 풀지 못할 수도 있다. 음절 하나조차 동일하지 않기 때문이다. 답은 세종과 청주다. 두 도시의 가운데 지점에 있는 오송이라는 마을은 오송역이 생기기 전에는 면

---

[1]   천안아산과 대전의 고속열차 승객 수 중앙값은 하루 약 3.1만 명이다. 이에 비해 오송역의 실제 수송량은 약 2.4만 명으로, 약 24%(7천 명) 정도 적다.

단위조차 아닌 '리'에 해당하는 지명이었다(강외면사무소가 오송에 있기는 했다). 게다가 이곳에 있던 충북선 역은 1983년 폐지되는 운명까지 맞이했다. 경부고속철도 시범 건설 노선의 자재 수송 거점으로 선정되지 않았다면 아마도 이 역의 오늘은 없었을지도 모른다.

청주와 세종을 모르는 한국인은 아마도 없을 것이다. 더불어 세종시는 노무현 정부가 의욕적으로 벌이고, 이후의 정부 역시 무시할 수 없었던 지역균형발전 프로젝트의 정점이다. 정부청사와 수만 명의 중앙공무원을 뜯어 옮기고, 이를 바탕으로 기업까지 내려오게 만들어서 수도권의 기능을 분산시킬 요량으로 인구 50만의 대도시를 만들어 낸 대역사. 더불어 실제로 대부분의 행정부 관청이 세종으로 이동했고 국회도 이리로 이동할 가능성이 있다는 것 또한 잘 알려진 사실이며, 이런 도시의 관문으로 고속철도 역이 있어야 한다는 것 또한 쉽게 추론할 수 있다. 조금만 수소문해 보면 세종시에 출장 다녀온 사람의 증언은 쉽게 들을 수 있을 것이고, 두어 다리를 건너면 아마도 세종시로 출퇴근하거나 이주한 사람도 쉽게 찾을 수 있을 것이다.

바로 이런 사람들을 위해 건설된 관문역이 오송이다. 이들이 얼마나 분주하게 움직이는지는 오송역에 가면 쉽게 확인할 수 있다. 그런데 서울을 대체한다는 도시의 이렇게 대단한 역이 오히려 주변 도시의 역보다 인구 대비 이용률이 낮다. 이 사실은 쉽게 납득하기도, 설명하기도 어렵다.

대체 무엇이 문제일까? 바로 이 문제를 1부에서 다루려고 한다. 1부는 오송역을 직접 이용하는 사람의 시점에서 오송역이 가진 기묘한 측면을 보여 주고, 오송역이 세종시 관문역으로서의 기능을 충분히 하지 못하는 이유를 확인하면서 1부를 시작할 것이다. 이 이유를 나는 두 단어로 요약하고 싶다. '불만'의 '여행'. 이 불만의 여행은 오송역에서 분기하는 호남고속선을 따라 호남 방면으로도 번져 나간다. 호남은 서울 방향 거리가 짧은 천안 노선을 선호하기 때문이다. 그런데도 충북은 이 역과 오송 분기를 매우 자랑스러워하며 오송역 동광장에 비석까지 세워 놓았다. 이 비석과 함께 호남고속선 분기 결정 당시 오송역의 점수를 압도적으로 높게 매긴 점수표, 그리고 지도 위에 기묘하게 휘어 있는 선형을 확인해 보면, 이 의사결정에 무언가 쉽게 이해하기 어려운 배경이 있음을 감지할 수 있다. 오송 분기 이후, 충청권에서는 공주역 문제, 세종역 문제, 서대전역 문제, 논산지역 추가 정차역 문제, 광역전철 등 교통망의 지각 변동이 계속되고 있다. 불만의 여행, 이상한 분기, 그리고 충청권 교통망의 지각 변동이라는 세 가지 문제는 오송역을 이해하기 위한 일종의 출입문이다. 1부에서는 이 출입문을 열고 실제 오송 분기의 역사를 이해하고, 서술하는 데 필요한 여러 배경 정보까지 함께 확인한다.

2부에서는 오송 분기 이전의 충북, 그리고 충남과 대전을 포함하는 충청남북도 간 접경 지역의 상황을 다룬다. 경부선, 경부고속도로 같이 발전 또는 저발전 설화 그 자체를 이루는 핵심 시설물이 어떤 식으로 충청 지역의 현재 구조를 형성했는지 서술하는 한편, 오송이 호남고속철도 분기역으로 결정되기 직전 그 배경이 된 경부고속철도 오송역의 건설 역시 검토하려 한다.

3부는 오송 분기 결정 그 자체, 그리고 이로 인한 여진과 논란을 다룬다. 이를 위해 오송 분기 대안이 충북의 공식 입장이 되고 호남고속철도 오송유치위원회(이하 오송유치위)가 활동을 시작한 1995년부터 분기역이 확정된 2005년 6월 30일까지의 연대기를 우선 확인한다. 연대기 속에는 세종시의 관문역으로 오송역이 설정된 경위, 즉 세종시-오송역 복합체가 형성된 경위 또한 제시될 것이다. 이러한 연대기적 사실을 검토한 다음에는 이 연대기 속에서 진행된 논쟁을 논점별로 논평과 함께 제시하고, 더불어 상황 전체를 조망할 수 있도록 '정책 흐름 모형', 즉 어떤 정책의 결정 배경에는 그 정책을 결정짓는 데 영향을 주는 다중의 흐름이 존재하며 이들 흐름이 하나로 모여야 열리는 '정책의 창'이 어떤 구조인지를 확인할 수 없다면 특정 정책 결정을 설명할 수 없다고 보는 모형을 활용하여, 오송 분기가 왜 승리할 수 있었는지를 서술한다.

4부는 이러한 과정 전체에 관한 평가가 일종의 신화 속에 잠겨 있다는 데서 시작한다. 이 '성패의 신화'에 따르면, 정책은 성공과 실패가 명확하게 나뉘는 대상이다. 그러나 이러한 성공과 실패는 어떠한 경우에도 관점 의존적일 수밖에 없고, 더불어 이 관점은 정책 계획가의 인지적 한계 덕에 불완전할 수밖에 없다. 관점 의존성 그리고 인지적 불완전성의 결과는 오류와 오차다. 이 오차를 수정하는 것이 어쩌면 정책 결정 그 자체보다 더 중요한 일이다. 이 관점에서 보면, 오송 분기 이후 주변 교통망에서 볼 수 있는 여진은 오차 수정을 위한 다양한 시도들이다. 더불어 지역균형발전이나 강호축(국토 X축)을 둘러싼 논란 역시 오차 수정을 위한 시도로 해석할 수 있다. 그렇다면 오늘의 과제는, 지금 우리 앞에 주어진 현실이라는 한계를 인정하면서도 어떻게 하면 오차 수정 과정을 더 효과적으로 진행할 수 있을지 그 방법을 찾는 데 있다.

이 책은 아무 지원 없이 개인의 힘으로 저술되었다. 상당수의 관련자가 여전히 활발하게 활동하는 당대의 사건을, 더불어 경부선 철도 부설 논의 이후 100년 이상의 시간이 지났고 지질학부터 철도망 구성의 퍼즐, 지역 정치와 중앙 정국의 변화에 이르는 여러 차원의 상황을 모두 종합하여 탐구하기 위해서는, 가능한 한 어디에도 매이지 않고 독립적으로 탐구를 진행하는 것이 적절하다고 생각하였다. 내가 소속되거나 소속되었던 어떠한 단체도 이 책과 무관하며, 개인의 저술임을 밝힌다.

더불어 이 책은 『거대도시 서울 철도』(워크룸프레스, 2020)에서 시작하여 아직 다 풀지 못한 문제를 풀기 위해 집필하고 있는 철도 3부작의 외전이다. '본편'에서는 교통과 철도 개발의 개념적·역사적·제도적 문제 전반을 검토하고 이를 기후 위기와 같은 시대적 문제 속에서 어떻게 구체화할 것인지 검토하며 가능하면 추가 시나리오를 제안하는 작업을 진행했고, 또한 진행할 것이다. 한편 '외전'에서는 개별 노선이나 역과 같이 철도망의 국소적 부분에서 일어난 문제를 집중하여 조명하고 이를 비판적으로 이해하려 한다. 3부작의 첫 책인 『거대도시 서울 철도』에서 논의를 위해 도입된 여러 개념들은 이들 책에서 그대로 쓰일 것이다. 지리와 숫자를 설명하기 위해 지도와 도표를 최대한 활용하고, 세부 쟁점을 별도의 보강으로 조명하는 설명 방식 역시 여기서도 그대로 쓰일 것이다. 본편의 허리를 이루는 제2편인 『납치된 도시에서 길찾기』(민음사, 2022)에서는 기후 위기 속에서 실제로 열차를 이용하게 될 사람들의 마음에 대해 철학적 사유를 시도하였고, 제3편인 『도시 속의 철도(가제)』를 집필하기 위해 남부 지방의 철도망과 미래 공공교통망 전체를 효과적으로 조망할 방향에 대해 구상하고 있다.

또한 이 책은 줄글의 경우 마이크로소프트 워드, 수치가 포함된 도표의 경우 마이크로소프트 엑셀을 사용하였으며, 지도나 수치 없이 손으로 그린 그래프 구조의 도표들은 어도비 일러스트레이터로 저자가 직접 그린 것이다. 단, 행정구역이나 해안선 밑그림은 『거대도시 서울 철도』를 위해 마련한 일러스트레이터 파일에서 가지고 온 것이다. 당시 작업에 힘쓴 황석원 디자이너에게 다시 감사의 말씀을 드린다.

이 책의 구상은 2018년에 최초로 이뤄진 것이다. 가볍게 시작했던 작업은 물론 지난 책 『거대도시 서울 철도』 작업이나 생업에 밀려 진척이 없었다. 이후 2021년 봄에 계약을 맺었지만 역시 생업이나 당시의 다른 작업들이 겹쳐 작업을 진척시키지는 못했다. 다행히 2022년 봄에 편집부의 호통(?)으로 왜 이 책이 지금 필요한 것인지 숙고할 시간을 낼 수 있었다. 그 결과 3, 4월 지금의 2부를 이루는 초고를 썼다. 이후에는 『납치된 도시에서 길찾기』 초고와 앞서거니 뒤서거니 하면서 이 책의 초고를 써내려 갔다. 특히 6월에는 독일 출장길에서 아이디어가 자라나 지금의 4부 초고를 썼다. 더불어 7월 초, 장마철에는 오송백서를 집중 검토하면서 지금의 3부를 이루는 부분의 초고를 썼다. 이후 경부선 천안~추풍령 구간의 지형 검토나 세종 주변 철도망에 대한 그림을 보완하는 작업을 9월 초 주말과 추석에 이르는 기간에 진행했다. 본래 오송역 최초 및 고속철도 개통기념일(11월 1일)을 출간 목표로 잡고 가능한 한 신속하게 초고를 작성했지만, 4월 2일, 분기 기념일로 출간 일정을 수정하고 이후 차분히 원고를 고쳤다. 물론 실제로 책이 나오기까지는 조금 더 시간이 필요했다.

이런 수정과 집필의 과정에서 의견을 교환한 여러 분들께 감사의 말을 드린다. 김대중은 지방 자치와 관련된 행정학의 쟁점을 검토할 것을 제안했다. '오차 수정 관점'을 활용하게 된 것은 그의 덕이다. 강신원은 언제나처럼 철도와 그 주변을 탐방한 정보를 나누어 주었다. 신새벽은 마무리 단계에 접어든 원고에서 개념적으로 날을 세울 부분에 대해 귀중한 의견을 주었다. 이외에 여러 동호인들이 오송역에서의 전국 합수식 등에 참여해 오송을 함께 성토하며 작업을 지원했다.

이 모든 과정에서 김미선 편집자는 저자의 초고가 책의 꼴을 갖추도록 각고의 노력을 아끼지 않았다. 충북이든 철도 동호인들이든, 보고 싶은 부분만 취사 선택해 기억하고 다른 중요한 부분은 망각하고 있던 분기역의 탄생 과정을 활자로, 지도로, 도표로 옮길 수 있었던 것은 그의 분투 없이는 불가능한 일이었다. 오랫동안 작업을 기다렸음은 물론, 변덕스러운 리듬과 혼동스러운 패스(path)가 담긴 원고와 도판을 가지런히 정리해 낸 손길 덕에, 망각될 뻔했던 수많은 문제가 이렇게 형체를 갖출 수 있게 되었다. 작업을 함께한 이화정 편집자, 그리고 마로에게도 감사의 말을 드린다.

마지막으로, 지난 정책의 오류와 오차에 대해 고민하는 사람들에게, 그리고 이를 통해 지역의 자기 결정권을 현실에 구현하기 위해 고민하는 많은 사람들에게, 이 책의 비판과 고민이 도달했으면 한다. 다시 발차 시간이 되었다.

1부.
오송역으로

1장. 오송의 아침

차령의 긴 터널을 빠져나오자 오송이었다.

광장에 소나무가 다섯 그루 서 있었다.

승강장에 열차가 멈춰 섰다.

– 가와바타 야스나리의 『설국』 서두를 오마주하여

1절. 불만의 여행

차령의 긴 터널을 빠져나와

서울, 용산, 수서역을 떠난 지 40여 분. 고속열차 내부는 아침부터 노트북을 펴 놓고 일하는 사람들로 분주하다. 열차는 어느새 천안을 지나 차령산지를 관통하는 터널 속으로 빨려 들어간다. 길게는 4km, 짧게는 수백 미터인 짧은 터널 여러 개를 채 5분도 걸리지 않아 지나고 나면, 귀가 약간 먹먹해진 당신을 맞이하듯 탁 트인 너른 땅이 나온다. 지상 15m, 아파트 5~6층 높이의 고가를 달려가는 당신의 왼쪽으로는 각종 장비가 주렁주렁 달린 채 여러 문구가 가득 적힌 정체불명의 열차가 가득한 기지가, 오른쪽으로는 방음벽 너머 무수히 솟은 아파트들이 보일 것이다. 점점 잦아드는 열차의 공기 마찰음 사이로 안내방송이 들린다.

"우리 열차는 잠시 후 오송역에 도착하겠습니다. 미리 준비하시기 바랍니다."

열차가 바뀐 진로대로 분기기(分岐器, railway switch)에서 본선을 빠져나와 부본선으로 미끄러져 내려오면서 조금씩 기우뚱거리면, 사람들도 짐을 모두 챙겨 자리에서 일어서 문으로 이동하기 시작한다. 객실 통로는 정장을 입은 사람(대체로 남성)들로 가득하다. 정치인도 고위 공무원도 이렇게 줄을 선다. 문 밖에는 남부 지방으로 내려가려는 또 다른 많은 사람들이 보인다. 이윽고 문이 열리면 계단을 밟고 승강장에 사뿐히 내려설 때이다. 오송역이다.

사람들의 목소리와 역에서 나오는 안내방송은 건너편 본선을 시속 300km로 달리는 고속열차가 토해 내는 굉음에 단속적으로 덮인다. 그 속에서도 줄지어 움직이는 사람들을 따라가면, '충청권 광역 전철'을 요구하는 거대한 걸개 그림이, 그리고 충북도와 철도공사, 노조가 내건 수많은 플래카드를 지나쳐 이윽고 환승센터가 있는 서광장에 도달한다. 청주, 세종, 대전처럼 수도권 사람들에게도 익숙한 지명이, 그리고 반석역, 만수, 공북처럼 외지인들에게는 낯선 지명이 적힌 간판이 즐비하다.

오송역에 내린 사람들은 대체로 두 방향으로 향한다. 정부청사가 있는 신도시 세종 방면, 아니면 충청북도의 도청 소재지로 유서 깊은 대도시인 청주 시내 방면이다. 환승센터 바닥에 깔린 유도선을 따라 줄을 서 있는 사람들과 함께 먼저 세종으로 가는 B1, B2, B4 버스 대기선 위에 서 보자.

출퇴근 시간에 세종으로 가는 줄은 재킷을 걸친 아저씨들로 (문자 그대로) 장사진을 이룬다. 이들이 올라탄 버스 내부는 발 디딜 틈도 없이 붐빈다. 오송을 빠져나간 B1, B2, B4 버스는 15분 정도를 침묵 속에서 달린다. 미호강 제방을 따라 달리는 버스 옆으로, 멀리 조치원이나 오송읍의 모습이 보인다. 버스가 잠시 멈칫하다가 크게 우회전한다면, 세종 시가지의 뼈대를 이루는 환상형 도로(環狀形, ring road)에 진입한 것이다. 바위산을 부수어 땅을 만드는 박력 있는 모습을 헤치고 앞으로 나가면, 막 개발된 신도시가 머리를 내민다. 몇몇 사람이 내리긴 하지만, 버스 내부는 정부청사까지 계속해서 혼잡하다. 버스를 탑승한 지 25분, 고속열차에서 내린 지 약 30~40분 뒤에야 정부세종청사의 쇠창살 문 앞에 도착할 수 있다. 가로세로로 1km가 넘는 넓은 면적을 차지한 채 구불구불한 뱀 모양으로 늘어서 있는 정부청사가 당신을 반길 것이다. 물론 문에서 당신이 가야 할 부처까지는 아마도 양의 창자를 헤치고 나아가는 것만큼 머나먼 길이 되겠지만.

이번에는 방향을 청주로 잡아 보자. 청주로 가는 버스 줄에는 비교적 캐주얼한 차림의 청년들이 많다. 보잉 747 같은 대형기의 점유율은 점차 줄어들고, 하늘을 나는 대부분의 비행기가 저가항공의 희망인 소형기 보잉 737이나 에어버스 320이라는 사실 같은 것은 중요하지 않다는 듯, 거대한 배터리를 머리에 인 가분수형 전기 버스가 이마에 숫자 '747'과 '청주국제공항'을 번갈아 표출하면서 뒤뚱거리며 환승센터 플랫폼으로 들어온다. 버스는 농업용 시설물과 공장이 얽힌 미호강 너른 들판을 돌파해, 청주의 근교를 달려 대략 20여 분 만에 가경동 터미널에 도착한다. 도심으로 집중되는 버스와 고속도로에서 도심으로 들어오는 승용차 모두를 받아 내기 위해 도로는 광활하게 펼쳐져 있고, 사거리에는 입체 교차 시설 같은 것이 없음에도 네잎클로

버형 인터체인지[2]까지 구축되어 있다. 이렇게 도로가 발달해 있는데도 당신은 청주 방면으로도 대기 시간을 포함하여 열차에서 내리고도 30~40분 정도의 시간을 들여야 했을 것이다.

30분. 이것이 오송 주변의 두 목적지로 가기 위해 필요한 최소한의 시간이다. 30분이라는 숫자 자체로는 별다른 느낌이 들지 않을 수 있다. 고속철도 접근 시간이 평균 32분이라는 조사 결과도 있고,[3] 웬만한 대도시라면 주요 지점 간에 30분의 이동 시간은 당연한 것이기도 하다. 하지만 30분이라는 시간 자체보다 더 중요한 것이 있다. 역앞은 동광장과 서광장 모두 그저 벌판과 주차장만 가득하다는 사실이다. 이 역이 개통한 때가 2010년 11월이니, 2023년 현재 이미 13년가량이 지난 셈이다. 전근대의 속담에서도 10년은 긴 시간으로 간주되었다. 그런데 인류 문명의 첨단에 서 있는 한국에서 서울과 삼남을 잇는 거의 모든 고속열차가 들르는 역의 역전이 10년 넘게 휑한 채로 남아 있다는 현실은 꽤 당혹스럽다. 역에서 내려 걸어서 도심으로 들어갈 수 있는 것이 도시의 상식적 문법 아니던가? 항공이나 승용차 대비 고속열차의 교과서적인 이점도 결국 이것인데, 이 문법을 조금이라도 지키려 한 흔적은 개통 13년 차의 오송역 인근에서는 여전히 찾기 어렵다.

---

[2]   교차 도로 방향의 합류와 분기 교통량을 곡선 연결로(lamp)로 처리하는 도로로, 차량이 모든 방향에서 멈추지 않고 도로를 바꿔 탈 수 있으려면 차량 흐름이 서로 방해받지 않도록 하는 입체 구조가 필수적이다.

[3]   「KTX 개통 10년, 무엇이 달라졌을까?」, 한국교통연구원 KTX경제권포럼 (2014): 36~51.

역전의 풍경

주변 도시의 역전과 오송의 모습을 대조해 보자. 먼저 아래쪽 대전. 대전역에서 내려 성심당까지 보행 경로 총 길이 1.1km로, 걸어가는 데 20분이면 충분하다(인파에 치여서 걷기 힘들 정도라는 문제는 있으나). 7년 먼저 고속철 역이 개통한 이웃 천안아산 역에서는 백화점이 보인다. 하지만 이곳 오송에서 역두로 나선 사람들을 자연스럽게 끌어들이는 동광장과 서광장은 둘 다 황량하기 그지 없다. 옛 강외면치, 현 오송읍치인 구읍조차 오송역에서 1.3km나 떨어져 있다. 물론 이 길을 따라 보도 같은 것은 당연히 마련되어 있지 않아, 농촌 도로 옆 무성한 잡초 무더기를 헤치고 앞으로 나아가는 수고는 당신의 몫이다. 오송역 북동측(8번 출구)의 바이오산업단지 방면은 조금 가깝긴 하지만, 먼지가 붙은 콘크리트 고가 아래의 어두운 통로를 비둘기와 함께 수백 미터 걸어가야 인가를 만날 수 있다. 실제로 오송역과 철도 부지에 접하고 있는 지역의 상업 지역보다, 여기서 1km 떨어진 지점에 있는 상업 용지의 규모가 더 크다. 게다가 역 방면의 상가보다 역에서 1km 떨어진 상가가 더 성업하는 것이 현실이다. 주변에는 그 흔한 모텔 하나 없고, 역에서 1~2km 떨어진 지점에 호텔만 있을 뿐이다.

1km는 걷기에는 살짝 멀게 느껴지는 거리다. 여기에 질병관리청 같은 다른 여러 시설들은 이 상권에서 1km 이상 더 들어간 곳에 있다. 역 부근에는 넓은 부지가 필요한 제조업 공장까지 많다 보니 오송역에서 오송 일대로 온 출장객들의 이동 거리는 3km가 넘을 수도 있다. 사람의 보행 속도는 대개 시속 4km 정도이니, 3km는 걸어서 45분 정도 걸리는 거리다. 급한 출장객에게 보행을 권할 만한 시간과 거리는 아니다. 버스 역시 우회하기 때문에 차를 타고 있는 시간만 10여분, 환승 시간과 정류장에서 내려서 최종 목적지까지 걸어가는 데 걸

리는 시간, 즉 마찰 시간을 더하면 30분 가까이 걸린다. 출장객들이 급한 마음에 택시를 잡아 타고 오송생명과학단지 내부로 가려다가, 청주나 세종까지 움직여 한 번에 크게 벌 생각이었던 기사들에게 한 소리 들었다는 증언은 오송을 오가는 사람이라면 누구나 들어 보았을 것이다.

이상한 분기

역 주변은 이쯤 해 두고 이제 지도를 펼쳐 보자 (지도 1-1). 주변 철도망 속에서 오송의 정확한 위치를 확인하기 위해서다. 주변의 두 목적지로 가는 데 걸리는 30분 동안, 만약 열차에서 내리지 않고 열차를 계속 타고 있으면 어디까지 갈 수 있을까? 고속열차 전용선에

지도 1-1. 오송역과 반경 100km, 35km 주변의 철도역. 녹색 선은 기타 철도망, r=radius.

서 고속열차는 가감속, 정차 시간을 포함해 계산한 속도인 표정속도 (表定速度, scheduled speed)가 200km/h가 넘는다는 걸 감안하면, 30분이면 대략 100km 떨어진 지점까지 당신을 충분히 데려다줄 수 있을 것이다. 오송을 기준으로 하면 서남쪽으로 익산, 북쪽으로 광명, 동남쪽으로 김천구미까지 간다는 말이다. 더불어 지상에 있는 충북선 역시 표정속도가 70km/h는 되고, 충북선의 모든 열차는 경부선(대전

이든, 하루 한 편 정도인 서울 방면이든)과 합류한다. 충북선 열차로 30분 정도 달리면 동북쪽으로는 증평, 서북쪽으로는 천안, 남쪽으로는 대전까지 도달할 수 있다. 사실, 충북선 열차로 오송에서 청주 구시가와 거리가 가장 가까운 오근장까지 가는 데 걸리는 시간은 단 14분이다. 이곳에서 청주 구시가로 들어가는 데도 역시 30분 정도 걸리는 건 문제지만. 747번을 타고 도청까지 접근하는 데 걸리는 시간 역시 차내 시간만 40분, 오근장 앞인 사창동까지는 50분이다. 시내와 동떨어진 오송역의 위치는, 역에서 35~100km 떨어진 지점에 사람들이 도착할 수 있는 시간을 오송역이 실제 표적으로 삼는 두 도시(세종, 청주)에 도달하는 시간과 거의 동일하게 만들고 있다.

이렇게 철도망을 짚어 가다 보면, 고속철도의 선형이, 그리고 주변 여러 도시를 두고 하필 이곳이 분기역이라는 사실이 눈에 들어오지 않을 수 없다. 이곳에서 경부고속철도와 나뉘는 호남고속철도는 급격하게 방향을 틀어 서남쪽으로 내려간다. 그 정도가 얼마나 큰지, 두 철도가 뻗어 나가는 세 방향의 선을 연결하면 직각 삼각형까지 확인할 수 있다. 대도시 사이를 가장 빠르게 연결해야 하는 고속철도의 선형이 이렇게 휘어져 있는 것은 이례적이다. 물론 이렇게 방향이 틀어진 상태에서도 호남고속철도는 반경 5km에 달하는 완만한 곡선을 그리며 경부고속철도와 멀어져 나가지만, 이렇게 틀어진 선형으로 인해 천안아산~공주 사이의 굴곡도[4]는 1.41(=72km/51km), 즉 √2와 거의 같다. 현재 선형에서 기록되는 굴곡도는 이른바 맨해튼 거리의 근

---

[4] 두 역 사이를 잇는 철도의 굴곡도는 두 역 사이 철도 영업거리를 직선거리로 나눈 값이다. 굴곡도가 높을수록 우회가 심한 노선이다.

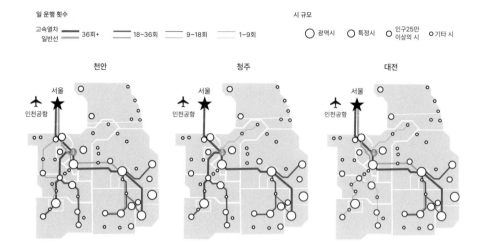

일 운행 횟수

고속열차 일반선 ━━ 36회+ ━━ 18~36회 ━━ 9~18회 ━━ 1~9회

시 규모

◯ 광역시　◯ 특정시　◦ 인구25만 이상의 시　° 기타 시

천안　　　　청주　　　　대전

서울　　　서울　　　서울

인천공항　　인천공항　　인천공항

도표 1-1. 2021년 연말 현재, 충청권 3대 도시의 전국 철도망 연계 수준. 원은 경기도계 바깥의 시만 포함한다.
별표가 서울, 비행기 모양은 인천공항. 인구: 21년 주민등록인구. 열차 시각표: 철도공사.

사치라는 말이다. 정사각형으로 된 시가지를 에둘러 나가는 길에서나 나오는 굴곡도, 아니면 서로 직교하는 두 지하철 노선을 환승하여 정확히 같은 거리만큼 이용했을 때나 기록될 만한 굴곡도가 직통 운행을 하는 고속철도에서 보인다.

한국고속철도의 다른 노선에도 굴곡 노선은 있다. 경부고속선의 경주 구간이 바로 그렇다. 동대구에서 경주를 거쳐 부산으로 방향을 꺾기 위해, 동쪽으로 향하던 고속철도는 경주에서 남쪽으로 방향을 90도 이상 꺾는다. 하지만 이 구간은 경주(인구 약 25만)와의 연결뿐만 아니라 포항(약 50만), 울산(약 110만)을 한꺼번에 경부고속철도와 연계하기 위한 포석이기도 했다. 그리고 이 덕에, 포항과 울산에서 하루 2만 명(2019년)이 넘는 사람들이 고속철도를 이용하게 되었다. 굴곡도 역시 맨해튼 거리에 비해 조금 낮다(127/93=1.37).

하지만 오송역에서 이렇게 휜 고속선은 경주 구간처럼 많은 연결점을 제공하지는 않는다. 우회를 감수하더라도 고속철도 연결 경우의 수를 늘리려 했다면 분기역으로 대전을 선택했어야 한다. 대전에서 호남 방면 승객이 고속선을 이용할 수 있고, 더불어 청주와 천안 같은 다른 충청권 대도시 역시 호남 방면의 고속선 접속이 쉬웠을 것이기 때문이다. 전주와 광주 연결도 좀 더 쉬웠을지 모르겠다.

도표 1-1은 현재 대전에서 호남 방면으로 가는 연계가 사실상 재래선 열차로만 이뤄지고 있어 다른 도시에 비해 시설과 연계가 미약하다는 점을 보여 준다. 다른 대안에 비해 굴곡도도 높은 데다, 더 많은 이동 경우의 수를 흡수하기도 어렵다. 바로 이것이 오송 분기의 현실인 셈이다. 이례적 곡선, 기묘한 분기가 이 역을 휘감고 있다.

오송 분기가 그리는 곡선이 이례적이라는 것은 주변을 지나는 다른 여러 길을 살펴보아도 확인할 수 있다. 먼저 고속도로망을 살펴보자. 오송 부근에는 비슷한 구조로 천안, 청주, 대전을 잇는 경부고속도로가 있다. 그러나 여기서 호남 방면 통행량은 오송에서 분기해 나오는 것이 아니라 천안과 논산을 잇는 천안논산고속도로(2002년 개통)를 이용한다. 1번 국도는 조금 더 서쪽으로 불룩하게 나와 있지만 역시 오송까지 접근해 들어오지는 않는다. 미호강[5]–금강의 하도(河道)가 호남고속선과 비슷한 방향으로 뻗어 있긴 하지만 구불구불하게 차령산지를 휘돌아 나가는 하도는 고속열차가 305km/h로 달리며 산지 따위는 무시하듯 뚫어 버리고 곧게 뻗어 있는 고속선과는 성격이 다르다. 고속철도 시대 이전에는 지금의 오송 분기 노선이 도시의 주축

---

[5]   2022년 7월에 미호천에서 미호강으로 승격.

이 되리라고 상상도 하지 못했다는 것이 올바른 서술일 것이다.

　이처럼 기묘한 분기와 이상한 곡선이 육상 교통망에서 가장 위계가 높은 고속철도에서 나타나는 것이 오송역의 현실이다. 그리고 이로 인해 오송역은 충청권 전체에 영향을 미치는 지각 변동을 일으키고 있다. 오송역 부근에서는 고속철도를 둘러싸고 갈등이 끊이지 않는다. 세종역을 지어 달라는 요구에 충청북도가 반대한다는 뉴스, 서대전역을 경유하는 열차를 호남에서 반대한다는 뉴스, 공주역을 이용하는 사람들이 없어 공주시가 골머리를 싸매고 있다는 뉴스…. 전자의 요구는 세종시로 진입하는 30분의 불만 때문이라면, 후자의 두 요구는 오송역을 분기역으로 택해 일어난 대전~호남 간, 그리고 공주연계에서의 공백 때문에 일어난 일이다. 이런 갈등에 미봉책 이상의 방법을 내놓을 수 있는 사람은, 현재로서는 없다.

불만의 여행, 오송

서둘러 오송에 왔다고 해도, 이렇게 많은 사실들을 점검하는 동안 당신의 시간이 꽤 많이 흘렀을지도 모르겠다. 이제 왜 이렇게 이상하고 불만스러운 사람들이 가득한 여행에 당신을 초대했는지, 그 이유를 명확히 밝힐 시간이다.

　이 책의 주인공은 오송역, 그리고 이 오송역을 만드는 데 함께한 수많은 행위자들이다. 누구보다도 중요한 행위자는 충북이다. 이들은 집요한 공작 끝에 철도를 자신들의 앞마당에 끌어왔고, 이후의 상황 역시 주도하고 있다. 그렇지만 충청북도 행정 당국을 제외한 어떤 사람들도 이 역에 만족하지는 않는 것 같다. 747을 타는 청주시민이든, B1, B2를 타는 세종시민과 정부 방면 출장객이든, 천안과 대전의 시민이든, 호남 방면으로 이동하는 시민이든, 충북선 이용객들이든, 오송읍 주민, 근무자, 출장객이든…. 심지어 오송역은 목적지를 빠르게 잇지도, 대도시 사이의 연결도 제공하지 못하고, 역을 출발한 호남선 고속열차는 도시도, 주변 길도 없는 틈새로 빠져나간다. 이 속에서 주요 역 사이의 굴곡도는 맨해튼 거리를 넘기고 만다. 모두가 불만을 느끼고 있지만, 이렇게 이상한 풍경 속에 갇혀 앞으로 수백 년을 보내야 할지도 모르는 현실. 이 현실이 대체 어디서부터 어떻게 잘못된 것인지 확인하고 싶은 마음이 든다면, 당신은 책을 제대로 고른 것이다. 이 책이야말로 오송역이 수많은 사람들에게 선사하는 불만의 여행으로 가는 티켓이니 말이다.

2절. 전설적 영웅담 vs. 불만의 여행

하지만 '불만의 여행'이라는 말은 형용모순처럼 들린다. 여행은 즐겁고자 하는 것이고, 오늘을 살아가는 사람들의 활기, 과거를 지배한 사람들의 위업, 자연의 절묘한 풍광, 맛있는 음식을 즐기며 마음을 풀어놓고 가볍게 할 일이라고 생각하는 사람들에게는 분명 그럴 것이다. 안 그래도 낯선 지명과 사물 앞에서는 혼란을 느끼고 당황하기 쉬운데, 잡초가 무성한 길로 둘러싸여 있는 데다, 그렇다고 택시를 탔다가 기사에게 비난을 들을지도 모르는 곳에 사람들을 초청하다니!

이 불만의 여행을 시작하고 싶은 지점은 오송역 동광장의 까만 비석 앞이다. 소나무 다섯 그루 이상이 주변을 둘러싸고 있는 이 비석은, 인적은 드물지만 잘 가꿔진 화단에 서 있어 찾기 어렵지 않다. 문제의 비석에 새겨진 비문 전문을 확인하면서 이야기를 계속해 보자.

고속철도 오송역 유치기념비

1989년 9월 정부가 경부고속철도(KTX) 노선의 충북(오송) 경유는 기술적 문제와 사업비 과다 등의 이유로 불가하다고 발표하자, 충북도민들은 충격과 실망감을 감추지 못하였다.

이에 민태구 충북도지사와 충북시민회(회장 정상길)를 중심으로 도민들은 경부고속철도 충북유치운동을 벌이기 시작했고, 1990년 1월 발족된 경부고속전철본선역충북권유치추진위원회(위원장 남궁윤, 2대 이상록)는 신방웅·박병호 교수 등의 학술적 자문을 받아 주병덕 충북도지사와 함께 범도민운동을 본격 전개하였다.

그리고 1991년 8월, 이동호 충북도지사는 임광수 재경충북협회장이 일본, 프랑스 등 선진국의 고속철도 사례를 조사·분석하여 만든 논리(경부고속철도 충북 경유 시의 곡선반경이 정부 기준에 부합, 격역(隔驛) 간 운행을 통한 속도 지연 문제 해소, 충북 경유 시에는 터널 공사 불필요로 사업비 절감 등)를 바탕으로 이춘구·정종택·김종호 국회의원 등의 지원을 받아 충북 경유 노선 건설을 노태우 대통령에게 직접 건의하였다.

그 결과 1991년 9월 19일, 정부가 마침내 경부고속철도 노선을 충북 경유로 변경·확정하였으니, 이것이 2010년 11월 1일 역사적인 KTX 오송역이 탄생하는 단초가 되었다.

또한 1993년 8월, 정부의 호남고속철도(KTX) 건설 계획이 발표되자 도민들은 오송역을 분기역으로 하기 위해 1995년 11월 호남고속철도기점역오송유치추진위원회(위원장 이상록, 부위원장 최병준·한장훈)를 발족하고, 박종호·신방웅·황희연·박병호 교수 등을 중심으로 국가철도망 X축 논리를 개발하여 호남고속철도 오송역 유치의 당위성을 주장하였다.

그럼에도 2000년 1월, 제4차 국토종합계획에서 오송역이 호남고속철도 분기역에서 제외되자, 도·시군의회가 앞장서 오송분기역 유치 분위기를 확산하고, 2004년 7월 재편된 호남고속철도분기역오송(청주)유치추진위원회(공동대표 이상훈·김범추·박노동·유재기·이도영, 상임부위원장 박연석)와 이원종 충북도지사, 홍재형·이용희 국회의원을 비롯한 도내 국회의원, 시장·군수 그리고 각급 시민사회단체·학계·언론계 등 전 도민들이 다 함께 호남고속철도 오송 분기역 유치 범도민운동을 적극 전개하였다.

한편 도민들은 오송역을 중심으로 국가철도망 X축 구축의 필요성과 국가 균형발전의 논리를 내세워 호남권·강원권 주민들을 설득하고 청와대, 정부, 정치권 등에 적극 건의한 끝에 2005년 6월 30일, 드디어 노무현 참여정부가 오송역을 호남고속철도 분기역으로 최종 결정하였다. 이로써 2015년 4월 2일, 오송역이 호남고속철도 분기역으로 재탄생하기에 이르렀다.

경부고속철도 오송역과 호남고속철도 오송 분기역 유치는 도민 모두가 총화단결하여 장장 16년(완전개통 시까지는 26년)에 걸쳐 투쟁한 땀과 눈물과 열정의 산물이자 충북 현대사에 길이 빛날 역사적 쾌거이며, 태산준령을 수없이 넘나든 역경과 승리의 드라마요, 충북의 가장 값진 미래 자산이다.

앞으로 오송역은 신수도권의 관문역을 넘어 국가철도망 X축의 중심지가 되고 더 나아가 북한을 거쳐 시베리아 횡단철도(TSR)와 중국횡단철도(TCR)를 타고 세계로 뻗어가는 영충호 시대, 생명과 태양의 땅 충북의 시발역이 될 것이다.

이에 미래천년의 신화를 창조한 경부고속전철본선역충북권유치 추진위원회 및 호남고속철도분기역오송(청주)유치추진위원회를 비롯한 당시 충북도민들의 숭고한 애향정신과 승리의 영광을 대대로 계승하고 이들의 전설적 영웅담을 영원히 기리고자 여기 기념비를 세운다.

호남고속철도개통 1주년을 기념하여 161만 충북도민이 함께 세우다.

2016. 6. 13. 충 청 북 도

자못 진지한 분위기가 담긴 비문이다. 수많은 인명과 지명이 등장하고 시간적으로 26년(1989~2015)이라는 긴 시간을 포괄하고 있는 만큼, 일종의 대하사극 같은 분위기까지 풍긴다. 조선 개국 초의 상황을 다룬 사극《용의 눈물》이 약 34년(1388~1422)의 시간을 다룬 것을 감안하면, 정말로 대하사극과 비슷한 규모의 드라마가 이 역의 배경에 있는 셈이다.

충북이 이 대하사극을 어떻게 기억하는지를 보여 주는 표현에서 이야기를 시작해 보자. "충북도민들의 숭고한 애향정신과 승리의 영광", 그리고 "전설적 영웅담"이라는 것이 이 비문의 주장이다. 잠깐, 그렇다면 이 비문은 당신이 방금 목도한 불만의 여행이 이러한 영웅담의 후일담이라고 주장하고 있는 셈이다. 여기에서 말하고 있는 논거들이 무엇인지 비문에서 찾아 보자.

그림 1-1. 오송역 광장에 세워진 고속철도 오송역 유치기념비. 후면으로 충북선을 달리는 양회조차가 보인다.
저자 촬영, 2023년 3월 17일.

경부고속철도 충북 경유는 충분히 합리적이다

"경부고속철도 충북 경유 시의 곡선반경이 정부 기준에 부합, 격역(隔驛) 간 운행을 통한 속도 지연 문제 해소, 충북 경유 시에는 터널 공사 불필요로 사업비 절감."

오송은 고속철도 X축의 중점이다

"국가철도망 X축 구축"은 "필요성"이 있는 일이었다. 기존 고속철도 계획은 서쪽으로 쏠려 있는 복(卜)자 형태로, 국토 서남부와 동북부를 잇는 망은 제공하지 못하기 때문이다. 현재 존재하지 않는 강원~호남 간 고속철도망이 필요하다는 뜻이다.

오송을 중심으로 구축된 X축은 국토 균형발전은 물론 외국과의 철도 연결도 강화할 수 있을 것이다

이렇게 국토의 빈 칸을 채우는 것이 국가 균형발전이다. 또한 이렇게 건설된 망은 "더 나아가 북한을 거쳐 시베리아 횡단철도(TSR)와 중국횡단철도(TCR)를 타고 세계로 뻗어 가는" 철도망의 출발점이 될 것이다.

경부고속철도 충북 경유를 위한 발판을 만든 것이 첫 번째 논거이다. 더불어 X축이 어떤 역할을 할 것인지에 대한 일종의 거시적 논거인 두 번째 논거가 바로 첫 논거를 보강하여 호남고속철도를 현재의 상태로 만들어 낸 핵심 논거다. 두 종류의 논거 사이에 있는 미묘한 차이에 주목해 보자. 첫 논거의 초점은 고속철도 운영에 큰 문제가 없다고 지적하는 데 있다. 반면 두 번째 논거는 국토 계획 전체에 영향을 주려는 일종의 거대 담론이라고 할 수 있다. 논거의 지리적 범위는 넓어지고, 정책 목표는 실제로 이루어졌는지 아니면 실패했는지 확인하기는 더욱 어려운 추상적 개념들로 옮겨 간다. 고속철도의 곡선반경과 속도에 비해 "국토 균형발전"이나 "세계로 뻗어 가는" 철도망은 그 성패를 판정하는 작업 자체가 매우 난해하다는 의미다.

이렇게 오송역이 "전설적 영웅담"의 무대가 된 것은, 결국 호남고속철도 분기역이 이 역으로 결정되었기 때문이다. 비문의 분량도 그렇고, 실제 사회적 논란 역시 그렇다.

한편 이 사회적 논란 속에서 충북이 승리를 거머쥔 이유는 균형발전 같은 추상적 개념과 목표를 동원했기 때문일 것이다. 곧 확인하겠지만, 다른 모든 지방과의 관계는 물론 국가와의 관계 속에서도 충북은 싸움을 아주 유리하게 이끌어 나갔다. 학계에서도 몇몇 예외를 제외하면 오송역에 대한 비판적 논평은 찾기 어려웠다.

그렇다고 "충북의 가장 값진 미래자산"이라는 이 역에 문제가 없는 것은 아니다. 무엇보다 오송역의 이용자 경험은 2023년 현재로서도 앞서 말한 것처럼 불만의 여행이라고 부를 수 있는 수준에 지나지 않는다. 국토 X축이라는 추상적 목표 속에서, 또는 KTX라는 국가 차원의 간선으로 건설된 교통 수단의 힘 아래에서, 이용자 경험과 같은 사소한 사항 따위는 중요하지 않다는 것이었을까.

물론 자비의 원리에 따르자면, 이용자 경험은 상대적으로 덜 중요한 문제일지 모른다. 어차피 철도와 같이 대중을 수송하는 수단에서는 불만을 가지는 사람이 나올 수밖에 없으니까. 열차를 시간표로 이상 없이 운행하고, 역을 깔끔하게 관리하는 것 이상을 바라는 것은 사치라고 말하는 것이 맞을지 모른다. 역 주변 공간이 철도의 책임도 아니고, 오송 주변에서 나름의 도시 계획이 진행된 것도 사실이다.

하지만 오송역, 특히 오송 분기는 충청권 일대의 철도망 구성에서 계속해서 나타나는 여러 불만의 원천이기도 하다. 오송에서 호남고속선을 분기시켜 논산에 이르는 노선은 과거에 교통로가 발달한 축도 아니었고, 이 축을 따라 도시가 발달한 것도 아니었다. 따라서 오송~논산 사이의 호남고속철도는 이 지역 철도망과 교통망 전반에 일종의 지각 변동을 가져왔다. 오송역과 함께 진행된 세종시 건설과 더불어 충청 일대의 철도망에서는 수많은 논란이 있었다. 충청권 광역전철 청주 방면 진입(2021~), 호남고속철도 본선 상 세종역 신설(2017~), 평택~오송 2복선 건설과 이 노선의 세종 경유 및 천안아산 무정차 논란(2016~2022), 공주역과 논산훈련소역 논란(2015~), 서대전역 경유 논란(2014~2015)….

이들 논란은 대체로 아직 해결되지 않았다. 지금까지도 오송역과 오송 분기로 인해 일어난 일종의 지각 변동이 진행 중이라는 말이다. 이 지각 변동 속에서 충북은 대체로 오송역의 위상을 보호하기 위해 목소리를 높였다. 고속철도 2복선화를 통해 세종 관통 노선을 만들어 보겠다는 의견이든, 세종역을 신설하겠다는 의견이든, 충북은 그것이 오송역의 세종시 관문 기능을 약화시키고 지역균형발전에 어긋나는 일이며 나아가 세종시의 중앙 관료들이 자신들의 이기심을 위해 국가의 간선 망을 휘게 만드는 작태라고 비난했다.[6] 한편 공주역 논란, 논산훈련소역 논란, 서대전역 경유 논란처럼 겉보기에는 충북과 별다른 쟁점이 없어 보이는 의견들도 오송역의 지위를 약화시킬 가능성이 조금이라도 보이면 충북은 메시지를 내놓았고, 충북에게 이익이 될 수

---

[6] 유태종·우정식, "행정수도에 KTX역 없다니"… "역 만들면 누가 이사 오겠나", <조선일보>, 2013. 2. 26. https://www.chosun.com/site/data/html_dir/2013/02/26/2013 022600121.html

있는 광역전철의 경우에는 가능한 한 충북에 최대의 투자가 이뤄지도록 집요하게 요구했다.

물론 이용자 따위야 어떻게 되든, 그리고 주변 지역이야 어떻게 되든, 가능하면 충북에 이익이 되는 방향으로 몰고 가려는 사람들이 있을 수 있고, 어쩌면 그것이 자연스러운 일인지도 모른다. 그렇지만 이런 사람들이 현재까지도 계속해서 주도권을 쥐고 주변 모든 행위자를 호령하고 있다는 사실은 쉽게 납득하기 어렵다. 충북은 제주를 뺀 국내에서 가장 면적이 작고, 바다에도 접해 있지도 않은 작은 도일 뿐 아니라, 제주도를 제외하고 GDP가 가장 작은 전북보다도 인구가 적다. 이렇게 작은 다윗이 중앙 정부나 주변 지방 정부 같은 골리앗을 쉽사리 제압하고 자신의 뜻을 관철시키고 있다. 철도 당국이 간간이 시설 규모나 몇몇 열차의 정차역 정도를 조정할 뿐, 큰 그림에서 충북의 요구는 꺾인 적이 없다. 이 상황의 결과가 바로 당신이 목도한 불만의 여행이다. 이 상황은 이렇게 설명하는 것이 최선이다. 충북의 요구에서 무언가 합리적인 것으로 받아들여질 만한 틀이 없었다면, 이런 현실은 충북 바깥의 거대한 골리앗들에 의해 그리고 오송역에서 불편을 느낀 수많은 시민들에 의해 진작에 무너졌을 것이다.

3절. 오송 분기 점수표

충북이 자신있게 목소리를 높이는 근거를 한 가지 확인해 보자. 그림 1-2는 2005년 당시 이뤄진 분기역 평가의 결과 점수표다. 이 점수표는 평가의 논리를 압축적으로 전달해 준다. 약간 추상적인 기본평가 항목, 그리고 이 항목을 더 구체화한 세부평가 항목을 설정한다. 그리

<표 36> 평가항목별 평가점수

기본평가항목	세부평가항목	배점	천안아산	오송	대전
국가 및 지역발전효과	상위계획과의 연계성	17.25	13.03	14.57	12.08
	호남권 등 국토균형발전효과	8.93	5.36	8.24	6.05
	충청권 발전효과	3.57	2.31	3.30	2.39
	행정중심복합도시의 관문성	3.53	2.20	3.29	2.47
	소계	33.28	22.90	29.4	22.99
교통성	호남권 등 지역간 이동성	16.79	11.75	13.8	12.31
	충청권내에서의 접근성	2.77	1.94	2.55	2.09
	국가 간선철도망의 형성 및 정합성	8.15	5.25	7.34	6.25
	소계	27.71	18.94	23.69	20.65
사업성	경제성	8.78	5.66	6.93	6.93
	재무성	2.40	1.41	2.00	1.97
	건설 및 유지관리비용	1.05	0.60	0.92	0.83
	소계	12.23	7.67	9.85	9.73
환경성	생태계	5.25	3.38	4.83	3.03
	수질	3.43	1.91	3.13	2.48
	소음/진동	2.75	1.68	2.57	1.41
	문화재/경관	3.12	1.49	2.63	2.6
	토지이용	2.58	1.63	2.32	1.66
	지형/지질	2.34	1.27	2.16	1.43
	소계	19.47	11.36	17.64	12.61
건설의 용이성	선형조건	4.41	3.09	4.02	2.50
	정차장 입지조건	2.22	1.53	1.95	1.31
	시공의 난이도와 시공기술	0.68	0.45	0.63	0.40
	소계	7.31	5.07	6.60	4.21
합계		100	65.94	87.18	70.19

그림 1-2. 평가 항목별 평가 점수. 호남고속철도 기본계획 조사연구 보완용역 공청회 자료, 국토연구원, 2005. 12: 56.
사료로서의 가치를 감안하여 PDF 파일에 수록된 그대로를 옮겨 두었다.

고 세 분기역 후보에 항목마다 점수를 매긴다. 더불어 역별로 매겨진 항목별 점수를 하나의 점수로 합산하기 위해 가중치를 설정한다. 항목별 점수에 가중치를 곱해 얻은 결과값을 모두 합친 숫자가 각 후보가 분기 역으로 적합한지를 나타내는 평가 점수다.

아주 흥미로운 결과가 보일 것이다. 모든 세부 항목에 걸쳐 오송이 1위이다. 합산 결과도 마찬가지다. 2위 대전과 17점, 3위 천안과는 20점 넘게 차이가 난다. 평가 항목이 터무니없는 것도 아니고 중요한 문제가 누락된 것도 아니다. 누가 호남고속철도가 지역 개발과 무관하다고 할 수 있을까? 환경 문제의 배점이 사업성보다 높은 것은 진보적인 평가 기준처럼 보이기도 한다. 그리고 이 모든 항목에서 오송은 최고점을 받았다. 바로 이 점수가 충북이 오송을 사수해야 한다고 당당하게 말하는 근거 가운데 하나다.

이 점수표가 어떤 과정을 거쳐 나온 것인지는 5장에서 상세하게 확인하려고 한다. 여기서는 이 점수가 국토연구원이라는 국책 연구기관이 관리하는 비교적 중립적인 절차에 의해, 그리고 중앙 정부의 권위적 태도가 상당 부분 약화되고 지역 등 과거에는 억눌려 왔던 주체들의 목소리가 상대적으로 커졌던 노무현 정부 시기에 산정된 것이라는 점을 지적해 두고 싶다. 이 점수 자체도 전국 15개(제주 제외) 광역지방 정부가 기본평가 항목별로 1명씩 추천한 총 75명의 평가자가 참여하여 산정한 것이다. 여기까지만 보면 오송 분기 결정은 지역 개발과 철도망 구축을 위해 감안해야만 하는 합리적 기준을 최선을 다해 반영한 데다 지방 정부의 자기 결정권을 존중하는 절차까지 구비하여 현실에 구현한 섬세한 정책 결정처럼 보인다. 기술관료적 합리성은 물론 절차적 합리성까지, 충북이 자신들의 요구를 합리적이라고 주장할 수 있는 거의 모든 종류의 근거가 갖추어져 있는 듯하다.

하지만 이 가운데 20명, 즉 충남과 호남 3개 지방 정부 추천 인원은 도중에 퇴장하여 평가에 참여하지 않았음을 간과해서는 안 된다. 남아 있던 55명, 즉 충북과 대전을 포함한 나머지 11개 광역 지방 정부가 선임한 대표단의 평가를 합산한 점수가 그림 1-2의 값이다. 평가 대상 노선이 호남 방면의 고속철도이고, 이 노선이 통과하는 구간의 길이가 충청권에서 가장 긴 곳이 충남이라는 점을 감안하면, 이것은 무언가 이상해 보인다. 퇴장한 20명이 총원의 27%에 달하는 만큼, 아마도 오송 평가 점수를 지금보다는 훨씬 더 낮출 수 있었음에도 이들이 퇴장한 것은 상황을 역전시킬 가망이 없었다는 하나의 방증이다. 결국 가장 중요한 지역의 대표단이 빠진 채 이뤄진 평가 결과라는 점에서, 이 점수표는 빛이 바랜다. 절차에서 확인할 수 있는 하자 덕인지, 매우 체계적인 평가표임에도 이 표는 심지어 충북에서도 거의 인용되지 않고 있다.

그렇다면 이 점수표는 양면적 사실을 보여 주는 증거에 가깝다. 호남고속철도와 관련해 논의되었던 사회적 쟁점을 비교적 소상히 그리고 믿을 만하게 보여 주는 값으로 이 점수표의 각 항목과 가중치를 사용해도 좋을지 모른다. 하지만 점수표의 평가 결과는 호남은 물론 충남까지도 납득하지 못한 절차에서 나온 값이다. 다시 말해, 점수표의 틀은 오송 분기가 합리적이라고 포장할 수 있는 틀이 다수 있었다는 사실을 보여 주고, 점수표를 채운 내용은 오송 분기가 실제로 호남고속철도의 혜택을 보는 지역에 불만을 남긴 채 이뤄진 결정이었음을 보여 준다. 방금 목도한 불만의 여행이 바로 이 불만의 흔적일 것이다. 한편 오송 분기가 현실에 실제로 구현되었고 주변의 모든 현상 변경 시도를 제압했다는 사실은 오송 분기를 합리적이라고 포장할 만한 틀에 의한 효과일 것이다.

4절. 한 쌍의 신화, 그리고 그 너머

충북이 이 기반 위에 실제로 어떤 내용을 쌓아 올렸는지 추적하는 것, 그리고 이런 쟁점에 대항하려던 담론이 서 있던 기반과 그 내용을 추적하려는 것이 바로 이 책의 첫 번째 목표이다. 나는 이 틀을 다음과 같은 한 쌍의 신화로 정리할 수 있다고 본다.

1: 지역균형발전의 신화

오송역과 오송 분기는 충청권을 거점으로 하는 전국 차원의 지역균형발전 시도를 구현하는 데 있어 가장 강력한 수단의 일부며, 따라서 오송역의 지위를 조금이라도 약화시키는 것은 충청권의 역량을 강화시켜 진행하려는 지역균형발전 프로젝트를 약화시키려는 시도와 같다.

2: 지역이기주의의 신화

오송역과 오송 분기는 충북이 희소한 자원을 자신들에게 최대한 많이 끌어오려고 만들어 낸 실력 행사의 결과물이다. 이러한 실력 행사는 희소한 자원 분배를 왜곡시켰으므로 합리적인 지역 개발을 방해한 불합리한 시도다.

이들 신화가 서로 대치하면서 현재 오송역에 대한 재현을 지배하고 있다. 충북의 공식 입장은 이미 비문에서 확인한 대로다. 지역이기주의의 신화는 아마도 인터넷에서 확인 가능한 비공식 역사 서술에서 쉽게 찾을 수 있을 것이다. 한편 중립적인 것처럼 보이는 행위자, 가령 정부는 고비 때마다 갈등을 회피하는 쪽을 택하고 있으며, 학계 역시 실제 이용객에 비해서는 논평이 적다는 점에서 다르지 않다.

이 책은 사태를 지나치게 단순하게 바라보도록 만든다는 점에서, 그리고 오송을 둘러싸고 제시된 여러 논거들의 의미를 충분히 조명하지 못한다는 점에서 두 가지 입장 모두 신화적이라고 보려 한다. 신화 1은 '고속철도와 국토 X축(강호축)' 같은 전국토 층위의 계획에서 유효한 개념을 활용하여 '지역균형발전'을 구체화하려 한다. 특히 이들은 지방자치제가 확대되고 지역균형발전을 위한 조치가 실제로 실행되기 시작한 역사적 맥락을 정확히 파악해 활용했다. 아닌 게 아니라, 오늘날 한국 행정학계의 "주류 이론의 시각에서 '지방'은 '해결의 기제'"[7]로 간주되는 경우가 적지 않다는 진단이 있다. 의사결정 권한의 분산 그리고 이들 분산된 주체 사이의 소통을 통해, 과거 권위주의 시대에 있었던 중앙집권적이고 권위적인 의사결정보다 더 공익에 부합하는 의사결정을 할 수 있는 단위로 지방이 부각되었다는 진단이다. 이러한 시대적 분위기 속에서, 충북은 나름의 치열한 논리 개발을 통해 오송역을 지역균형발전의 신화를 담지한 상징이자 실질로 간주하는 내부 합의에 이른 것으로 보인다.

한편 신화 2는 이러한 학계나 정부의 논의에 별다른 영향을 받지 않은 비공식 역사 서술의 특징이다. 이 신화는 "'특수 이익의 매개자로서' 지방을 상정하는 것은 '불경한 개념화'의 혐의를 받게 되기 쉽"[8]다는 우려와는 상관없이, 충북이라는 지역을 비난하기에 바쁘다. 이 신화는 호남고속철도 분기역에 대한 의사결정 과정임에도 호남의 통

---

[7]   권향원·한수정, 「정책네트워크와 정부 간 갈등, KTX 오송역 입지정책을 둘러싼 공공갈등을 중심으로」, 한국정책학회보 25권 2호 (2016): 392.

[8]   권향원·한수정, 같은 논문: 392.

일된 의견이 제대로 반영되지 않았다는 사실, 국토 X축이 분기역 논의에 활용하기에는 지나치게 추상적이고 거시적이라는 사실, 충북이 실력 행사를 위해 협박을 동원했다는 사실 등의 문제에 기반해 오송역을 지역이기주의의 전형으로 재현해 낸다.

이 책은 두 신화 모두를 공박하려 한다. 신화 1에 대한 비판은 '전설적 영웅담'의 결과물에는 어딘가 나사가 빠져 있다는 1절의 체험담으로 시작할 수 있다. 또한 2절에서 확인한 결말, 즉 '전설적 영웅담'의 주인공인 충북은 사실 오송역의 사용자 경험은커녕 함께 살아갈 주변 지역과의 자원 배분이라는 문제에서도 그리 세련된 해결책을 보여 주지 못했다는 결말로 신화 1에 대한 비판은 마무리된다. 한편 신화 2는 신화 1의 문제점을 인식하고 이를 공박하려 하였으나 중요한 약점을 노출한다. 오송 분기 반대 세력이 왜 충북이 내세운 논거에 대항하여 반격하고 오송 분기를 저지하는 데 성공하지 못했는지를 명확히 설명하지 못하기 때문이다. 애초에 충북의 규모를 감안했을 때 스스로 행사할 수 있는 실력의 규모는 뻔하다. 상대적 약자가 강력한 설득력을 획득할 수 있었던 맥락, 이 맥락을 짚어 내지 못한다는 의미에서 신화 2 역시 신화일 뿐이다. 게다가 신화 2는 충북의 개별 이익 추구를 악마화하고 철도 노선을 결정하는 의사결정에서 필연적으로 개입될 수밖에 없는, 곧 이런 개별 이익 추구를 조정하는 정치 과정의 존재에 조명을 비추지 않은 채, 그와 독립적인 합리적 지역 개발의 방법이 있는 것처럼 가장한다는 점에서도 사태를 이해하는 데 있어 부적절하다. 기실 이렇게 지역 개발의 다른 방법이 있는 것처럼 가장하는 태도는, 곧 중앙 기술관료들의 권위를 플라톤의 철인왕과 다르지 않은 수준으로 인정하고 이들에게 개발의 이데아를 찾아 달라고 요청하는 태도와 크게 다르지 않을지 모른다. 그리고 이 태도는 신화 1이 공격하려는 사고방식, 곧 지방의 자체 개발 역량을 부정하는 20세기 중후반 권위주의 시대의 사고방식과 너무나 쉽게 동조화될 것이다.

이 책은 이들 한 쌍의 신화를 넘어, 말하자면 제3의 길을 개척하려고 한다. 이 길을 개척할 때 내가 사용할 도구는 다음 두 가지다.

A: 역사적 맥락화

오송역과 오송 분기라는 현실이 일정한 역사적·인과적 맥락 속에서 성립했다는 것을 밝히기. 또한 역사적 맥락과 이 속에서 누적된 인과적 행위자[9]들이 왜 충북에게 유리하게 작용했고, 충남이나 대전의 요구는 왜 충북에게 제압 당했는지 밝히기.

B: 오차 수정 관점

모든 정책 결정은 설사 목표가 정확했더라도 상황 변화에 따라 목표와는 조금씩 비뚤어진 결과로 나아갈 수 있으며, 한 차례의 결단과 승리로 모든 것이 끝나는 것이 아니라 이후의 오차를 수정하는 것이 적어도 결정적인 결단과 동등하게 중요한 과제이며, 이 과제를 수행하는 방법에 대한 사회적 논의가 필요함을 밝히기.

도구 A는 2, 3부에서 사용될 것이다. 이러한 역사적 맥락화를 위해서는 한반도의 지질·지형 조건부터 충북이라는 행정구역 그리고 충

---

[9] 해당 사물이 없었거나 다른 식으로 존재했다면 사태는 지금과는 다르게 흘러갔을 것이라는 의미에서 '행위자'라는 표현을 사용한다. 프랑스 철학자 라투르(1947~2022)는 사태를 구속하여 인과적 변화의 흐름을 결정짓는 비인간 실재를 인간과 마찬가지로 '행위자'라고 부르는 데 주저하지 않는다. 나는 역사적 검토 속에서 지질과 지형, 추정상의 매장문화재, 행정구역 같은 장기 지속적 존재자를 '행위자'라고 부르는 것에 적절한 맥락이 있다고 생각하게 되었다. 맥락에 따라 활용하기로 한다.

청 지역 전반의 교통로와 인구 변동은 물론 이 도시 체계에 대한 국가의 관심 방향까지 세밀하게 검토해야 한다. 충북은 자신의 입지에 기반하여 분기역을 자신들에게로 끌어올 수 있는 의외의 자원을 몇 가지 찾아내서 이를 기민하게 활용하는 수완을 보였으나 다른 지역은 이만큼의 민완함을 드러내지 못하였다. 더불어 충북이 제안한 추상적 거대 담론 X축은 오송 분기에 관심을 가진 모든 사람들의 관심을 흡수하는 성과를 거두었다. 이것이 도구 A를 오송 분기라는 현상에 적용하여 확인하는 것이 목표이다.

도구 B는 주로 4부에서 사용될 것이다. 오차 수정 관점을 선택하기 위해서는 이 관점이 상대하려 하는 기존의 관점을 정리해야만 한다. 이 관점을 4부에서는 '성공과 실패의 신화' 또는 줄여서 '성패의 신화'라고 부르기로 한다. 한 정책이 실패했다는 평가 그리고 성공했다는 평가는 모두 관점 의존적인 평가며, 이러한 관점은 (철인왕의 것이 아니라) 제한적인 인지적 역량만을 가진 행위자의 것인 만큼 뒤집히지 않는 중립적 관점이 될 수 없다. 따라서 어떤 정책이 성공과 실패라고 말하기 전에 왜, 무엇이 성공과 실패라는 평가의 기준인지 확인하는 작업이 필요하다. 더불어 정책은 사회적 변화 속에 놓이게 되므로 오늘의 성공은 내일의 실패가, 오늘의 실패는 내일의 성공이 될지도 모른다. 이렇게 열려 있는 여러 가능성 속에서 필요한 것은 사회적 변화와 관점에 따라 발생하는 여러 오차를 반영하여 변화하는 상황 속에서 정책 목표를 구현할 수 있는 유연한 관점, 즉 '오차 수정 관점'이다. 이 관점이 어떤 의미에서 성패의 신화보다 지금의 오송역과 주변 지역의 상황에 더 유효한 것인지를 검토하는 작업이 8장에서 진행될 것이다. 더불어 9장에서는 충북이 오송 분기를 성공이라고 평가하며 이후의 오차 수정 시도에 강하게 저항하는 것을 어떻게 비판할 수 있을

지, 다시 말해 지역균형발전과 지방자치(지방의 자기 결정권)라는 전략 목표를 현실에 구현하는 방법이 바로 오송 분기였으며, 오송 분기로 생겨난 현재의 교통망을 수정하는 것은 이 전략 목표 자체를 위협하는 것이라는 주장을 어떻게 비판할 수 있는지, 그리고 이 비판을 현실에 뿌리내리도록 만들기 위한 기본적인 대안으로는 무엇이 있을지에 대해서도 논의해 본다.

2장. 오송역의 발 밑

시생대의 암석부터 2020년의 교통망까지

"충청도는 전라도와 경기도 사이에 있다. 서쪽은 바다에 닿았고, 동쪽은
경상도와 경계가 맞닿았다. 그리고 동북편 모퉁이가 되는
충주 등 고을은 강원도의 남쪽에 불쑥 들어가 있다.
(중략) 남쪽의 반은 차령 남쪽에 위치하여 전라도와 가깝고,
반은 차령 북편에 있어 경기도와 이웃이다."

– 이중환, 『택리지』 '충청도'

본격적인 이야기를 시작하기에 앞서, 2부에서 배경 정보를 설명하는
시간을 가지려 한다. 지리적 구조물의 현 상태에 대한 정보 그리고 이
지리적 구조물이 형성되어 온 역사적 과정에 대한 정보는, 지도 위의
길과 도시를 변형시키는 오송역의 이야기를 이해하는 데 필수적이기
때문이다.

가장 먼저 검토할 정보는 지질과 지형이다. 이는 아무리 육상 교
통망 가운데 기존의 망과 도시에 가장 급진적으로 도전할 수 있는 고

속철도라고 해도 길은 대체로 지형에 순응[10]하여 형성되어 있는 고속철도 이전 시대의 도시 회랑을 따라 낼 수 있으며, 동시에 이 지형은 지질 시대의 여러 변화에 따라 나타난 것이기 때문이다. 그다음에는 충청도라는 행정구역이 어떤 역사적 배경 하에서 등장했는지 점검하고, 이어서 철도 시대 이후 인구의 변화 그리고 교통로의 변화 과정을 간략히 훑어보기로 한다.

이들 정보는 역사적 상대화 그리고 오차 수정 관점을 구체화하기 위해 수시로 활용될 것이다. 따라서 이 부분은 반드시 차례대로 읽을 필요가 없으며, 2부와 3부에서 당연하다는 듯 설명 없이 사용하고 있는 개념이나 현상, 지리적 구조물, 역사적 사건 등이 있으면 참조하기 위한 용도로 그때그때 찾아 읽어도 좋다.

1절. 모든 것의 기반: 지질과 지형

오송 분기를 비롯한 한국의 모든 사건은 땅 위에서 이뤄진 것이다. 특히 대규모의 토목 공사와 유지 보수 작업, 나아가 도시 건설과 재배치 작업까지 따라올 수 있는 철도 개발에서 땅은 무엇보다도 중요한 조건이다.

한반도는 30억 년 이상의 지질시대를 지나며 격변을 거쳤다. 이 가운데 한반도 중남부, 곧 이 책의 논의 공간이 될 이른바 '충청도' 지

---

[10]   도전과 순응에 대해서는 전현우, 『납치된 도시에서 길찾기』(민음사, 2022): 77~108의 개념화와 사례 분석을 참조.

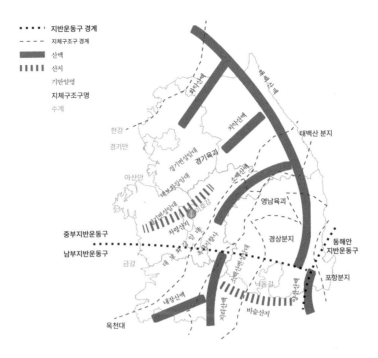

지도 2-1. 충청 지역 인근 한반도의 주요 지질 및 지형 요소. 주요 기반암대의 이름은 한국지질자원연구원, 한국지질도 (1:1,000,000), 2019. doi: 10.22747/data.2021 0129.2134 지체구조의 이름은 국토지리정보원, 대한민국 국가지도집 II, 2020: 36. 산맥·산 지명과 지반운동구 명칭은 박수진·손일, 한국산맥론(III): 새로운 산맥도의 제안, 대한지리학회지 제43권 제3호 (2008): 276~295.

역 인근을 이해하기 위해 가장 중요한 사실은 이 지역의 지질 구조이다. 이 지역에서 가장 먼저 지구상에 존재하기 시작한 암석군은 경기변성암대에 속하는 여러 변성암(편마암 등)들이다. 이들은 한강 하구-고성-강릉-금강 하구를 잇는, 남쪽 변이 동북-남서 방향을 잇고 북쪽 변은 동북동-서남서 방향을 잇는 사각형 모양 내부에 분포한다. 이를 '경기육괴'라고 부른다. 이들은 통상 30억 년 전부터 존재하던 암석으로 알려져 있다.

경기변성암대의 상당 부분에 화강암괴가 관입하거나 인접해 있다. 이천-여주 평야, 서울, 수원, 춘천 등지는 경기변성암대 내부에 화강암이 존재하는 관입 지역이고, 묵호부터 충주를 거쳐 호남평야에 이르는 동북-서남 방면의 띠 모양 지역은 경기육괴 남동측에 위치한 화강암 지역이다. 이들은 중생대 쥐라기에 한반도에서 있었던 '대보 조산운동' 때문에 지금 그 자리에 존재한다. 이들 화강암 지역 가운데 영서 지역, 이천-여주 평야, 충주 분지보다 서남쪽에 있는 지역은 대체로 주변의 변성암대보다 더 평평한 분지 지역이다. 화강암은 심성암, 즉 지하 깊은 곳에서 마그마가 식어 만들어진 암석이므로, 지표면에 노출되면 막대한 압력 강하 현상을 겪어 생성 당시보다 더 푸석하게 변해 주변 변성암보다 빠르게 침식된다. 이러한 차별 침식 현상으로 주변의 하천은 화강암 지역으로 몰려들고 그 후 충분히 오랜 시간이 지나면 화강암괴 지역은 침식 분지를 형성한다. 오송이 있는 미호강 주변의 지질 구조도 이렇게 생성된 것으로, 오송-오창의 미호강 방향 평지는 화강암 지역, 서북측의 산악 지역은 경기변성암대이다. 충주부터 호남평야에 이르는 대보 화강암 침식 지대는 크게 보아 이를 따라 흐르는 미호강과 금강 하류(금강-미호강 합수부 이서)로 인해 전근대 교통의 주축인 내륙주운과 그 지선 연결이 발달할 수 있는 축이었으며, 오송역 이야기에서는 X축의 한 기반으로 되살아나게 된다.[11]

더불어 대보화강암대의 남측에는 옥천지향사 또는 옥천대라는 이름을 가진 고생대 퇴적층이 자리하고 있다. 이들은 고생대 동안 퇴적작용으로 형성되었으며, 석탄과 석회석으로 이뤄진 강원 남부의 태백

---

[11]   청주 분지 일대의 지질·지형학적 발달 과정에 대해서는 손미선, "청주 분지의 지형 환경" (한국교원대학교 교육대학원 석사학위논문, 2009).

산 분지까지 연결되어 있다. 이들이 지금처럼 동북-서남 방향으로 향하게 된 것은 대보 조산운동 때문이라고 알려져 있다. 이들의 동남측에는 소백산변성암대 및 대보화강암대가 복잡하게 얽힌 지질 구조물인 영남육괴가 있다. 한편 옥천대에 속하는 일부 석탄 매장층은 길쭉한 띠 모양으로 멀리 전남 화순까지 분포해 있다. 마치 색이 있는 찰흙으로 지층을 만들어 죽 늘어뜨린 것과 같은 모양이다. 큰 변형 없이 안정적으로 유지되고 있는 영남육괴의 퇴적층(중생대 형성)과는 다른 모습이다. 한편 옥천대는 경부선 대전~추풍령 구간이 돌파하는 지층이기도 하고, 강원 남부의 태백산 분지처럼 광물 자원을 다량 품은 또 다른 고생대 퇴적층과 연접해 있기도 하다. 충북으로서는 서울 방면을 제외한 X축의 세 다리 모두가 옥천대와 관련이 있는 셈이다.

이들 지질 구조는 동북-서남 방향으로 이어져 있다. 이는 지도 2-1에 표현된 산맥-산지의 구조에도 영향을 미친다. 여기서 산맥(mountain range)이란, 지면의 융기를 만들어 낸 지질 운동과 구조를 반영하는 개념이다. 산의 능선 또는 육수(陸水) 유로 사이의 육지 줄기, 즉 분수령을 뜻하는 산줄기(mountain ridge)[12]와는 구별된다. 이는 중간에 하천이 관류하는 길쭉한 고지대라 해도 앞서 제시한 조산운동에 공통점이 있다면 산맥은 성립한다는 뜻이다.

이 가운데 충청 지역의 지형을 서술하는 데 핵이 되는 산지가 바로 '차령산지'다. 이 산지는 한반도에 대한 근대적인 자연 지리 서술이 시작된 1910년대 이래 대보 조산운동과 연동되어 생성된 지형으로

---

[12]   이것이 장기간 한국 사회에서 계속되었던 산맥 논쟁의 한 축인 '대간-정맥 체계', 즉 전근대 한국 지리학이 이해한 한반도의 산악 체계가 대응하는 실재라고 보는 것이 지리학계의 합의이다.

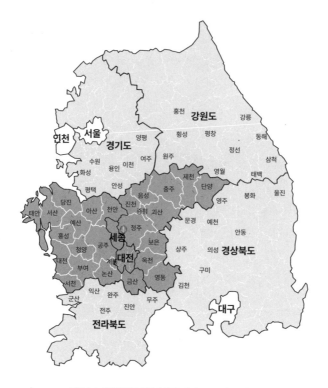

지도 2-2. 충청 지역과 주변의 행정구역명. 2022년 1월 기준.

해석해 왔다. 다만 침식이 심하여 상대적으로 산지의 발달이 현저하지 않아, 최근에는 산맥보다 격이 낮은 '산지'로 분류해야 한다는 견해가 제안되었다. 이 견해에 따르면 해당 산지의 공간적 분포 역시 옥천대와 경기육괴의 경계선을 따라 강원 평창·홍천에서 충남 보령에 이르는 사선 전체가 아니라 지형을 기준으로 수정되는 것이 적절하다.[13]

---

[13]   산맥·산 지명과 지반운동구 명칭은 박수진·손일, "한국산맥론(III): 새로운 산맥도의 제안", 대한지리
        학회지 제43권 제3호 (2008): 276~295.

이 책에서는 해당 견해를 따라 충청 북부와 충청 남부를 나누는 기준이 되는 일련의 산악 지형을 '차령산지'로 지시하기로 한다. 오송은 이차령산지와 대보화강암대 위에 발달한 침식 분지의 경계선 바로 옆에 위치하며, 천안은 차령산지 이북 경기육괴 내부에, 대전은 대보화강암대 가운데 옥천지향사의 퇴적암으로 반쯤 둘러싸인 화강암 침식 분지에 위치한다.

2절. 충청도라는 행정구역

충청 지역은 경기도의 남측, 강원도의 서남측, 전라도의 북측, 경상도의 서북측에 위치해 있다. 충청도는 조선 태종 연간에 설치된 충청도를 그 연원으로 한다. 약 600년 된 구역이라는 뜻이다.[14] 이 구역의 최고 행정관인 충청도 관찰사가 있던 충청감영은 공주, 육군 사령관인 충청병사가 주둔하던 충청병영은 청주, 수군 제독인 충청수사가 주둔하던 충청수영은 현재의 대천시 오천면에 있었다.

　이 구역은 1896년 과거의 조선 8개 도 가운데 삼남과 육상 국경 방면 양 도 5개가 일제히 남도와 북도로 분할되면서 지금과 같이 남북도로 쪼개졌다. 이 가운데 서측, 바다를 면한 쪽이 충청남도(이하 충남)

---

[14] 고려 때도 충청도라는 이름이 사용되었으나 이는 지금의 경기남부 지역을 함께포괄하는 양광도와 함께 병용된 이름이었다. 통일신라 시기에는 공주를 중심으로 하는 웅주가 충남 대부분과 청주를 포괄하였고 충주, 진천 등은 한주의 일부로, 충북 남부는 상주의 일부로 편제되었다. 이 편제는 『삼국사기』「지리지」의 서술로 보아 삼국 시기(5~6세기)의 영역을 반영한 결과인데, 이 시기에는 충남의 대부분이 백제 영역이었으며 고구려는 6세기 말 신라에게 축출되기 이전까지 충북 북부를 영유하였고 신라는 충북 남부(보은, 옥천, 영동)를 영유하였다. 특히 충북 지역은 수도의 위치와 군사적 각축에 따라 편제가 뒤흔들리던 지역이었던 셈이다.

며, 초기 충남도청은 공주에 있었다. 일제강점기 중반에는 철도의 결절점인 대전으로 충남도청이 이전되었다. 우리의 주인공인 충청북도(충북)는 내륙 측이며, 충북도청은 1896년 충주에 설치되었다가 1908년 청주로 옮겨 온 이후 지금까지 자리를 지키고 있다.

이후 대한민국 시기에는 남북도 체계가 유지되다가 1989년 대전이 인구 100만 명 돌파, 대덕단지 등 정부 기능 분산을 계기로 도와 동격의 위상을 가진 지방자치단체인 '직할시'로 분할된다. 1995년에는 몇몇 행정구로만 구성되었던 직할시가 예하에 군, 자치구를 거느리는 '광역시'로 변경되었고, 1980년대 도시화와 함께 성장한 시가지 부분을 '시'라는 별도의 지방자치단체로 분할했던 지역은 다시 통합 도농 복합시로 변경되었다. 충청 지역 대부분의 시군은 이때 지금의 이름과 범위로 통괄되었다. 더불어 지방 정부의 수장을 주민이 직접 선거로 선출하고 중앙이 지방 정부를 자의적으로 폐지하거나 설치하기 어려워지는 등 지방 정부의 위상이 올라갔다. 이후 2012년에는 과거 연기군이었던 지역을 중심으로 지금의 세종특별자치시(이하 세종시)가 도나 대전광역시와 동격의 지방자치단체인 '특별자치시'가 되었다.

3절. 인구와 교통로의 변천

전근대: 19세기의 스냅 숏

전근대의 충청도는 서울에서 출발한 육로 10대로 가운데 다섯 개가 통과하는 지점이었다. 또한 이들 육로는 한강, 금강, 낙동강을 뼈대로 이뤄진 내륙주운과 연계되어 있었다.

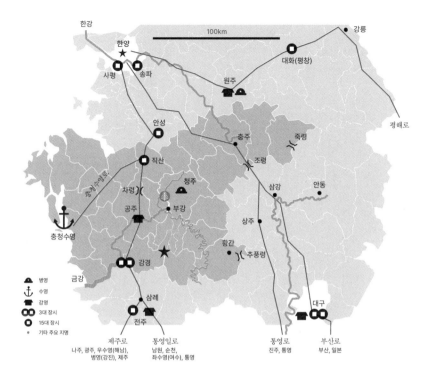

지도 2-3. 19세기 충청 지역 인근의 주요 교통로와 도시. 내부 행정구역은 현대의 것이다. 당시 바다에서 쓰던 선박이 진입할 수 있던 강경~금강구는 더욱 굵게 표현되어 있다. 3대 장시와 15대 장시 목록의 출처는 고동환, 「지방 상업도시의 출현」, 『신편 한국사 33권』 조선후기의 경제, 국사편찬위원회 (1997): 382~386. http://contents.history.go.kr/mobile/nh/view.do?levelId=nh_033_0030_0020_0030_0030

10대로 가운데 가장 서쪽에 있는 것이 충청수영로다. 이 길은 천안 일대에서 분기하여 홍성, 예산 일대를 지나 충청수영에 이른다. 그보다 동쪽에는 제주로와 통영일로가 공용하는 육로가 있다. 이 길은 천안에서 차령을 넘어 공주의 충청감영, 금강수운과의 접속부인 강경을 지나 전주로 남하한다. 전주 인근 삼례에서는 광주와 전라우수영 방면으로 남하하는 제주로, 그리고 남원 방면으로 남하하는 통영일로가 분기한다(통영 방면으로는 내륙을 이용해 진주를 거쳐 가거나, 섬진강 주운이나 육로로 순천·광양까지 이동한 다음 수로로 갈 수도 있다).

서울의 관점에서 추풍령은 필수적인 교통로는 아니었기 때문에 10대로에는 포함되지 않았다.[15] 그러나 추풍령은 금강 수계와 낙동강 수계를 잇는 최단 경로를 제공한다는 점에서 여전히 의미 있는 길이었다. 다만 금강의 가항수로 동측 한계는 통상 부강으로 본다. 옥천이나 영동까지는 수량이 많을 때에만 부정기적으로 운항하였다. 이 길이 오송 그리고 청주와 가장 가까운 길이다.

충주는 한강 수운과 낙동강 수운 사이를 최단거리로 잇는다는 점 때문에 충청도에서 중요한 도시였다. 서울과 영남을 잇는 육로 두개가 함께 이곳을 통과한다. 통영로는 낙동강 서안 지역을 종관, 통영에 도달한다. 부산로는 삼강(지금의 예천군 풍양면) 일대에서 낙동강 수운과 교차하며, 이후 낙동강 동안 지역을 종관(縱貫)하여 대구를 거쳐 부산까지 진행한다.

통영이 남부 지방 방면 육로에서 강조된 것은 이곳에 수군 본부(통제영)가 설치되어 있었기 때문이다. 삼남 해안 지역의 모든 역량이 집중된 수만 명 규모의 조직은 현대의 기준으로 보아도 크다. 게다가 조선 후기에는 삼남 수군의 기동 훈련이 정기적으로 진행되었으므로 수만 명이 운집하던 이 지역의 중요성은 지금의 상상 이상일 수 있다. 한편 전주~서울 사이에는 주요 장시가 연달아 발달하는 회랑이 형성되어 있다. 이 회랑을 남북으로 좀 더 연장하여 평양~남원을 연결하면 이 사이에 이른바 '15대 장시' 가운데 11개가 분포하고 '3대 장시' 가운데 2개(평양, 강경)이 포함된다. 이는 조선의 상업 활동이 평양과 남원

---

[15] 그렇지만 고대 신라와 백제가 각축을 벌이던 당시에는 어느 곳보다 중요한 고개였다. 경주와 공주·부여를 잇는 최적의 경로이기 때문이다. 고려 건국 이후의 중심지 변동으로 인해 이 고개의 중요성이 잠시 망각되었다, 경부선의 등장으로 인해 부흥했다고 할 수도 있을 것이다.

을 연결하는 남북 종관 회랑에 집중되어 있었으며 그 기반은 서울 중심의 남북 방향 육로와 이를 해로와 연계하는 한강, 금강 수운이었다는 점을 보여 주는 분포 형태다. 평양~개성~서울~강경~전주의 주축선에 통영, 대구, 부산 방면 연결이 동쪽 측면으로 연계되어 있는 형태가 조선 후기의 교통과 상업망 구조였다고 보면 될 것이다.

근대와 현대: 1925~2020

한국에서 근대적 방식의 인구 조사는 1925년에 처음 시행되었다. 또한 이 책의 주인공인 충북 지역에 철도가 처음 들어온 것은 1921년이다. 이는 오늘날 충청 지역의 인구와 교통로를 연결지어 설명하는 작업이 1920년대부터 가능하다는 뜻이다. 일제강점기에는 15년을 사이에 두고 1940년의 상황을 추가로 살펴보기로 한다. 또한 건국 후에는 전쟁으로 데이터 수집이 불가능했던 1950년대를 제외한 1960년부터 2000년까지 10년 단위로 변화를 체크하고, 길이 깔리는 속도가 급격히 빨라진 21세기 들어서는 5년마다 변화를 체크한다.

1925년

1925년 충청권의 인구는 뚜렷한 중심지를 찾기 어려울 정도로 고르게 퍼져 있다. 청주가 충청권에서 가장 많은 인구를 차지하기는 하지만 그 규모가 압도적이지는 않으며, 대전이나 천안은 주변 군 지역과 인구가 거의 같았다. 충남 서북 해안 지역(이른바 내포 지역)의 중심지 홍성이나 서산 등이 청주와 비슷한 인구를 기록하고 있는 것도 특징이다.

이 시기 충청권의 교통로로 부상하고 있던 것은 경부선과 호남선을 중심으로 하는 철도망이었다. 지도 2-4에 표현된 20년대는 경부선에 직접 접속하지는 못하지만 여전히 규모가 있던 주변 도시들로 가지를 뻗어나가는 여러 노선이 생겨난 시기로, 충청권 내부에서는 조치원에서 청주를 잇는 충북선이 1921년에 개통한 이래 1925년에는 현재의 증평까지 뻗어오며, 주변 지역에

지도 2-4. 1925년의 충청권 인구와 교통로. 녹색 선은 철도. 당시 금산군은 전라북도에 속해 있었으며 태안군 전 지역은 서산에 속했다.

서도 상주(경북), 전주, 군산(전북) 방면으로 진입하는 지선 철도가 개통되었다. 이러한 줄기-가지 구조는 전근대 내륙 교통망의 간선을 이루던 내륙 주운로의 지위를 망각 속으로 빠뜨리고, 한국인들의 도시를 새롭게 지배하는 간선 '경부축'을 형성하였다. 한편 오송역의 최초 개업일은 1921년 11월 1일, 충북선 개업일과 동일하다.

1940년

이 시기의 인구 분포는 전 지역이 전반적으로 성장했다는 점을 제외하면 15년 전에 비해 눈에 띄게 달라지지는 않았다. 또한 청주는 여전히 충청권 최대의 인구를 자랑하고 있다. 하지만 지도 2-5에는 놓쳐서는 안 될 변화가 숨어 있다. 바로 대전이 성장하여 공주보다 인구가 조금 더 많아졌다는 사실이다. 1932년 충남도청이 공주에서 대전으로 이전함에 따라 공주의 인구 성장은 둔화되고, 대전의 인구는 타 지역보다 더 빠르게 성장하였다.

지도 2-5. 1940년의 충청권 인구와 교통로

교통로의 측면에서 충청권에서 가장 큰 변화는 장항선의 등장(1936)이다. 이 노선은 천안부터 대천까지는 과거 서울과 충청수영을 잇던 육로였던 충청수영로를 계승하며, 광천 이남으로는 해안을 따라 진행하여 금강 하구 북안의 장항에 도달한다. 하구 남안의 군산과 함께 장항이 금강 수운과 서해안 해운, 철도망의 교차점으로 떠올랐다. 더불어 장항에는 해로를 통해 운반된 동광석에서 구리를 추출하는 장항제련소가 건립되었으며, 대천 남부 일대, 곧 옥천대의 일부를 구성하는 탄전 개발도 추진되기 시작했다.

이 시기 충북선은 전통적인 한강 내륙 주운의 결절점인 충주에 도달한다(1928). 이 당시 제1차 청주역과 시내 본선은 구 청주읍성의 서문 일대에 있었으므로 충주, 음성을 비롯한 충북 내륙 지역은 모두가 청주를 거쳐 경부선에 접속하여야 했다. 이는 여전히 충청권 최대의 도시였던 청주의 규모와 맞물려 충북 내륙 지역에 대한 청주의 지배적 위치를 강화하는 지리적 구조로 작용했다. 더불어 충청 지역 동쪽에서는 중앙선 철도가 부설되고 있었고, 지도에 표시된 직후의 시점인 1942년에는 죽령 구간을 비롯한 전 구간이 개통되기에 이른다.

1960년

전쟁과 해방 이후의 혼란을 넘어 상황이 다시 정리된 1960년의 충청권 인구는 20년 전에 비해 1.5배가량 늘어나 있었다. 전 지역의 인구가 앞 시기보다 증가한 상황에서 충청권의 수위 도시는 청주에서 대전으로 바뀌었다. 경부선 철도의 구조 때문에 중심지가 바뀌

지도 2-6. 1960년의 충청권 인구와 교통로

는 데는 50년 이상의 시간이 걸렸고, 인구의 대도시 집중도 아직 크게 나타나지 않았으며, 소도시와 농촌 지역에서도 인구가 꾸준히 증가하고 있었다.

이 시기에도 철도에 대한 투자는 꾸준히 이뤄졌다. 특히 충북선은 충주~제천 구간(1958)까지 개통되어 충북에서 옥천대를 따라 강원 남부의 탄전 초입에 진입할 루트가 확보되었다. 이에 조금 앞서 지금의 태백선이 영월(1955), 정선(1957) 일대까지 개통되었다. 이는 국내 석탄이 한국의 경제 개발을 위해 가장 우선적으로 사용할 에너지원이라는 정부의 판단에 따른 조치였다. 충북은 옥천대 또는 차령산지와 소백산맥 사이 틈새를 따라 이 에너지원에 접속할 기회를 받았다.

1970년

1970년대는 대전의 인구 성장이 두드러지기 시작하는 시기다. 10년 전에는 청주와 유사했던 대전의 인구 규모가 이제는 청주의 1.5배 이상에 도달하였다. 천안은 아직 성장이 시작되지 않았으며, 충청

지도 2-7. 1970년의 충청권 인구와 교통로. 녹색 선은 철도, 보라색 선은 고속도로. 1966년 금산군이 충청남도로 편입되었다.

권 대부분 지역에서 인구가 정체되는 현상도 확인할 수 있다. 이때가 이른바 '이촌향도'의 시기로, 수많은 농촌 인구가 서울과 경부축의 대도시로 유입되었기 때문일 것이다.

교통로의 측면에서는 1970년 7월 7일 경부고속도로가 개통하였다. 이 도로는 대전까지 경부선 철도보다 동쪽으로 약 5~10km 가량 떨어진 지점을 통과하며, 이로 인해 수도권에서는 강남을 출발점으로 하는 남북 회랑이 기존의 경부선 회랑의 서측에 대체로 평행하게 추가로 형성되었다. 충청권에서도 이 회랑은 서측(청주 방면)으로 철도보다 더 가까웠다. 병천과 옥산 일대를 지나 청주 인근을 통과하는 이 도로는 청주의 전국 연결성을 철도보다 더 높여 주었다. 철도망 투자 역시 국내 석탄 수송을 위해 계속된다. 특히 태백선이 계속해서 건설되어 강원 내륙을 관통하였고, 이로 인해 충북인들은 탄전이 주는 기회를 찾아 탄광의 막장 속 깊은 곳까지 파고들 수 있게 되었다.

한편 이 시기(1968)에는 청주 시내 철도망이 시외 지역으로 이설되고 제1차 청주역은 폐지되었으며, 제2차 청주역(2023년 현재 우암동 삼일브라제하임아파트, 향군로 123)으로 철도 기능이 이전되었다. 이 일대에는 2022년 지금도 당시의 도로 구조나 성업했던 여관들이 그대로 남아 있으나 제2차 청주역 자리였다는 것을 알려 주는 아무런 표지도 없는 상태이다.

1980년

1980년대에 접어들면서 철도가 없는 충남 내륙의 군이나 충북 동남측의 군 인구가 본격적으로 감소세를 보이기 시작했다. 대전과 청주의 인구 격차도 더욱 벌어져 거의 2배 수준에 달했다. 이 상황을 더욱 강화한 것은 1973년부터 건설된 대덕연구단지일 것이

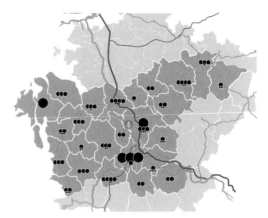

지도 2-8. 1980년의 충청권 인구와 교통로

다. 이 단지는 기초과학과 에너지, 국방 관련 기술을 망라하고 있어 당시 국가가 추진하던 중화학공업 개발에 필요한 지식을 생산하는 거점이 되었으며, 이로 인해 대전은 고학력 인구까지 흡수하기에 이른다. 한편 천안의 인구는 청주의 절반 수준에 불과했으며, 더불어 충주, 서산, 홍성, 논산 등 전근대 주요 중심지 인구는 정체 상태에 빠졌다.

교통로에서는, 경부고속도로의 지선 노선으로 호남선 등이 개통된 것과 태백선이 완전히 개통되어 충북에서 동해안까지 철도로 연결되었다는 점 정도를 빼면 큰 변화는 없었다. 다만 태백선 완전 개통은 청주에게는 일제강점기 제안된 동해안 방면 철도가 현실화된 것으로, 미래 X축의 몽상을 지지하는 현실의 X축으로 기능하게 된다.

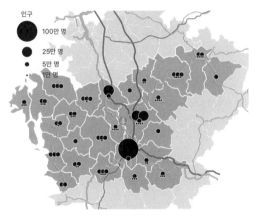

인구
100만 명
25만 명
5만 명
1만 명

지도 2-9. 1990년의 충청권 인구와 교통로

1990년

1990년대 충청권에서는 인구의 도시 집중이 가속화되고, 농촌 지역에서는 과소화가 이어졌다. 특히 대전의 인구는 100만 명을 넘겼고, 이로 인해 직할시로 승격되었다(1989. 1995년 이후 광역시). 청주의 인구 역시 1.5배 증가하였다. 한편 이 시기의 천안은 두 도시에 비해 인구 성장이 느렸다.

긴축 재정을 시행한 제5공화국의 방침 때문에 이 시기 교통망의 변화는 중부고속도로 이외에는 없다. 5공 정부는 다른 분야와 마찬가지로 교통망에 대한 투자 역시 극도로 자제하였고, 따라서 1990년이 되면서 교통 상황은 곧 지옥이라는 질타가 이어졌다. 실제로 지옥철이라는 말이 매체에서 처음으로 확인된 것이 1989년이다. 이렇게 교통망 투자가 억제된 상황에서도 청주는 새로운 고속도로를 얻어 서울 동부와 경기 남부 내륙 그리고 진천과 음성 방면 연결로를 확보할 수 있었다. 이는 충청권의 다른 도시가 얻지 못한 이점이었다.

한편 이 시기 청주에서는 충북선이 복선화되면서 현재의 위치로 이설되고 현 청주역인 제3차 청주역이 개장하였다(1981). 이는 청주가 충북선보다는 도로망으로 주변 도시와 연결되었음을 의미하며, 배후지인 충북선 방향보다는 청주보다 큰 대도시가 있는 수도권과 경부축 방향의 연결이 청주에게도 더욱 중요한 과제가 되었다는 것을 의미할 수 있다. 이후 청주에서 철도망의 역할은 계속해서 축소된다.

2000년

2000년에 이르러 대도시 집중과 군 지역의 과소화는 되돌릴 수 없는 단계에 접어들었다. 그러나 이 시기에 경기도에 인접한 충청 북부 시군의 인구는 오히려 반등했다. 수도권의 성장에 따라 넓은 토지를 필요로 하는 여러 산업이 수도권 규제가 적용되지 않는 충청 북부 지역으로 이전하기 시작했기 때문으로 보인다. 이로 인해 경기도계에 접한 충청권의 도시 가운데 가장 큰 천안의 성장세는 청주나 대전보다 훨씬 빨랐다.

지도 2-10. 2000년의 충청권 인구와 교통로

더불어 이 시기의 교통로 측면에서는 고속도로 시대가 본격적으로 개막하였다. 경부고속도로는 서울에서 대전까지 6~8차선으로 확장이 완료되었고, 충남 서해안으로는 서해안고속도로, 제천·단양 등 충북 산악 인근으로는 중앙고속도로가 건설되어 구간별로 개통하면서 충청권의 교통망은 고속도로 중심으로 재편되었다. 대전에서는 남부순환고속도로가 구축되어 대전 순환선까지 구성되기에 이른다.

2005년

이 시기의 인구 변화는 빠르지 않다. 하지만 남북 방향의 고속도로망이 모두 완성되어 총 5개의 고속도로가 충청을 남북으로 가로지르게 되었다는 것은 큰 변화였다. 경부와 중부뿐만 아니라 서해안, 중부내륙, 중앙고속도로가 충청의 곳곳을 전국과 연결시켰다. 더불어

지도 2-11. 2005년의 충청권 인구와 교통로

천안논산고속도로가 개통되어 호남과 수도권 사이의 통행량이 혼잡한 청주와 대전 인근을 우회할 수 있는 길까지 열렸다. 철도 역시 변화가 이어지는데, 이 시기에 경부고속철도(2004)가 개통하며 천안까지 경부선 본선이 2복선화(2005)되어 수원, 평택 등의 경기 남부 방향으로 15분에 한 편가량의 배차 간격으로 전동차가 투입되기에 이른다. 이들 두 노선과 함께 천안의 인구가 1년 사이에 수만 명이나 늘기도 했다.

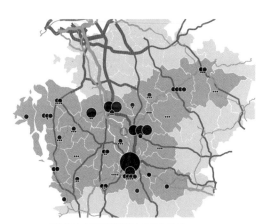

지도 2-12. 2010년의 충청권 인구와 교통로

2010년

2010년 역시 인구 변화는 크지 않다. 수도권 인근과 천안, 청주, 대전의 인구가 지속적으로 증가하고 이외의 군 지역 인구는 더욱 미약한 수준으로 감소하는 변화가 계속되었다.

교통망의 층위에서는 고속도로망이 더욱 입체적으로 구축되었다. 특히 횡방향 고속도로가 추가된 것이 충청권에서는 큰 변화였다. 대전에서 당진, 대전에서 서천 방면으로, 그리고 청주에서 상주 방면으로 횡방향 도로가 추가되고, 음성에서 평택을 잇는 횡축 도로도 생겨났다. 이들 횡축 도로는 상대적으로 새로운 길들로서, 이전까지는 횡방향으로는 철도는커녕 버스 축도 부실한 편이었다. 이는 이 시기 도로 투자가 그만큼 전면적이고 과감한 수준이었음을 보여 준다.

한편 고속철도 오송역은 2010년 11월 1일에 개업했다. 충북선 오송역으로서는 정확히 89번째 생일에 부활한 셈이다.

2015년

2015년 시점의 가장 큰 변화는 연기군이 세종시로 바뀌고(2012), 그동안의 인구 정체에서 벗어나 성장하기 시작했다는 점이다. 더불어 횡축 고속도로망은 완성 단계에 이른다. 음성에서 충주, 제천에 이르는 망이 완전히 구축되는 한편, 옥산 인근에서 경부고속도로와 중부고속도로 사이의 통

지도 2-13. 2015년의 충청권 인구와 교통로

행을 수월하게 할 지선 고속도로망까지 더해졌다. 2015년 4월 2일에는 이 책의 계기가 되는 호남고속철도 오송 분기가 드디어 실현되어 고속철도망도 현재의 모습을 갖추었다.

2020년

2020년에는 대전의 인구가 조금 감소하고 세종의 인구가 계속해서 성장하는 모습을 확인할 수 있다. 청주, 대전, 천안을 꼭짓점으로 하는 일종의 삼각형 내부 전역이 인구 밀집지가 된 셈이다. 더불어 경기도 연접 지역의 인구는 꾸준한 회복세를 보여 대부분 1970년대 수준을 상회하게 되었다. 수도권 규제를 피해 넘어온 산업의 물량을 짐작할 수 있는 규모다. 교통로에서는 수도권과는 달리 충청권에서는 5년 전에 비해 중대한 변화는 없었다.

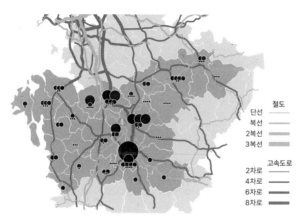

지도 2-14. 2020년의 충청권 인구 및 교통로

2부.
저발전 설화부터
경부고속철도
오송역까지

오송 분기에 대한 충북의 열의를 설명하는 출발점은 '저발전'이다. 발전은 역사적 변화를 전제로 한다. 21세기 한국에서의 발전이라면, 19세기의 농경 사회에서 오늘날 고도로 도시화, 산업화된 사회로 변화하는 과정일 것이다. 이 책의 주제인 교통은 상징과 실질 양면에 걸쳐 이 변화를 이끄는 기관차와 같다. 충북과 같은 지역에서 믿는 저발전 설화의 핵심에는 몇 가지 역사적 이유 때문에 이런 변화에서 뒤쳐졌다는 추측이 자리잡고 있다. 이 역사적 이유를 확인해 타파하는 것, 바로 이것이 저발전에 대응하는 지역 개발의 가장 기본적인 방법일 것이다.

충북과 청주 이외의 많은 지역에서 확인할 수 있듯, 2023년 현재 철도는 이 저발전 신화의 핵이다. 특히 농경 사회의 보수 집단이 철도 부설을 반대하여 지금의 저발전 상황이 나타났다는 설화는 전국에서 찾아볼 수 있다. 이 설화는 아마도 오늘의 지역사회 여론 주도층이 설화 속의 보수 집단과는 다른 행보를 보여야 한다는 논거처럼 활용되는 것 같다. 가령 빨대 효과, 즉 빠른 교통망에 의해 소규모 중심지 기능이 주변 대도시로 빨려들어가고 이로 인해 주변이 도시에 종속될 수 있다는 추론에 따라 철도망 확충에 반대하는 여론이 있을 수 있다. 여기에 대응해, 과거처럼 보수적 판단을 내리지 말고 철도를 도시로 끌어들여야 한다는 추론의 근거로 바로 농경 사회의 보수 집단이 내렸던 판단이 활용되는 것 같다.

이런 설화가 있는 곳 가운데, 충북 청주는 다른 많은 지역과는 달리 고속철도를 유치해 내는 데 성공했다. 그것도 중앙 정부의 기술관료들이 10년 넘게 거부해 온 대안, 즉 오송역과 오송 분기를 기나긴 투쟁 끝에 쟁취해 냈다. 이후의 여러 현상 변경, 또는 오차 수정 시도에도 불구하고, 오송역은 지금까지는 그 독보적 지위를 지켜 왔다. 이것은 충북의 입장에서 보았을 때는 쾌거가 맞다. 아마도 중앙 기술관료들의 철옹성을 무너뜨렸다는 점만 본다면 지방의 독자적 발전 역량이 필요하다고 믿는 모든 사람들에게 오송 분기는 하나의 이정표일지 모른다.

그렇지만 오송 분기는 1부에서 확인했듯 다른 지역 그리고 오송역의 승객들에게 불만을 불러오고 말았다. 쾌거와 불만이 교차하는 이 상황을 정확히 이해하려면 충북의 활동과 논거가 어떤 역사적 배경을 가지고 있는지 확인하는 역사적 작업이 필수적이다. 2부는 바로 이 작업의 무대다.

2부는 두 장으로 이뤄진다. 3장은 고속철도 이전 시대의 청주와 주변 교통망 그리고 주변 도시 체계의 형성 과정을 설명하는 데 바친다. 이야기의 시작은 바로 경부선이다. 1905년 개통해 근대화 이행 과정 전반에 걸쳐 한국 전체에 영향을 미친 경부선은 충청에서도 아주 중요한 효과를 낸다. 영호남과 달리 충청 지역은 남북 양 도의 경계 지점에 대도시가 주로 발달했는데, 경부선이 아니면 이런 차이를 설명하기는 어렵기 때문이다. 따라서 경부선 노선이 다르게 구성될 수 있었는지 점검하는 작업은 충청의 도시 체계를 이해하기 위해 무엇보다 먼저 이뤄져야 할 작업이다. 나는 경부선 노선의 결정에 영향을 미친 여러 요인을 점검한 다음, 경부선 주변의 주요 도시인 공주, 청주, 천안, 대전의 발전에 주변 철도망이 끼친 영향을, 그리고 경부선과 직교하는 충북선, 안성선, 경북선 등 교량선 사이의 경쟁을 검토할 것이다. 이어서 1970년 건설된 경부고속도로와 이후 1990년에 이르는 20세기 후반의 개발 상황을 점검하면서 오송 분기라는 게임의 세 참여자였던 청주, 대전, 천안의 지위를 확인한다.

4장은 1990년대 초반에 결정된 경부고속철도 오송역 그 자체를 다룬다. 본래 초기 경부고속철도 계획에서 청주는 배제되었다. 이는 충북을 경악케 했으며, 따라서 충북은 여러 종류의 투쟁을 창안해 중앙 정부에 맞섰다. 비록 이 과정에 대한 문헌 증거나 선행 연구는 부족하지만, 나는 몇 가지 정보를 활용해 이 투쟁과 오송역 입지 선택 과정을 설명하는 추론을 제시할 수 있었다. 많은 부분이 가설적이지만 후속 연구를 통해 보완되리라 믿는다.

2부 역시 장절을 모두 따라가며 읽을 필요는 없다. 누가 이 오송 분기에 책임이 있는지 확인하려면 2부를 건너뛰고 바로 3부로 넘어가면 된다. 한편 오송과 얽힌 이 행위자들의 행동을 이해하기 위한 자연사적·인문지리적 맥락을 확인하고자 한다면 3장부터 차근차근 읽으면 된다.

3장. 충남북 접경 지역 속의 청주와 고속철도 이전 시대

"충북선이 곧 이론이고 논리다."
– 박종호, 호남고속철 분기점 결정과 충청북도의 주장, 『호남고속철도 오송분기역 오송(청주) 유치 백서』 1543.

1절. 2023년의 스냅 숏: 충청 지역의 도시 체계

2023년 현재, 충청 지역에서 인구 50만 명이 넘는 도시는 대전, 청주, 천안이다. 충청도는 동서로 넓게 퍼져 있지만 이 도시들은 모두 충청 북도와 충청남도의 접경 지역(이하 양청[16] 접경)에 분포한다. 설계 인구 50만을 향해 순조롭게 성장하고 있는 세종(2022년 연말 39만 명)까지

---

[16] 충북, 충남을 양청 지역이라고 부르는 것은 과거 명청 시대(광서-광동을 양광 지역이라고 부름)의 용어법을 활용하여 저자가 만든 말이다.

포함하면 권역 내에
존재하는 네 개의 대
도시가 모두 충남-충
북 접경에 있다는 뜻
이다.

　전남과 전북, 경
남과 경북의 접경에
는 이렇게 도시가 많
지 않다. 이들 두 지역

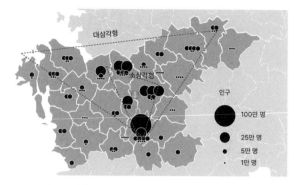

지도 3-1. 충청 지역 및 그 주변의 행정구역과 주요 도시, 2020.

의 경우, 경계를 넘는 연담 도시는 경주-울산 정도를 빼면 없다시피하
다. 게다가 이들 경계에는 도 경계와 대체로 일치하는 방향으로 진행
된 큰 산맥이 발달해 있다. 전남과 전북 사이에는 내장산맥[17]이, 경남
과 경북의 접경에는 덕유산, 가야산과 비슬산지 그리고 '영남 알프스'
로 유명한 양산산맥을 잇는 대규모 산맥이 있다. 하지만 양청 접경에
는 도 경계의 방향과 일치하는 산맥이 없고, 천안을 제외하면[18] 이 지
역의 도시들은 모두 금강 수계에 속해 있다.

　지도 3-1을 활용해 이 구조를 지도 위에서 쉽게 지시할 수 있도록
그림으로 옮겨 보자. 충청도 인구의 대부분은 충청-경기 경계를 빗변
으로 하는 커다란 직각삼각형(이하 '충청의 대삼각형') 내부에 있다. 서
산-충주-대전을 꼭짓점으로, 그리고 수도권 방향으로 빗변을 접하고
있는 '충청의 대삼각형' 내부에는 양청 접경은 물론 충청의 역사적 중

---

[17]　2장 참조. 이 책에서 모든 산맥, 산지명은 2장에 따른다.

[18]　다만 천안 서부 지역(목천읍, 병천면 등)은 금강의 제2차 지류인 병천천 수계이다.

심지(공주, 청주, 충주) 그리고 지역 내부의 균형발전 및 분산 여론을 반영해 건설된 두 전략개발지(충남도청신도시, 진천음성혁신도시)까지 모두 존재한다. 한편, 양청 접경만을 포괄하는 작은 직각삼각형인 '충청의 소삼각형'은 이보다 훨씬 더 좁은 범위만을 포괄한다. 그런데 이 안에는 천안-대전-청주, 그리고 천안과 대전을 잇는 빗변 위의 세종까지 충청권 4대 도시가 모두 들어 있다. 소삼각형 내에 있는 인구만 약 340만 명(2020)으로, 560만 충청 인구(2020) 가운데 60%를 차지한다.

소삼각형 내에 인구가 이렇게 밀집해 있다는 것, 오송 분기역을 단순히 우발적인 사건이 아니라 여러 원인 위에서 생겨난 설명 가능한 사건으로 보기 위해 가장 먼저 짚어야 할 사실이다.

2절. 경부선의 힘

충청의 도시 구조를 이렇게 만들어 낸 힘은 자연 지형은 아니다. 차령산지는 동북-서남 방향으로 진행하므로 서북-동남 방향으로 진행하는 도 경계선과는 직교한다. 충청의 대하천 역시 미호강의 경우처럼 차령산지와 같은 방향으로 진행하는 대보화강암대-경기변성암대 사이를 지나간다. 덕분에 금강이든 미호강이든 모두 도 경계선 역할을 하지는 않는다.[19] 이처럼 자연 지형이 문제였다면, 차령산지든 금강-

---

[19] 한반도의 행정구역에서 대하천이 도 경계선 역할을 하는 경우는 청천강(평북/평남)과 예성강 하류(황해/경기), 강경~군산 간 금강 최하류(전북/충남), 그리고 현재의 군사분계선을 기준으로 할 경우 임진강 하류 정도뿐이다. 한국의 지상 국경이 대부분 압록, 두만강으로 이뤄져 있다는 사실과는 대조적인 모습이다.

미호강이든 이를 경계로 경기육괴에 해당하는 충청 북부 그리고 옥천대에 해당하는 충청 남부가 서로 다른 지역으로 나뉘는 것이 적절할 것이다. 그렇다면 충청의 도시 구조를 지질 구조와는 사뭇 동떨어지게 만든 가장 큰 힘은 결국 인간이 만든 구조선, 즉 길에서 찾아야 할 것이다.

이 길의 핵심은 결국 천안에서 충청도로 진입한 뒤 대전으로 남하하는 경부선 철도다. 도표 3-1은 본격적으로 충청의 소삼각형 내로 인구가 몰려들기 시작한 것이 1960년대 후반임을 보여 준다. 1966~70년 사이, 주변부나 대삼각형 내부의 인구는 감소하기 시작하지만 소삼각형 내부의 인구는 증가 일로를 걷기 시작하기 때문이다. 더불어 소삼각형 내부 도시의 인구성장률은 광복 이후 2010년까지 충청도 나머지 지역보다 높았고, 일제강점기(1925~1944)에도 이 이들 지역의 인구성장률은 연평균 1.6%로 1.1%를 기록한 대삼각형 지역, 0.7%를 기록한 주변부 지역보다 높았다. 경부고속도로 개통은 1970년이므로 그보다 앞서 등장한 대도시의 씨앗과 70년대 초반까지의 발아는 결국 소삼각형을 축으로 삼아 충청도를 종관하는 경부선 철도에 기반한 것이었다고 보아도 좋다.

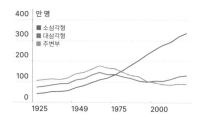

도표 3-1. 충청 지역의 인구 변화, 1925-2020.
각 년도 센서스로부터.

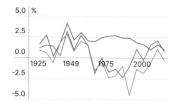

도표 3-2. 충청 지역의 연평균 인구증가(감소)율,
1925-2020. 각 년도 센서스로부터.

이제 문제는 이 경부선 철도의 구체적인 선형이다. 평택을 통해 충청도로 진입한 경부선 철도는 천안, 조치원(현재 세종 관내), 대전을 거쳐 추풍령으로 향한다. 영남과 충북을 나누는 산지 지형 가운데 추풍령의 고도가 가장 낮다(해발 200m). 따라서 지금보다 경사에 더욱 약하고 터널 역시 최소화해야 했던 증기 시대의 철도로 서울과 대구-부산을 잇는 최적의 고갯길이 추풍령이라는 사실은 여기서 재론하지 않아도 될 것이다. 이미 1894년 일본 측의 경부선 노선 2차 답사에서 명확히 확인된 사실이다. 한편 추풍령을 넘기 위해 필요한 서측 베이스캠프로는 추풍령에서 추풍령천으로 연결된 황간(현재 영동군 황간면)을 꼽을 수 있다. 더불어 서울에서 남하한 철도가 지형과 19세기 당시의 주요 교통로(제주로·통영일로·충청수영로의 공용 가로)를 따라 천안에서 충청도 관내에 진입할 것이라는 점 또한 재론의 여지가 크지 않다.

이렇게 재론의 여지가 없는 부분을 지워 나가다 보면, 우리는 청주와 얽힌 하나의 설화에 도착한다. 바로 지역 유력자들의 반발로 인해 경부본선 철도가 청주를 경유하지 못했다는 설화다. 이 지역의 양반들이 지역의 경관을 파괴하는 철도를 거부하며 전통을 지키고자 했다는 것이 이 설화의 핵심이다. 실제로 청주 본시가지, 가령 도청에서 직선거리로 15~18km밖에 떨어지지 않은 조치원, 부강으로 경부본선이 통과하고 있는 만큼, 후대인의 시각에서는 설화까지 만들어 이해해야만 하는 어려운 현상이었을 것이다.

3절. 추풍령과 천안 사이, 경부선의 노선과 금강수로

바로 이 설화에 응답하는 것이 오송 분기에 이르는 역사 이야기의 출발점으로 가장 적절하다. 충청 지역의 인구를 소삼각형 속으로 밀집시키는 시작점이 되었을 정도로 강력한 개발 동력이었던 경부선 철도에서 소외되었다는 이야기야말로, 오송 분기역을 얻어 내고 지키기 위한 충북의 투쟁(5장)의 가장 설득력 있는 시작점이기 때문이다.

그럼 질문을 던져 보자. 경부선이 영동-천안 사이에서 청주를 피한 이유는 무엇이었을까. 다시 말해, 어째서 천안에서 충청에 진입하여 동남쪽으로 방향을 꺾은 경부선이 청주를 지척에 둔 채 대전으로 남행하고, 이어서 옥천-영동 방면, 즉 충북 남부의 산악 지역으로 방향을 틀어 대전이 지금처럼 충청의 대·소삼각형의 꼭짓점을 이루는 주요 도시가 되고, 청주는 그에 미치지 못하는 규모가 된 것일까.

경부선 전의~영동 간 노선 논쟁

1890년대 일본이 경부선 철도의 부설을 본격 추진하기 시작한 이래, 경부선 철도의 충청권 노선 대안은 크게 두 가지였다(천안~전의 간 노선 대안은 이때도 같았는데 그 이유는 곧 확인할 수 있다). 하나는 천안~논산~영동 노선으로, 길이는 좀 더 길지만 강경 접속에 유리하다.[20] 이 노선은 그 자체로 논산 같은 곡창을 통과하는 데다, 18세기 이래 당

---

[20] 이토록 강경이 강조된 것은 강경에서 육로(제주로, 통영일로. 2장 참조)와 금강수로가 직결했던 데다, 해로에서 사용되던 선박이 직접 항해·접안할 수 있어, 전국의 해안은 물론 직접 중국과도 통하는 지점이었기 때문이다(심지어 19세기 김대건도 강경 인근에서 중국으로 밀항했다). 내륙주운의 존재감을 잊고 있는 21세기인들에게는 낯설지만 19세기의 관점에서 내륙주운은 반드시 순응해야 할 강고한 네트워크였다.

표 3-1. 경부선 철도의 전의~영동 간 노선 대안. 西大助, 「경인·경부철도관찰복명서」, 目賀田家文書 第10冊. 일본국회도서관 헌정자료실 소장. 1903. 정재정, 『일제 침략과 한국 철도』(서울대출판부, 1999): 57에서 재인용하여 편집. 단위는 모두 미터법으로 환산하였고, 교량과 터널의 평균 길이는 저자가 계산한 값이다.

	우회선	직행선(현)
경유지	전의, 공주, 논산, 금산, 영동	전의, 조치원, 대전, 영동
본선 연장(km)	133	96
서울~ 부산 간 소요 시간	10	9
주요 교량	2개소, 개소당 평균 230m	6개소, 개소당 평균 190m
주요 터널	8개소, 개소당 평균 530m	8개소, 개소당 평균 200m
강경지선 연장	10	54

시까지 조선 3대 장시로 꼽히던 강경 옆 10km 지점까지 경부선을 접근시킬 수 있었다. 이는 조금 우회하더라도 하나의 노선으로 조선 내부 철도의 간선을 구축하려는 일본 측의 의도, 즉 경부선 철도의 수송량을 극대화하려는 의도에 부합하려는 노선이었다.

한편 현재의 천안~대전~영동 노선은 논산 경유 노선에 비해 길이가 약 40km나 짧았고, 따라서 서울과 부산 사이(약 450km)의 소요 시간을 10% 줄일 수 있었다. 게다가 터널, 교량과 같은 토목 시설의 숫자도 같거나 적고, 평균 규모도 작은 편이었다. 주요 교량의 수는 1/3에 불과한 데다 평균 길이도 조금 더 짧고, 주요 터널은 수가 같지만 평균 길이가 40%에 불과했기 때문이다. 1890년대 내내 결론이 나지 않던 이 논쟁은 1904년 러시아와의 전쟁에 대응하기 위해 속성으로 철도를 건설해야 했던 일본 측의 급박한 필요에 따라 소요 시간이 짧고 토목 공사가 간소한 현재의 대안으로 결론이 났다.

부강 하항(inland habour, 河港) 접속

어떤 대안을 택하든 경부선 철도는 금강 본류의 주운과 접속해야 했다. 금강 주운은 당시로서 최대의 화물 수송로이자 해로를 통해 호남 등 서해안과 접속할 수 있는 경로였기 때문이다. 그런데 금강의 주운은 기본적으로는 신탄진 일대의 암반과 급류[21] 때문에 부강까지만 가능하였다.[22] 부강 하항은 천안~대전~영동 간 노선, 즉 직행선을 택한 경부선이 금강 본류에서 마주치는 유일한 하항이었고, 이곳을 들른 경부선 노선은 최단거리에 가능한 한 최소한의 토목 시설만 건설하여 금강 수계 바깥인 천안을 향해 나아가야 했다. 1900년대 경부선 이용객에게 호남 방면 접속을 제공하려면, 그리고 건설 기기나 자재와 같은 중량 화물을 충청권에 전개하려면 경부선 본선의 부강 하항 접속이 반드시 필요했다는 뜻이다.[23] 금강수로는 경부선 개통 이후에도 거의 30년 가까이 사용되었으며, 오늘날 부강역의 존재 그 자체는 이러한 역사의 흔적이라고 해도 말해도 좋다.

영동과 부강 사이

그렇다면 문제는 이 직행선 대안이 왜 청주를 들르지 못했는지에 있다. 지도 3-2는 바로 이 문제를 검토하기 위한 틀이다. 가장 먼저 황간에서 부강 사이를 직선으로 연결해 보자. 이 직선은 대체로 초강천과 금강 본류의 흐름을 따라 서북-동남 방면으로 연결되어 있다. 한편

---

[21] 부강부터 금강은 옥천지향사를 뚫고 (상류 방향으로) 곡류하기 시작한다. 물이 산을 뚫긴 했지만, 강바닥까지 모두 완만하게 침식하지는 못한 지점이 많다. 내륙 주운의 한계선 역시 지질에 영향을 받은 셈이다.

[22] 미호강 방향으로는 오근장으로 주운이 있었으나 1900년경에 이미 마비된 것으로 알려져 있다. 더불어 옥천, 영동(심천 등지)의 금강 본류 방면 역시 물이 많은 시기에만 유의미한 수준의 선박 운송이 가능했으며, 1900년경에는 이마저도 불가능해진 것으로 보인다. 김재완, 「경부선 철도 개통 이전의 충북지방의 소금 유통 연구」, 중원문화연구 4집 (2010): 16.

[23] 부강~강경~군산(금강하구) 간 거리는 117km, 선박 한 척이 수송 가능한 미곡의 양은 50석(약 10톤)가량, 1인의 운임은 11.5원이었다. 나도승, 「금강 유역의 역사지리적 고찰」, 『열린충남』 3호, 충남연구원 (1996): 7~19. 수송량(화차 1량당 최대 40~50톤 수송)과 운임(=거리가 1/3인 경인선의 1등 운임 1.5원, 3등 운임이 0.4원) 모두 철도에 비해 미약함을 확인할 수 있어, 호남선의 개통 이후 내륙 주운이 쇠락한 이유를 쉽게 알 수 있다. 다만 강경~하구 간 항로에는 500석(약 100톤)가량의 선박이 운항할 수 있어 수운의 경쟁력이 어느 정도 유지되었던 것으로 보인다.

청주는 부강의 북동쪽에 있다. 따라서 청주를 거쳐서 부강 하항에 접속하려면 지금의 선형보다 북동쪽으로 휜 선형을 택했어야 한다. 가령 황간~청산~보은~회인~청주~부강을 경유하도록 구성했다면 청주를 경유하면서도 부강에서 금강 하항에 접속할 수 있었을 것이다. 화령을

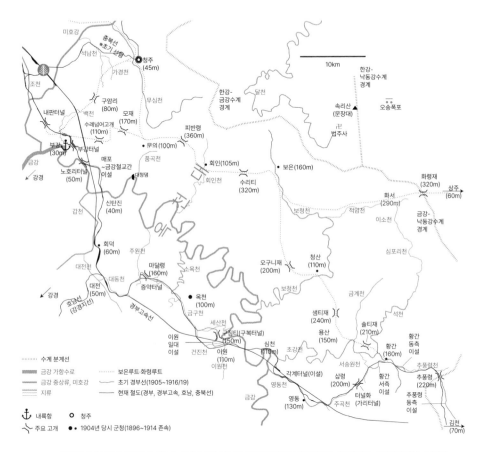

지도 3-2. 황간에서 부강까지. 경부선, 그리고 금강-낙동강 수계 경계에서 부강에 이르는 지역의 하도, 고갯길에 대한 그림이다. 점이 표시된 지역은 1896-1914년 사이 유지된 군의 치소를 의미하며, 문의, 청산, 황간, 회덕군은 1914년 현재의 소속 시군으로 통폐합되었다. 주요 지명 아래에 표기된 해발고도는 국토지리정보원의 국토정보플랫폼(http://map.ngii.go.kr/ms/map/NlipMap.do#)에 수록된 지점별 수치 정보에 따랐고, 경부선 초기 경로에 대한 정보는 철도답사가 '성산지기' 블로그(https://blog.naver.com/kgh19941061)를 활용했다. 참고를 위해 경부고속선과 충북선, 호남선 일부 선형을 함께 담았다. 이 지도의 맥락에서 호남선은 강경 방면 접속을 위한 지선으로 이해하면 된다.

포함해 가능한 대안을 모두 조합한 결과는 표 3-2와 같다. 황간을 경유하는 두 경로, 그리고 상주에서 화령재를 넘어 바로 들어가는 대안이다.

황간을 경유하는 경로 가운데 가장 남쪽인 현행 경로는 크게 삽령, 구잠티, 마달령을 넘어 대전(당시로서는 회덕군 소속)에 도달한다. 이렇게 대전에 도달하면 경부선은 방향을 북으로 꺾어 금강 본류를 건너 부강까지 진행한다. 한편 중간 경로인 황간~보은 경

	평면거리 (km)	부산발 편도 총 상승고도 (m)
실제 경부선	114	340
황간~보은 경로	120	830
화령 경로	100	705

로는 솔티재와 샘티재를 차례로 넘어 청산에, 그리고 청산과 보은 사이에서는 오구니재를, 보은과 회인 사이에서는 수리티를, 회인과 문의 사이에서는 피반령을 넘는다. 문의에서 이 경로는 북쪽으로 향하여 미호강과 금강 본류 사이의 분수령을 넘어 청주로 진입하고, 이곳에서 다시 서남쪽으로 방향을 틀어 부강으로 진입하면 된다.

화령을 넘어 진행하는 경로의 경우, 상주에서 출발해 화령재에서 낙동강과 금강 사이의 분수령을 넘는다. 화서 분지에서 서측으로 흘러가는 적암천 그리고 보청천을 따라 보은까지 진행하면 수리티부터는 황간~보은 경로와 동일한 길을 따라 청주나 부강으로 진행할 수 있다.

세 경로의 평면상 거리(표 3-2)는 대동소이하다. 그러나 상승고도에서는 2배 이상 차이가 난다. 실제 경부선의 경우 약 340m의 높이만 극복하면 김천역을 출발한 열차가 부강역에 도착할 수 있다. 반면 황간~보은 경로를 택할 경우 김천역 출발 열차는 총 830m의 고도를 극복해야 하며, 화령 경로를 택할 경우 상주를 출발한 열차는 총 705m

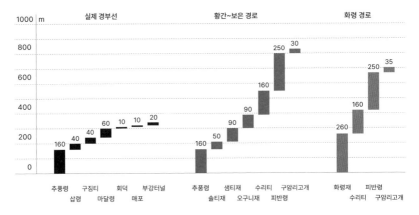

도표 3-3. 황간~부강 간 극복고도의 분해 및 합계. 지도 3-2에 제시된 고개 및 경유 지점별 고도를 활용하여 산정한 값이다.

를 극복해야만 한다. 게다가 개별 고개의 높이 역시 황간~보은 경로나 화령 경로에서 더욱 높다. 화령재나 피반령의 극복고도는 추풍령보다 90~100m 높고, 수리티 역시 추풍령과 동급의 고도를 극복해야 한다.

이처럼 극복고도에 차이가 있는 이유는 실제 경부선과는 달리 황간~보은 경로와 화령 경로는 하천 및 분수령과 직교하는 방향으로 진행하는 길이 많기 때문이다. 특히 금강 본류가 옥천대를 관류하는 영동과 옥천 일대의 지형 구조는 철도 부설에 유리하였다. 화강암 침식 분지를 이루고 있는 심천, 이원, 옥천 일대에서 경부선은 하도를 따라 마달령[24]까지 손쉽게 도달한다. 이렇게 하천의 방향을 그대로 따라가

---

[24]   이 고개에 처음 건설된 철도터널(2022년 현재 방치 상태)인 제1증약터널의 입구에는 '嶽神驚奔'
        이라는 글씨가 새겨져 있는데, 이는 1904년 당시 주한 일본공사였던 하야시 곤스케의 휘호이다. 다
        음 문헌 참조. 이희준, 「증약터널 및 하야시 곤스케의 액석에 관한 연구 - 건립과정과 역사적 가치를
        중심으로」, 대한건축학회논문집, 통권 312호, vol.30, no.10, (2014): 115~122. DOI: 10.5659/
        JAIK_PD.2014.30.10.115 그러나 이 글은 충청권 경부선 노선 전반에 걸친 지형 검토는 제시하지
        않은 채 청주에서 철도를 거부했다는 설화를 재생산했다는 한계가 있다. 바로 이 한계가 이 책에서 경
        부선 주변의 지형을 세밀히 검토한 직접적 계기이다.

면 교량도 최소화할 수 있다. 반면 황간-보은 경로나 화령 경로는 철도와 직교하는 산악뿐만 아니라 하천까지도 교량을 건설해 넘어야 하는 장애물로 작용한다. 결국 실제 경부선은 추풍령 하나 그리고 그에 미치지 못하는 고개 셋만 넘어가면 사실상 하도를 따라 부강에 도달할 수 있는 경로를 그대로 따라 부설된 셈이다.[25]

부강에서 천안까지

의문을 추가할 수 있다. 부강에서 북쪽 노선을 지금과는 다른 방식으로 바꾸어 청주에 들를 수도 있기 때문이다. 오근장에서 미호강을 건너 옥산, 목천을 거쳐 천안으로 노선을 진행시키는 것도 충분히 가능하다. 경부선 철도만큼이나 짧은 시간 내에 길을 건설해야 했던 경부고속도로 역시 실제로 이 노선을 택해 청주와 천안을 잇는다.[26] 그렇다면 일본은 왜 이 대안도 버리고, 조치원~전의~소정리 노선을 택해 천안으로 진입했을까.[27]

---

[25] 마달령을 넘어 주원천, 금강 본류, 품곡천(지금은 대부분 대청호에 수몰)을 거쳐 문의 방면으로 진행해 청주로 진행하는 경부본선을 구성할 수도 있다. 하지만 이렇게 본선을 구성하더라도 강경 방면 연결선은 필요했다. 그런데 강경 연결선은 바로 지금의 호남본선을 따라 건설하는 것이 가장 적절하다. 말하자면 세천에서 대전 사이의 경부선은 미리 건설된 강경 연결선인 셈이다. 더불어 이 연결선과 경부본선의 분기역은 현재의 세천역이 있는 작은 분지에 두기보다는 지금의 대전역처럼 널찍한 부지에 두는 것이 적절했을 것이다. 당시는 증기 시대이므로 마달령 같은 고개를 넘기 위해서는 열차가 대기하면서 급수, 급탄을 진행해야 할 넓은 구내 또한 필수적이었다. 이 필요 역시 세천역보다는 대전역을 유리하게 만든다.

[26] 경부고속도로는 1968년 2월 1일 착공하여 887일 뒤인 1970년 7월 7일 개통했고, 경부선은 1901년 8월 20일 착공하여 1226일 뒤인 1904년 12월 27일 완공되었으므로 경부고속도로가 338일, 즉 약 1년 더 빠르게 완공되었다.

[27] 청주에서 진천으로 북상하는 노선의 경우 오창(해발 35m)에서 진천으로 넘어가는 잣고개의 고도가 200m에 달하여 고개 하나만으로도 병천천 경로보다 높은 극복고도를 넘어야 하는 문제가 있다. 오창~진천분지 간 미호강은 감입곡류를 형성하고 있어 철도망에 활용하기 어렵다. 또한 진천~안성간 옥정재나 진천~입장 간 엽돈재의 경우 고도가 300m를 넘는 험준한 지형이다. 진천에서 경기도에 진입하려면 평지를 활용 가능한 이천 방면으로 향하는 편이 더 낫다.

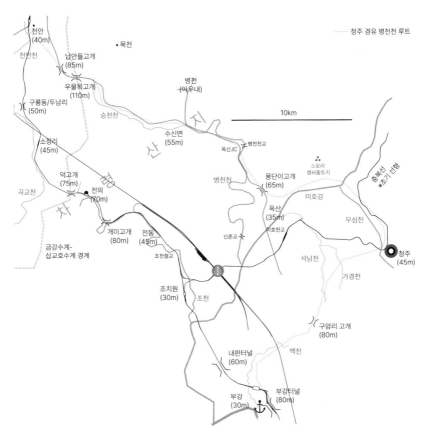

지도 3-3. 부강에서 천안까지. 경부선, 경부고속도로, 그리고 부강에서 청주, 천안에 이르는 지역의 주요 하천 하도. 경부고속도로는 미호강 이북 부분만 나타냈다. 1914년 목천군은 천안군에, 전의군은 연기군(지금의 세종시)에 합병되었다.

    그 답을 지도 3-3에서 확인할 수 있다. 조치원에서 출발한 현실의 경부선은 미호강의 지류인 조천을 따라 전의에 도착한다. 전동~전의 사이(개미고개)에 터널이 있지만, 이는 조천이 급격한 물돌이 지형을 이루고 있어 이를 그대로 따라 철도를 부설하기 곤란해 설정된 것이다. 전의~소정리 사이에서 철도는 금강 수계와 삽교천 수계(곡교천)의 분수령인 덕고개를 넘는다. 철도 바로 옆에서 덕고개를 절토 구간 없이 넘는 운주산로는 초기 철도 노선이었던 것으로 보인다. 이어서 소정리를 지난 경부선은 풍세면 일대에서 동남에서 서북 방향으로 진행하는 곡교천과 달리 남북 방향으로 진행하며 천안천 배수 분지로 넘어간다. 이때 넘는 분수령 가운데 양 방향에 걸쳐 산악을 절토한 부분은 약 400m 수준이다. 이후 경부선은 천안이 위치한 평지에 들어선다.

청주 경유 병천천 경로는 철도가 없으므로 고속도로의 선형을 참조해 논의를 진행한다. 미호강의 지류인 병천천은 옥산 일대의 산악을 감입곡류로 넘는다. 조천도 부분적으로는 그렇지만 병천천의 곡류는 그 정도가 더 크다. 실제로 서로 병행하는 길과 하천의 길이를 대조한 결과, 병천천의 곡률이 모든 기준에 걸쳐 더 높음을 확인할 수 있다 (표 3-2). 이렇게 감입곡류가 심하다는 것은, 하천을 그대로 따라 철도를 지으면 지나치게 급격한 곡선이 나오고, 이 곡선을 똑바로 편 철도를 건설하려면 하천이 뚫고 나가지 못한 험준한 산을 뚫는 터널과 함께 다수의 교량을 건설해야 한다는 뜻이다. 결국 병천천은 조천에 비해 철도 건설에 큰 도움이 되기 어려웠다. 이는 표 3-3의 높은 도로 연장 대비 하도 길이 비에서도 확인할 수 있듯 경부고속도로에 대해서도 마찬가지이다.

한편, 이렇게 목천으로 넘어온 경부고속도로는 우물목 고개[28]를 넘어야 천안으로 진입할 수 있다. 이 고개 일대[29]에서 경부고속도로 양편으로 절토가 이뤄진 구간은 1.5km에 가깝고, 북동쪽의 납안들고 개에서도 양편 절토 구간이 1km 정도 있다. 이들 고개의 해발 고도 역

---

[28] 지명은 디지털천안문화대전, 「신계리 우물목 고개」, 2023년 3월 12일 확인. http://cheonan.grandculture.net/cheonan/toc/GC04502161

[29] 고속도로 기준으로는 천안논산고속도로와의 교차점인 천안JC 인근이다.

표 3-3. 전의~조치원 간 조천과 미호강~옥산JC 간 병천천의 특징.

	길 구간	하도 구간	하도 (km, A)	철도/도로 (km, B)	A/B	하도 시종점 간 직선거리 (km, C)	A/C
조천	전의~ 조치원	조천철교~ 전의역사 남측	19.0	14.8	1.28	12.5	1.52
병천천	미호강 제방~ 옥산JC	신촌교~ 병천천교	14.0	7.8	1.79	7.5	1.87

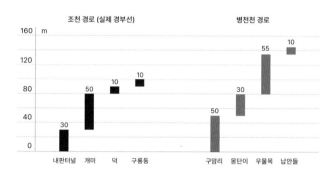

도표 3-4. 부강~천안 간 극복고도의 분해 및 합계. 지도 3-3에 제시된 고개 및 주요 지점별 수치를 활용하여 산정한 값이다.

시 덕고개에 비해 10~40m 높다.

도표 3-4는 두 경로를 택한 철도 노선의 전체 극복고도를 보여 준다. 두 경로의 극복고도 차이는 거의 50m, 50% 선이다. 이는 청주 경유 병천천 경로를 택했을 경우 경부선은 천안에 진입하기 위해 더 큰 난공사를 벌일 수밖에 없고, 더불어 열차 운행 역시 좀 더 어려웠을 것이라는 뜻이다.

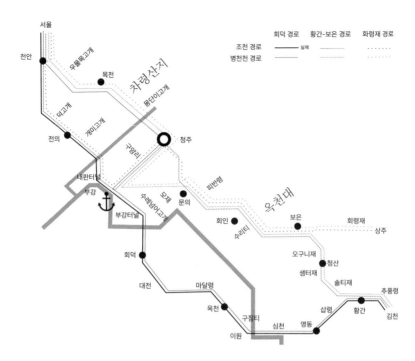

도표 3-5. 상주/김천에서 천안까지, 철도가 택할 수 있는 여섯 경로. 지도 3-2, 3-3의 정보를 도표화한 것이다. 수로는 금강과 미호강만 표시하였다.

여섯 경로, 그리고 경로별 평가

도표 3-5는 낙동강-금강 분수령에서 천안에 이르는 전체 경로의 조합을 6개로 추려 도표화한 결과이다.

특히 청주와 부강 구간에서의 6개보다 더 많은 조합이 가능함에도 도표 3-5에 제시한 경로만 경우의 수로 제시한 데는 이유가 있다. 황간-보은 경로나 화령 경로를 따라 문의까지 온 철도의 경로를 문의~부강~청주~전의로 설정할 경우, 노선이 완전히 Z자를 이루고 평면 거리 역시 10km 또는 그 이상 길어져 열차의 신속한 운행과는 거리가 먼 노선이 되고 만다. 따라서 문의에서 부강을 먼저 들를 경우 병천천

표 3-4 여섯 경로: 도표 3-5에 대한 재정리. 평면거리는 천안~김천 또는 천안~상주를 의미한다. 대구~상주와 대구~김천 간 거리 차이는 20km로 반영하였다.

		부강 이남	부강 이북	평면거리 (km)	편도 총 상승고도 (m)	개별고개 최대 상승고도 (m)	비고
실제 경로	실제	조천	157.2	440	160		
	황간-보은 경로	조천	162.8	930	250		
	화령 경로	조천	163.2	805	260	대구와의 거리 차이 포함	
병천천 경로	실제	병천천	170.0	485	160		
	황간-보은 경로	병천천	175.6	1015	250		
	화령 경로	병천천	176.0	885	260	대구와의 거리 차이 포함	

경로만을, 문의에서 청주를 먼저 들를 경우 조천 경로만을 유효한 노선으로 보기로 한다.

이렇게 선택한 유효한 경로 가운데, 평면거리를 결정짓는 것은 조천 경로와 병천천 경로 사이의 선택이다. 병천천 경로가 조천 경로보다 대략 15km 더 길다. 한편 총 상승고도를 결정짓는 것은 부강 이남 경로 사이의 선택이다. 특히 황간-보은 경로를 택할 경우 실제 노선의 2배를 넘는 고도를 극복해야 하며, 화령 경로 역시 그에 준하는 수준이다. 더불어 피반령과 화령재는 모두 추풍령을 압도하는 수준의 고개라는 점도 확인한 그대로이다.

실제의 경로는 평면거리가 가장 짧고 상승고도가 가장 적다. 또한 침식 분지의 하도를 적극적으로 활용하여 교량과 터널 역시 최소화하였다. 청주를 경유하려면 이처럼 뚜렷한 이점을 가진 현재의 경로 대신 거리나 상승고도, 교량 및 터널의 수량 및 규모 측면에서 불리한 여타 경로를 택해야만 했다. 아마도 청주 경유를 위해 그나마 합리적인 방안은 부강 이남은 실제 경로, 그리고 부강 이북은 병천천 경로를 택하는 것이었을 테지만, 이 역시 가능한 한 빠른 북행 경로를 바랐던 당시 일본의 관점에서는 적절하지 않은 노선이었을 것이다. 그렇다면 청주 철도 경유가 유림에 의해 무산되었다는 설화는 적어도 경부선 노선에 큰 영향을 끼치기 어려웠던 요인만을 언급하고 있으며, 후대 학계가 충청 지역의 지형을 세밀하게 검토하지 않아 그 영향력이 커진 것이라고 보아야 한다.

4절. 공주, 청주, 천안: 세 도시와 철도의 엇갈린 운명

이제 대전을 경유하는 현실의 경부선 노선이 청주 경유 가상의 경부선 노선에 비해 매우 중요한 이점이 있다는 것이 분명해졌다. 현재의 노선은 전근대 내륙 교통망의 주요 간선인 금강수로망과 접속해야 한다는 조건 하에서 설정되어야 했다. 게다가 20세기 초의 철도에서 중요한 지형 조건 역시 현실의 노선이 청주 경유 노선보다 유리했다.

　그렇다면 청주의 상대적 저발전은 지리적 숙명이라고 해야 할까? 그렇지만 양청 접경의 서측에는 경부본선과의 거리가 청주와 비슷하면서도(약 20km) 청주보다 훨씬 더 저발전 상황에 처해 있는 아주 중요한 반례인 공주가 있다. 왕정 시기에는 충청감영이 위치했고, 백제의 남천 이후 거의 1,500년이나 한반도 전체의 주요 도시였던 이 도시는, 지금은 인구가 10만에 불과한 소도시가 되었다. 경부선이 개통한 1905년 당시에 충남도청은 공주에 있었다. 경부선 개통 후 약 30년에 걸쳐 공주는 천천히 쇠퇴했고 1932년 도청은 대전으로 옮겨졌다. 이런 공주라는 반대 사례가 (청주 기준) 경부선 너머에 있으므로, 경부선 이라는 강력한 교통로에서 벗어났다는 이유로 일어난 쇠퇴 현상이 청주에서는 일어나지 않았으며, 오히려 경부선에서 벗어나 있음에도 불구하고 청주는 상당한 수준의 도시화를 이뤄 냈다고 말해야 한다.

그렇다면 무엇이 공주와 청주의 운명을 갈랐을까. 조치원이나 부강과의 거리가 거의 동일한 이상(약 20km), 그리고 조치원/부강~공주, 조치원/부강~청주 모두 하천의 하도를 통해 연결되는 이상, 경부선과 이 노선으로 양청 접경과 연결된 다른 모든 도시는 이 두 도시의 운명을 설명하는 데 적절하지 않다. 원인은 동서 방향의 교통로에서 찾아야 할 것이다.

호남선 개통과 금강수운의 쇠락

경부선 개통 시점 기준, 공주는 부강 하항과 금강을 통해 경부선 및 호남 해안 방면으로, 그리고 육로를 통해 서울 및 강경·전주 방면으로 연결되는 위치였다. 그러나 호남본선의 완전 개통(1914) 이후 금강 수로의 가치가 크게 떨어졌다. 철도로 전국망 수송이 손쉽게 가능해지면서 수륙 교통의 간선이 교차하던 공주의 이점은 소멸하였다. 한편 청주는 금강 수로의 간접적 영향권이었던 데다, 충주, 보은 등 내륙 지역의 육로 경유지에서 청주는 제외되지 않았다.

충북선의 존재, '충남선'의 부재

내륙수로가 무력화되어 중심지 체계가 흔들린 상황에서 동서 방향의 철도 개통은 이를 더 크게 뒤흔들게 된다. 1921년, 경편철도 붐[30]을 타고 사기업인 조선중앙철도주식회사(1923년 이후 조선철도주식회사로 통합)가 충북선을 개통하였다. 이 노선은 처음에는 조치원과 청주(현재의 서문) 일대를 연결했지만, 지속적으로 연장되어 증평(초기에는 '청안', 1923), 음성, 충주 방면(1928)까지 이어진다. 이 노선 덕에 충북 내륙 지역에서 경부선 방면의 도시로 진입하려면 청주를 지나야 하는 상황이 빚어졌다.

1908년 충주에서 일찌감치 청주로 옮겨 온 도청의 존재는 이들 지역에 대한 수위성을 강화했다. 청주는 충북에서 일본인들의 최대 거점이었던 데다, 충북에서 전국 단위 행사에 나가는 사람들은 일단 청주에 집결해 경부선 방면으로 이동했고, 도청 자체의 서비스 기능 때문에 적지 않은 관련 민간 서비스도 청주를 주요 거점으로 삼아야 했다. 충주 연결 이후에는 잔존하던 한강수운의 수요 또한 충북선이 대거 흡수, 청주를 거쳐 가는 객화가 모두 증가했음도 확인할 수 있다.[31] 반면 공주를 통과하는 충남선[32]은 1910~20년대에 단속적으로 이뤄진 부설

---

[30] '경편철도'는 협궤로 부설된 노선을 말하는 일제강점기 용어다. 민간 자본이 총독부로부터 허가를 취득해 부설하는 형태였다. 이러한 붐은 일본제국 전역에서 일어났는데, 1차 대전 직후의 호황으로 생긴 잉여자본이 철도를 투자처 가운데 하나로 택해 일어난 것으로 설명하는 경우가 많다. 더불어 당시 조선철도는 총독부가 아니라 남만주철도주식회사(약칭 만철)가 관리하고 있었고(1927~1925), 이미 호남선을 끝으로 간선망이 완성된 조선 내 철도에 대해 만철이 공채를 발행하는 부담을 지면서까지 대규모·고규격 노선을 건설하겠다는 판단을 하기는 어려운 상태였다.

[31] 김양직, 「충북선 부설의 지역사적 성격」, 한국근현대사연구 33집 (2005): 149.

[32] 공식 이름이 아니지만, 이 책에서는 대칭적인 논의 구조를 강조하기 위해 이 이름을 택하였다. 해안 지역에 도달하지 못했던, 장항선 초기의 이름이라는 점에서 혼동하지 않도록 주의해야 한다.

시도에도 불구하고 삽조차 뜨지 못했으며,[33] 100여 년이 지난 지금도 서류 위를 맴도는 유령과 같은 노선일 뿐이다.

경부선 서측 종관선, 동측의 종관선 사이의 차이

시간을 해방 이후로 돌려 보자. 충북선은 1958년에는 제천까지 개통되었고 1981년에는 복선전철화가 완료되었다. 전후 복구가 시급했던 1950년대는 물론 철도에 대한 투자가 점차 위축되던 1960~70년대에도 지속적으로 투자를 받아 강화되었던 것은 이 노선이 그만큼 중요한 기능을 했기 때문이다. 충북선은 한국 철도망에서 대표적인 교량선이라는 것이 바로 그 기능의 핵이다.

한국 철도망의 구조는 남북으로 길고 동서로 좁은 한반도의 형태에 큰 영향을 받을 수밖에 없다. 경부선 같은 종관 방향 노선이 뼈대를 이루면 충북선 같은 횡단 방향 노선이 이들 간선 사이를 연결하여 사다리 형태의 망을 구축해 더 많은 경우의 수를 제공하는 방향으로 망을 부설해야 하기 때문이다(보강 1). 이런 점에서 교량과 같은 노선이 바로 충북선과 충남선이다. 현대의 충북선은 중앙선(서울~경주)과 경부선을 연결하는 교량선이다. 한편 만일 실제로 건설되었다면 충남선은 장항선(천안~대천~장항~익산)과 경부선을 연결하는 교량선으로 쓰였을 것이다(도표 3-1).

두 노선의 역할은 두 가지 측면에서 대조할 수 있다. 1942년 이후 중앙선은 서울~대구 사이에서 경부선을 보강하는 노선이자, 강원과

---

[33] 조선경편철도주식회사의 조치원~공주 간 부설 허가는 1917년, 공주에서 임시철도기성회 활동이 확인되는 것은 1926년이다. 김양직, 같은 논문: 145, 147.

충청 북부 내륙의 광물자원을 전국과 연결하는 기반으로 기능한다. 특히 1950~70년대 한국의 경제 개발에서 가장 중요한 역할을 한 에너지원인 석탄 그리고 아마도 반영구적으로 사용될 석회석[34] 개발이 바로 이 노선을 주축으로 이뤄졌다. 중앙선의 이러한 부담을 줄이는 기능을 했던 것이 바로 충북선이다. 옥천대(또는 대보화강암대)의 방향을 따라 사선으로 이어지는 충북선은 강원 남부와 충북 동부의 석탄과 석회석을 중앙선을 이용해 서울, 대구 인근의 혼잡 구간을 경유하지 않고서도 충청과 호남, 여타 경부선 연선 방향으로 바로 송출하기에 가장 적합한 노선이었다. 1958년도 충북선 제천~충주 구간의 개통, 그리고 1981년 복선전철화는 바로 이를 위한 조치였다. 이는 충북선이 없었다면 1950~80년대 한국의 경제 개발은 적어도 큰 애로사항을 겪었을 것이라는 뜻이다.

한편 이 시기 청주는 충북선 연계를 통해 중요한 자원을 얻었다. 태백, 중앙선으로 연결된 강원 남부와 충북 동부의 광업 붐을 자신들의 성장에 활용할 수 있었기 때문이다. 일제강점기부터 이런 관점이 이어졌다는 점은 곧 살펴볼 것이다. 이를 통해 얻은 인적 연계는 훗날 오송 분기역을 위해서도 활용된다.

한편 장항선은 중앙선에 비견할 만큼의 전국적 효과를 가진 노선이라고는 할 수 없었다. 보령 일대의 탄전과 춘장대 발전소, 제지공장 등이 있었으나 전국 시장을 지배할 규모는 되지 못했다. 1930년대 당시로서는 국내 최대 규모이자 일본제국 내 각지로 보낼 구리를 제련했던 장항제련소(1936년 준공) 역시 주로 해로를 이용했으며, 더욱이

---

[34]   시멘트의 원료로 충북 단양과 강원 영월, 삼척에서 주로 생산된다.

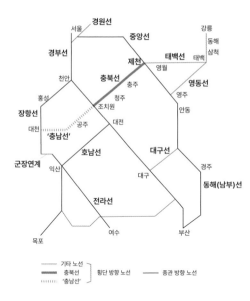

도표 3-6 한국 철도망 속 충북선과 충남선의 위치. 경강선 (강릉선), 고속선, 수도권 광역 노선 등은 생략한 것이다. 센서스 로부터.

1940년대 이후에는 중량 화물인 동광석을 내륙 방면에서 받는 경우가 드물었다.[35] 1970년대에는 타 지역(1979년, 온산)에도 구리 제련소가 등장하였다. 게다가 경부선과 장항선은 천안에서 이미 접속되고 있었고, 천안역 구내의 부본선과 측선만으로도 경부선 양 방향으로 가는 교통량을 모두 처리하기에 충분했다(2023년 현재도 그렇다). 장항선에서 부산 방면으로 향하는 교통로를 단축시킬 수 있는 최소한의 투자인 소정리~아산 간(연장 약 10km) 남천안 삼각선도 (2023년 현재 기준) 아직 투자되지 않은 상황에서(도표 3-6 참조), 충남선처럼 100km 가까운 길이의 노선이 장항선과 경부선 사이의 교량선으로 추가되기를 바라는 것은 사치에 가깝다.

게다가 2023년 현재의 장항선은 남쪽에서는 군산, 익산 방면으로 접속해 호남선, 전라선과 만난다. 이 계획은 1980년대 금강하구둑을 건설하면서 준비되었으며, 실현된 것은 약 30년이 지난 2008년이었

---

[35] 이 진술은 배석만, 「일제시기 장항항 개발과 그 귀결」, 역사와 현실 117 (2020): 378~379, 그리고 이를 활용한 심승희·한지은, 「장항선의 기능 및 연선 지역의 변화 - 일제강점기부터 서해선과의 연결 시기까지 -」, 문화역사지리 제33권 제1호 (2021): 139에서.

다. 이처럼 장항선과 경부선 사이의 교량선 기능을 보강하는 연계의 투자 우선순위는 상대적으로 낮은 편이었다. 아무튼 현재로서 용량 문제가 크지 않은 장항선의 북부 구간, 주변 연계가 마무리된 남부 구간의 상황을 감안하면, 충남선으로 추가할 수 있는 연결은 문자 그대로 양청 접경과 공주, 보령 지역 사이의 연결뿐이다. 아마도 충남선의 개통은 2040년 이후의 일일지 모른다.

천안의 부상

다시 일제강점기로 돌아가 보자. 공주의 교통 기능이 약해짐과 동시에 부상한 도시가 바로 천안이다. 개성이나 서울의 관점에서 볼 때 천안이 삼남의 관문으로 기능하였던 것은 10세기 왕건 시대[36]까지 거슬러 올라가는 일이고, 이 시기부터 쓰였을 육로는 지금도 사용되고 있다. 이 가운데 장항선은 전근대의 10대로 가운데 '충청수영로'를 따라 건설되었다. 충청수영은 오늘의 보령시 오천면에 있었으므로 장항선의 청소(보령시) 이북 구간은 바로 충청수영로를 계승한 것으로 볼 수 있다. 충청수영로 연선의 내포 지역[37]에서 그리고 대천 이남의 충청 해안 지역에서 서울 방향으로 가는 최단 교통로는 바로 이 장항선과 경부선이 이루는 철도망이었다. 구 내포 지역의 장항선 연선을 배후지로 가지게 된 천안은 금강수로와 호남 방면의 육로가 모두 약화된 공주를 대신해 충남 지역의 주요 도시로 부상하였다.[38]

---

[36] 천안(天安)이라는 이름이 역사에 등장한 시기는 930년에 왕건이 천안도독부를 설치했을 때이며, 이후 936년에는 선산으로 후백제 정벌군을 출발시킬 때 선발대가 주둔하기도 했다.

[37] 홍성, 예산, 서산, 당진 지역을 말한다. '아산만권'이라는 표현과 병용되는 경우가 많다.

[38] 심승희·한지은, 같은 논문: 141.

보강 1: 철도망과 교량선의 역할

충북선, 충남선을 분석할 때 '교량선'이라는 말을 사용했다. 이 개념을 처음 듣는 사람은 왜 이들 노선이 교량, 즉 다리인지 헷갈릴 것이다. 이 표현에 담긴 전체 구조를 이해하기 위해서는 도표 3-7이 반드시 필요하다.

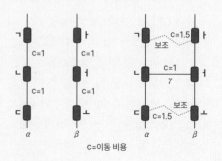

C=이동 비용

도표 3-7. 교량선이 없는 두 철도 노선과 교량선이 있는 철도망

도표 3-7은 간단한 예제를 보여 준다. 왼쪽의 알파선과 베타선은 서로 평행선을 그리며 남북으로 진행하는 두 철도 노선, 즉 병행선이다. 이들 노선에는 역이 3개 있다. A예제에서 철도로 연결된 것은 알파선 내부, 그리고 베타선 내부뿐이다. 그런데 예제B에는 이 평행선의 중간 역 사이에 감마선이 추가되었다. 따라서 감마선을 활용하면 알파선과 베타선, 베타선과 알파선을 오가는 열차를 운행할 수 있다. 바로 이 감마선이 교량선이고 2개의 선을 연결해 전체 철도망을 운행할 수 있는 열차의 경우의 수를 확대하는 역할을 한다.

두 예제에서 가능한 이동 경우의 수가 양적으로 어느 정도 차이 나는지는 순열을 이용해 쉽게 구할 수 있다. 예제A의 경우 각 노선의 역 숫자는 3개, 그리고 출발/도착역은 2개인 만큼 노선별 6개이고, 이들 노선이 2개 있다. 이 경우 철도가 제공하는 이동 경우의 수는 $_3P_2 \times 2 = 12$개다. 한편 예제B에서는 병행선이 추가된 결과, 전체 노선의 역 숫자는 6개로 증가한다. 출발/도착역은 총 2개이므로 이동 경우의 수는 $_6P_2 = 30$개가 된다. 역 3개짜리 단순한 노선으로 된 네트워크도, 교량선 하나만 더하면 철도로 연결할 수 있는 경우의 수가 2배 이상 증가한다는 뜻이다.

물론 이 연결의 가치가 모두 똑같다고 보기는 어렵다. 연결을 통해 늘어나는 통행량이 교량선의 가치를 입증할 것이다. 여기에서 철도가 제공하는 이동의 가치는 이동 비용 c에 반비례한다고 해 두자. ㄱ-ㄴ 연결은

1, ㄱ-ㄷ은 1/2인 식이다 (출발역 회귀는 이 경우 가치가 0이다). 이렇게 계산하면, 예제A에서 알파선과 베타선이 제공하는 연결의 가치는 10이다. 반면 예제B에서 감마선이 추가되면, 전체 망이 제공하는 가치는 대략 19로 늘어난다(ㄱ-ㄴ, ㄷ-ㅏ 연결과 같이 C가 3인 연결의 가치를 1/3로 가정하면 그렇다.). 이는 거리를 감안해도 철도망이 제공하는 연결의 가치는 교량선 하나로 거의 2배로 늘어난다는 뜻이다.

더불어 현실에서는 이 이동 수요를 모두 철도가 흡수한다고 가정하면 안 된다. 도표 3-7의 예제에서 ㄱ-ㅏ, ㄷ-ㅗ 역 사이에 보조 교통로가 있으며, 이 보조 교통로를 이용하는 데 드는 비용은 1.5, 철도로 한 역을 이동하는 데 드는 비용은 1이라고 가정하자. 이 경우 ㄱ-ㅏ, ㄷ-ㅗ 사이의 통행은 교량선을 통해 이익을 얻을 수 없다. 그렇지만 이 경우에도 이익을 얻지 못하는 경우의 수는 24개 가운데 단 4개(ㄱ↔ㅏ, ㄷ↔ㅗ 왕복 통행)뿐이다. 이는 감마선을 이용할 경우 우회로 인해 손실을 보는 경우를 빼더라도 감마선으로 인해 늘어나는 경우의 수가 거의 2배 수준이고 연결의 가치 또한 거의 줄지 않는다는 뜻이다.

이런 예제가 현실에서 작용한 것이

바로 충북선이다. 충북선은 서울과 영남 사이의 병행선인 경부선과 중앙선을 연결하며, 이를 통해 두 노선을 사용하는 승객과 화물이 취할 수 있는 이동 경우의 수를 증대시켰다. 더불어 충북선을 이용하지 않고 두 노선을 잇는 교통로들은 수도권이나 영남 대도시권 내부에 있는 교통로로서 매우 혼잡한 노선이므로 적어도 화물을 수송하기에는 적절하지 않았다(도표 3-6).

한편 충남선은 이런 예제와는 거리가 있는 교량선이다. 서해안과 경부선의 병행선 역할을 해야 하는 장항선은 2023년 현재 여전히 홍성 이북의 서해선조차 건설되지 않은 상태며(2024년 개통 예정) 호남 방면으로도 연결이 부실하다. 더불어 충남선은 장항선의 홍성~천안 간, 즉 옛 충청수영로 부분과 교량선 기능을 놓고 경쟁했을 것이다.[39] 병행선 자체의 허술함 그리고 부분적인 교량선의 존재는 충남선을 100년 넘게 서류상에만 머무르는 유령으로 만들었다.

---

[39]   홍성~대곡 간 서해선이 완공되면 이 부분이 교량선의 역할을 한다는 사실이 명확해지는 네트워크 구조가 형성될 것이다.

5절. 충북선, 안성선, 경북선: 교량선 경쟁과 X축의 몽상

초기 철도 시대에 구상되었던 여러 노선은 지금 실현된 철도를 넘어서는 구상을 품고 있었다. 경부선과 직교하는 X축을 건설하겠다는 구상이 바로 그것이다.

도표 3-6으로 돌아가 보자. 여기서 경부선은 서북-동남 방향으로 한국을 가로지르는 사선을 그린다. 한편 충북선은 충남선과 태백선 방면으로, 즉 서남-동북 방향으로 한국을 가로지르는 사선을 그린다. 경부선과 충남선-충북선-태백선이 이루는 교차 구조, 이것이 청주를 중심으로 하는 X축이다. 1910년대 충북선의 부설 계획이 나왔을 때부터 이 X축 기획은 청주의 여론 주도층을 사로잡고 있었던 것으로 보인다.[40] 이 계획은 충북 북부의 철도 오지였던 제천 일대, 그리고 영월 등 강원 남부 일대의 호응까지 얻었다.

이 기획은 천안을 중심으로 하는 다른 X축 기획과 경쟁 관계에 있었다. 1920년 설립된 조선경남철도가 1925년부터 27년에 걸쳐 건설한 안성선(천안~안성~장호원, 일제강점기 명칭은 경남선京南線), 그리고 1922~31년에 건설한 장항선이 바로 그 기획의 실체였다. 학계의 분류를 따르면 충북선과 안성선은 모두 '척식철도'였다. 철도망이 없으나 간선인 경부선으로 접속시킬 경우 수송할 만한 물자와 인구가 충분한 지역을 파고드는 노선이 바로 척식철도이다.[41] 이로 인해 천안과 청주

---

[40]   김양직, 같은 논문: 150.

[41]   도도로키 히로시, 2001. "일제강점기 사설 철도망의 형성과 유형," 이용상 외, 『한국철도의 역사와 발전 II』, BG북갤러리, 41~62; 심승희 · 한지은, 같은 논문: 137.

가 철도 연선을 배후지로 거느리게 되었다는 사실은 이미 논의한 대로다. 더불어 안성선은 장호원을 지나 여주 일대까지 연장될 예정이었는데, 이는 충주까지 연장된 충북선과 배후지를 놓고 경쟁을 벌일 수 있다는 의미였다. 두 노선은 천안~청주 간의 거리에 해당하는 30~40km의 거리를 두고 기본적으로 평행하게 진행하였다. 비록 차령산지가 두 노선 가운데에 있긴 하나, 특히 진천-음성 분지의 경우 분지 북측의 분수령이 미약해 장호원, 죽산 방면(안성선 측)으로 진출하는 것이 증평 방면으로 진출하는 것보다 오히려 유리한 면이 있었다.[42] 명확한 연구를 찾지 못했으나, 결국 일본군이 1944년 안성선 안성~장호원 구간을 불필요 노선으로 지정함으로써 폐선, 철거된 것은 바로 이러한 경쟁 관계[43]를 반영한 결정이었을 것이다. 이 시기에 민자에 의해 경부선 접속 노선으로 건설된, 소백산맥을 사이에 두고 충북선과 약 60km 간격을 두고 병행하는 노선인 경북선(개통 1924~31, 당시 영업 구간은 김천~상주~점촌~안동)의 점촌~안동 구간도 폐지되었다.

이들 X축 구상이 힘을 잃은 것은 바로 중앙선 건설 때문이라는 분석이 존재한다.[44] X축 구상은 경부선과의 거리가 먼 원격지에 경부선 접속을 제공할 수 있다는 점에서 매력적이었으나, 중앙선은 이런 원격지에 곧바로 남북 방향의 연결을 제공하였다. 그 결과 서울 방면이든

---

[42] 진천 분지를 배후지로 노릴 수 있는 덕에, 경남선의 장호원~안성 간 부설이 충북선에 비해 오히려 1년 더 빨랐을 것이다. 한편 전근대 시기 진천은 둔포(지금의 아산시 둔포면, 아산만 상류-안성천 하구 일대)에서 출발하는 소금 수송로에 포함되어 있었고, 이 길은 지금의 증평까지 연결되는 것으로 보인다. 이는 지금의 34번 국도 축을 따라 연결되었을 것이다. 김재완, 같은 논문: 10.

[43] 이 경쟁을 충북 지역에서 명확히 인지하고 있었다는 증거를 김양직의 논문에서 확인할 수 있다. 1933년 경남선 천안~장호원 구간에 대한 국고 매수설을 들은 충북인들이 상경하여 총독을 방문하고 충북선을 국고 매수해 달라는 요청을 했다는 기록을 확인할 수 있기 때문이다. 150.

[44] 심승희·한지은, 같은 논문: 138.

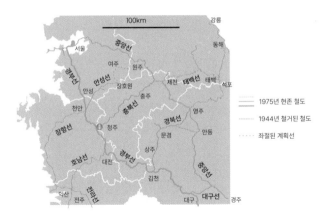

지도 3-4. 교량선 경쟁도. 거리 관계, 도 간 경계를 보여 주기 위해 지도로 제시했다. 안성선은 해방 후에도 영업한 안성까지는 실선, 1944년 철거된 안성~장호원 간은 점선, 교량선 구성을 위해 필요한 장호원~원주 간은 더 간격이 넓은 점선으로 표기했다. 실선은 1975년경 존재한 표준궤 철도 노선(협궤인 수인선 제외)을 나타낸다.

부산과 일본 또는 부산항에서 접속되는 국제 해로 방면이든, 충북선이나 안성선과 같은 지선 철도망을 이용하여 경부선에 접속해 이동할 필요가 없어졌다. 종관 노선 추가로 인해 경부선 지선으로서의 X축 구상은 약화되고 더 이상 중요성을 가지지 못하게 되었다는 것이 해당 분석의 견해로 보인다. 실제로 이미 10년 이상 영업해 온 안동~점촌 간 경북선이 중앙선 개통(1942년 전선 개통) 이후 시점인 1944년에 불요불급선으로 평가되어 폐지된 것은 이를 뒷받침하는 사례처럼 보인다.

하지만 앞서 보았듯이 이것은 부분적인 논평일 것이다. 강원 남부의 무연탄과 시멘트는 1950~80년대에 전국적인 중요성을 가진 화물이었고, 따라서 이를 수송하기 위해 중앙선과 경부선을 잇는 교량선의 기능을 하는 노선이 반드시 필요했기 때문이다. 그렇다면 대한민국 시기의 경쟁은, 이 교량선의 지위를 그리고 X축의 몽상을 실현할 물적 기반을 놓고 다투는 경쟁이었다고 할 수 있다.

안성선은 이 경쟁에서 일찌감치 탈락했다. 1944년에 철도를 철거하였으므로, 중앙선 접속을 위해 철도를 부설해야 하는 거리가 약 70km(안성~원주)에 달해, 30km 가량이었던 충북선 충주~봉양, 50km 가량이었던 경북선 문경~안동에 비해 길었기 때문이다.

더불어 안성선은 다른 교량선 후보 노선과 달리 노선의 양측 종단점과 경유지가 모두 다른 도에 속해 있었다. 천안은 충남, 안성·장호원(이천)[45]·여주는 경기, 원주는 강원도였으므로 전 노선이 동일 도를 통과하던 충북선이나 경북선에 비해 정치적 힘을 결집하기에 어려웠을 것이다.

한편 경북선은 충북선에 비해 호남 방면으로 진입하는 데 어려움이 큰 노선이다. 추풍령 구간을 넘어야 하기 때문이다. 추풍령이 덜 험준하다는 것은 어디까지나 상대적인 이야기고, 대규모 화물을 수송하는 데에 다른 평지 구간보다 불리한 구간인 것은 2023년 현재로서도 사실이다. 이런 불리함 때문인지 김천역에는 상주~추풍령 간 직결 운행이 가능한 삼각선이 마련되어 있지 않다. 또한 경북선과 북쪽에서 접속되는 영동선은 탄전이나 시멘트 매장지 접근성도 떨어지는 편으로 영월과 정선에서 바로 탄전에 접속되는 태백선에 비해 수송거리가 길다. 영동선 연선에서 산업 시설은 석포(아연 제련소 위치)까지 올라가야 존재한다.

결국 충북선은 1958년에 제천까지 개통하여 다른 교량선(후보)을 모두 압도하였다. 이렇게 충북선은 40년 전부터 염원하던 X축을 구현

---

[45]   장호원은 감곡(음성군)과 청미천을 사이에 두고 접하는 이중 도시지만 논의의 목적을 위해 이를 무시하기로 한다. 참고로 2021년 말 개통된 감곡장호원역은 감곡 측에 자리한다.

하기에 이르고, 이후 이 노선과 연결된 강원 남부, 태백산 지구의 탄광 자원을 자신들의 발전을 위해 활용하는 데 결정적으로 유리한 위치에 섰다. 지질과 역사적 우연이 만나 충북은 다다음 세대까지 이어질 몽상의 기반을 닦는다.

6절. 자동차 시대와 후기 개발 시대

시멘트와 석탄 수송을 더 원활히 하기 위한 1981년 충북선 복선전철이 개통된 후 철도망은 거의 변화하지 않았다. 이 시기부터 2005년 (오송 분기 결정의 해) 사이의 양청 접경 도시 체계를 설명하려면, 철도망보다는 고속도로망을 그리고 산업 입지의 변화를 체크하면서 논의를 진행해야 한다.

고속도로망과 청주

경제 개발기, 모두가 의심하지 않았던 밝은 미래에 대한 구호는 '마이 카 시대'였다. 이 약속의 물리적 기반은 바로 경부고속도로를 시작으로 하는 고속도로망이었다. 1970년, 청주는 옥산에서 미호강을 건너 청주 시가지 서부를 스쳐 지나가 대전으로 향하는 경부고속도로를 얻었다.[46] 경부고속도로는 천안, 청주, 대전 모두를 연결하는 노선이

---

[46]   청주를 대표하는 이미지인 청주IC~시내 간 가로수길이 고속도로와 청주를 연결하는 길이다. 1952년에 처음 조성되었으며 1970년대 초(경부고속도로 개통 직후)에 4차로, 2010년대에 가로수 양 편에 1개 차선을 추가하여 왕복 6차로가 되었다. 오윤주, "충북 청주 명물 가로수길 또…사방에 가로수길 만들어", <한겨레>, 2019. 5. 20. https://www.hani.co.kr/arti/area/area_general/894570.html

었다. 그런데 1985년 남북 방향 추가 고속도로로 중부고속도로가 생겼다. 이 노선은 천안과는 사실상 무관했으며, 대전으로는 직접 향하지 않고 청주의 남이분기점에서 경부고속도로와 합류했다. 이들은 경부고속도로보다 청주 시가지에 조금 더 가깝게 다가오는 한편, 청주와 진천, 음성 등 충북 북부 지역과 이천 등 경기 동남부 지역 사이를 더욱 가깝게 연결하였다. 서울에서도 중부고속도로는 강남 동측, 올림픽대로의 동단과 연결된 노선이었으므로, 서울의 중심지 변화 역시 중부고속도로를 얻은 청주에게는 더욱 유리했다. 결국 경부선 철도라는 교통 축선과 어긋나 저발전의 상황에 접어들었다는 충북의 저발전 신화는 자동차화와 함께 종료되는 듯했다.

반도체와 청주
중부고속도로가 개통된 1980년대는 한국 반도체 산업이 태동하던 시기이기도 하다. 청주 하이닉스의 전신인 금성반도체는 1988년에 현재의 입지를 확정했다. 이들을 비롯해 삼성전자와 현대전자 모두 광의의 수도권 남부 지역에 자리를 잡는다(1981 수원 삼성, 1983 이천 현대. 업계 4위로 평가되는 동부전자는 음성). 이들이 입지를 이렇게 택한 것은 크게 두 가지 이유라고 알려져 있다. 먼저 지형/지질학적 이유다. 반도체 설비는 먼지에 취약하므로 바닷가는 배제되었다. 파도로부터 바닷물 방울이 튀어 오르면 물은 증발하고 소금만 남아 생기는 작은 먼지가 지속적으로 형성되기 때문이다. 더불어 진동에 취약한 설비를 방호하기 위해 역사 지진과 지질을 분석하여 내륙 지역 가운데는 경기 남부와 충청 북부가 적절하다는 결론이 나왔다.[47] 더불어 이들 반도체 산업은 대규모의 고학력 인력을 필요로 하는데, 이들을 수급하는 데 유리한 거점은 결국 대도시다. 서울의 연구개발 및 지휘 통제 기능과의 근접성 또한 중요한 쟁점일 수밖에 없다. 1970년대 중화학공업이 헤드쿼터는 서울, 생산기지의 남해안으로 공간 분업을 했다면, 1980년대 태동한 전자산업은 이보다 단거리 분업을 선호한 셈이다. 청주는 양청 접경의 주요 도시 가운데 종관 고속도로망 8개 차선을 통해 서울로, 특히 새롭게 서울의 중심으로 떠오르던 강남으로 연결된 도시였던 이상, 경부선 철도를 통해 낡은 서울(영등포, 사대문 안 도심)로 연결되었던 천안이나 좀 더 멀었던 대전보다 더욱 유리한 입지로 포장하기 좋은 도시였다고 말할 수 있다.

수도권 규제와 분산

수도권의 인구 규모는 점점 커져서 특히 서울의 경우 1980년에 이미 1천만을 넘겼다. 수도권 분산은 전쟁 이후 한국 도시사 전체를 관통하는 문제의식이었던 만큼 1983년에는 수도권 규제가 입법을 통해 구체화되기에 이른다. 그런데 이때 수도권 규제의 선은 행정구역, 즉 경기도 경계를 기준으로 설정된다.[48] 이는 경기도 경계 바로 바깥의 충청 지역, 즉 지도 3-1에서 확인한 충청의 대삼각형 가운데 북쪽 변에 해당하는 충청 북부 지역은 수도권 규제의 대상이 아니라는 뜻이

---

[47] 임철의, "청주와 LG는 전생에 무슨 관계였을까", <충북인뉴스>, 2004. 12. 24. http://www.cbinews.co.kr/news/articleView.html?idxno=12833

[48] 제정 당시의 문구는 다음과 같다. "제2조 (수도권에 포함될 서울특별시 주변 지역의 범위) 법 제2조 제1호에서 '대통령령이 정하는 그 주변 지역'이라 함은 인천직할시 및 경기도 일원의 지역을 말한다." 수도권정비계획법시행령, 1983. 10. 20 제정.

다.[49] 이 가운데 서울과의 연결이 가장 강한 곳은 천안이었다. 경부선과 경부고속도로가 동시에 서울로 연결되기 때문이다. 따라서 천안은 수도권 규제를 피해 내려온 기업과 학교가 모이는 도시가 되었다. 청주는 이보다 약 30km 먼 지점이었다. 이는 청주로 남하하는 중부고속도로가 경기도계를 넘어가면 곧바로 마주하는 지역, 즉 음성과 진천역시 수도권 규제를 피할 수 있는 좋은 장소가 된다는 뜻이었다. 대도시를 활용해야 하는 업종이 청주로 이주하였고 수도권 방면으로의 도로 접근이 편리하면서도 싼 입지 자체를 노리는 기업들이 음성과 진천을 활용하였으며[50] 청주~진천~음성은 이후 하나의 회랑을 구성하였다.[51]

한편 대전은 1980~90년대 국가가 수도권에 밀집된 연구 시설 및 행정 기능을 분산시키기 위해 전략적으로 여러 기관을 위치시킨 도시였다. 이에 따라 수도권으로부터 인구가 계속해서 순유입하며 90년대, 아니 2010년경에 이르기까지 지속적으로 성장하였다.

---

[49] 참조할 만한 문헌으로 김준우, 『서울권의 등장과 나머지의 쇠퇴』(전남대학교출판부, 2019).

[50] 중부권 개발 계획(국토연구원, 1986)에도 진천·음성 분지 일대에 계획 공업 입지를 설정한 것을 확인할 수 있다. 이들 입지에는 식품 공업이 다수 입주한다. 가령 2023년 현재 믹스커피로 유명한 동서식품의 공장은 부평 다음에는 진천에 들어서 있다.

[51] 『거대도시 서울 철도』 6장 도표 35(314쪽)를 작성하면서 1995년부터 2015년 사이에 진천·음성과 청주 사이의 통근 통행이 4배 이상 늘었음을 확인했다.

7절. 1990년, 게임의 세팅: 청주, 대전, 천안

지금까지 철도와 고속도로를 바탕으로 양청 접경의 도시들이 충청 지역의 핵심으로 떠오르는 과정을 검토해 보았다. 이들 세 도시는 오송 분기를 놓고 투쟁한 세 주인공이므로, 지금까지의 서술은 이 주인공들이 투쟁의 무대에 오르기까지 성장해 온 역사를 이해하기 위해 필요한 하나의 전사(前史)이다. 이들 세 주인공 모두는 철도망과 고속도로망, 행정구역을 활용해 자신들을 중요한 거점으로 만들어 냈다.

청주

경부본선의 경유지에서는 빠졌지만 충북도의 도청소재지라는 중요한 자원을 가지고 있었다. 1900년 시점 충북의 다른 주요 도시였던 충주는 경부본선에서 지나치게 멀었고, 청주는 경부선의 지선으로 출발해 중앙선과 연결되어 교량선 기능을 한 충북선을 바탕으로 충북의 맹주로서 자리를 굳혔다. 게다가 충북선은 중앙선을 통해 태백선과도 연결되며, 이에 따라 1950~80년대 한국의 에너지 체계를 뒷받침한 강원 지역과 양청 접경 지역에서 가장 가까운 도시가 되었다. 청주의 지위는 결국 교통 원리와 격리 원리[52] 모두를 통해 설명해야 한다. 충북 내륙 지역 역시 경부선 주변으로 인구를 끌어들이는 압력을 받는다. 그런데 도 경계가 인구의 이동을 방해했다. 또는 적어도 모여 있을 만

---

[52] 행정구역이 중심지 체계에 미치는 영향. 행정구역은 배타적인 경계이므로 경계 내부에서는 대개 하나의 최대 도시가 발달하고, 최대 도시보다 한 차수 낮은 규모에 속하는 도시들은 상대적으로 미약하게 발달한다. 발터 크리스탈러, 『중심지 이론: 남부 독일의 중심지』, 안영진·박영한 옮김(나남, 2008).

한 자리가 생겼다. 이 모든 효과가 결합하여, 청주의 인구는 충청북도 전체의 60%에 달하여, 충북을 한 나라로 가정하면 압도적 규모의 수위 도시에 해당한다.

대전

대전이 경부선의 경유지로 선택된 것 자체는 지형에 따른 결과였으나, 이 도시는 이후의 여러 상황에 따라 충청 최대의 도시로 떠올랐다. 경부선, 호남선의 분기점이 된 것은 1914년이었다. 1932년 충남도청 이전이 확정되자 충남은 물론 영·호남 방면에서도 인구 유입이 가능해졌다. 독립 이후, 경제개발 시기 이 지역은 (영호남 대비) 서울과의 인접성 때문에 지속적으로 주목받았고, 1970년대가 되어 정부에 의한 수도권 기능을 분산시키기 위한 입지로 간주되기에 이르렀다.

천안

천안은 경부선과 장항선의 분기점으로 기능하면서 철도망의 거점으로 자리잡았다. 이 도시는 도청이 있던 청주나 대전에 비해 행정구역에 의한 격리 원리의 도움을 받기는 어려웠다. 그러나 충청의 대삼각형 북쪽 빗변을 이루는 도시 가운데 철도와 고속도로 모두를 통하여 서울 및 수도권 남부(수원 등)와 연결된 유일한 도시다. 수도권 지역에 개발 억제 조치가 취해지면, 수도권 접근이 가장 유리해 수도권 규제를 피해 오는 행위자들이 자리를 잡기에도 좋은 비수도권 입지라는 말이다. 아마도 '역의 격리 원리'라고 부를 수 있을 이런 조건으로 인해 천안은 특히 수도권 주변의 입지를 찾던 민간 기업(가령, 1996년 삼성전자 입지)에게 주목받을 수 있었다.

핵심은 이것이다. 세 도시는 모두 철도망에서 나름의 중요성을 가지고 있었다. 그리고 자신의 도시 이외의 지역을 개발의 배후지로 활용할 수 있는 행정구역, 거리, 교통로 조건도 갖추고 있었다. 그런데 이런 조건을 가진 이들 도시는 충남북 접경 지역에 서로 경계를 마주보고 아주 가까이 자리하고 있었다. 한국의 행정구역 면적 규모에서 경계를 바로 마주하는 도시들마다 고속철도를 정차시키려면 속도를 희생해야 하는 측면이 있다(4장 4절). 배후지를 가지고 있는 대도시들이 상대적으로 가까운 거리에 밀집해 있다는 이 조건은 충청권을 통과할 다음 세대의 길을 놓고 이들 세 도시가 격전을 벌이게 만들었다.

4장. 경부고속철도와
오송역의 탄생

···당초 서울~부산 간 총 연장은 409km로 계획됐으나

충북도민의 강력한 요구에 의해 오송역까지 4.3km···연장되[었다].

– 한국고속철도건설공단, 『경부고속철도 건설사』, 317.

1절. 고속철도의 등장 (1989)

이야기는 1989년에 다시 시작된다. 경부고속철도를 주축으로 하는 한국고속철도 계획이 바로 이해에 발표되었기 때문이다. 5공화국 시기의 긴축을 뒤로 하고 교통 투자를 좀 더 적극적으로 수행하고자 했던 노태우 정부가 택한 대표 사업이 바로 이 계획이었다. 서울과 부산을 잇는 경부고속선, 천안에서 이 고속선으로부터 분기해 나오는 호남고속선, 그리고 서울에서 강릉을 잇는 동서고속선 세 노선이 바로 한국고속철도의 세 주축이었다. 노태우 정부의 이 같은 결정은 지금 이 순

간에도 전국을 누비는 KTX로 구현되어 있다.

2017년에 완성된 이 세 축은 앞으로도 계속해서 한국고속철도의 뼈대를 이룰 것이다. 한편 이들 새 노선은 100년 전 일제강점기는 물론 30여 년 전의 경부고속도로에 비해서도 토목기술 면에서 압도적인 규모를 달성하였다. 경부고속선 본선의 경우 평면 곡선의 반지름은 무려 7km에 달했고, 20km가 넘는 장대 터널(금정터널), 7km에 달하는 장대 교량(풍세교)도 등장했다. 토목 시설의 압도적인 규모는 무엇보다 기존 망보다 지수적으로 빠른 속도를 달성하기 위해서였다. 305km/h[53]까지 가속하는 열차를 지지하기 위해서는 완만한 곡선이 필수적이었고, 따라서 기존의 중심지를 본선역의 입지에 반영하는 것은 큰 무리가 있었다. 실제로 경부고속선, 호남고속선 본선의 역 13개(기존 경부 1선을 연결 본선으로 사용하는 서울, 용산 제외) 가운데 기존 역을 확장하여 활용한 것은 대전, 동대구, 부산, 익산, 정읍, 광주송정까지 총 6개, 46%다. 완전히 새롭게 건설된 수서평택고속선, 강릉선[54]까지 계산에 넣으면 이 비율은 7:22로 약 32%까지 떨어진다.

특히 경부선에서는 광역시(대전, 대구, 부산)를 뺀 모든 도시에서 새로운 역이 건설되었다. 가령 경부고속선이 지나는 도시 가운데 가장 오래된 도시인 경주에서도 그랬다. 게다가 우리의 주인공, 청주는 더욱 심각한 상황에 처했다. 초기 대안에서 경부고속철도는 청주를 들르지도 않았기 때문이다. 경부고속선은 천안에서 대전 사이를 거의

---

[53]   실제 영업 최고속도. 반지름을 7km로 설정한 것은 400km/h급 열차를 운행하기 위해서였다. 이는 호남선에서는 5km(350km/h)로 축소된다. 300km/h 주행만을 위해서는 약 3.5km의 반지름으로 구성된 곡선이면 충분하다.

[54]   노태우 정부 시기 계획과의 연속성을 감안해 여기서는 고속선으로 분류하기로 한다. 사업비 조달 방법을 기준으로 분류할 경우 이 노선은 건설에 부채가 전혀 들어가지 않아 고속선이 아니다.

직선으로 이을 예정이었다. 물론 호남고속선은 그보다 서측으로, 천안에서 공주를 거쳐 익산으로 남하할 예정이었다.

이야기가 이대로 진행되었다면 아마도 이 책도, 오늘의 고속철도 오송역도 없었을 것이다. 하지만 상황은 사소해 보이는 하나의 사건에서부터 바뀌기 시작했다.

2절. 본선역이냐 지선역이냐—청주의 선택(1989~91)

경부고속철도 본선이 자신들을 버렸다는 사실을 알게 된 충북은 큰 충격을 받았다. 지역 내부 단체들은 '경부고속전철본선역충북권유치추진위원회(이하 충북유치위)'를 꾸려 충북에 고속철도 본선을 진입시키라는 요구를 하기 시작했다. 아직도 청주 구도심 곳곳에는 이들의 흔적이 남아 있어서 청주 구도심을 걷다 보면 이들의 흔적을 발견할 수 있을 정도다(그림 4-1). 이들의 저변이 얼마나 넓었는지, 그리고 청주와 충북유치위의 활동이 얼마나 필사적이었는지 알 수 있는 장면이다.

흥미로운 단어는 '충북권'이다. 충북이면 충북이지 '충북권'이라는 말을 사용한 것은 무슨 의도에서였을까? 이런 미묘한 용어는 충북의 형태와 범위로 인해 나타난 말이라

그림 4-1. "고속전철 본선역을 충북권에 설치하라" 청주 남문 일대(남사로 112번길), 저자 촬영, 2021년 8월 28일.

고 보아야 할 것이다. 지도 4-1에서 확인할 수 있듯, 충북은 크게 보아 직각삼각형 형태로, 동북-서남 방향으로 빗변이 뻗어 있고 직각은 진천군 서북측, 광혜원 부근에 위치해 있다. 그런데 청주는 이 삼각형의 서측으로 쏠려 있다. 청

지도 4-1. 오송역 영향권, 즉 '충북권'의 의미. 박병호 외 6인, 호남고속철도 노선 대안 평가, 호남고속철도기점역오송유치추진위원회, 1996: 오송백서 1327에 재수록.

주는 충북의 면적 중심이 아니라는 말이다.[55] 이런 상황에 대응해, 충북은 충북권의 조작적 정의(operational definition)를 지도 4-1의 '오송역의 1~3차 영향권'과 같이 제안한다. 비록 연기군이 포함되어 있었지만 이 지역을 빼더라도 오송역의 1차 영향권은 1990년대 초반의 충북 인구 약 140만 명 가운데 약 70만 명(연기군 제외)을 포함하는 규모였다. 충북의 인구를 대변하는 것이 바로 이 충북권이며, 이보다 인구가 작은 여러 권역[56]에도 들어가는 고속철도를 '충북권'에게도 선사하지 않으면 안 된다는 것이 충북유치위의 주장이었다.

　이러한 '충북권'의 용례는 철도가 없어서 발전이 저해되었다는 설화를 가진, 그리고 고속철도나 다른 새 시대의 철도를 건설할 경우 상황이 바뀔 수 있다고 믿은 여러 다른 도시들과 청주의 다른 운명을 설명하는 중요한 요인일 것이다. 철도가 살짝 비껴갔기 때문에 저발전

---

[55]　　실제로 충북 직각삼각형(진천-영동-제천)의 중심을 작도하면, 중점은 괴산에 찍힌다.

[56]　　강릉 방향은 물론(영동 총인구 60만, 강릉 20만), 호남 역시 목포의 경우 청주나 충북권보다 훨씬 작은 권역이다(전남 서남부 60만, 목포 25만).

상태가 유발되었고 오늘날까지 악영향을 끼치고 있다는 설화가 존재하는 도시들은 참으로 많다. 삼남에서 하나씩만 꼽는다면(물론 청주를 빼고) 공주, 전주, 상주를 들 수 있다. 이들 도시 가운데 오직 청주만이 놀라운 정력을 발휘해 자신들의 앞마당에 고속철도 역을 유치해 냈다. 이것은 자신들이 지배하는 권역을 곧바로 도의 핵심부('충북권')와 등치시킬 수 있었던 청주의 역내 지배력에 기반하는 현상일 것이다.

가령 공주, 상주는 이미 고속철도 등 철도에 대한 재투자가 시작된 1990년에는 도 전체 인구의 5%[57] 남짓만을 차지하는 극히 작은 도시로 전락해 있었고, 최근 들어 그 규모는 더욱 줄어들었다. 이는 곧 이들 시는 도 전체의 자원을 동원하거나 독점할 역량을 전혀 가지지 못했다는 뜻이다. 청주와 동일한 도청소재지인 전주는 익산과 군산의 시세를 합치면 전주에 버금가는 수준[58]이라는 점에서, 그리고 고속철도가 군산에서 전주에 이르는 전체 도시 회랑의 동서 방향 기준 한 가운데인 익산을 관통한다는 점 때문에 전주 관내로 고속철도 본선역을 끌어오는 데 실패했다. 그러나 청주는 도 내부에서 압도적인 지위를 차지하고 있었으며 (도표 4-1에서 충주와 청주의 규모 차이와, 전주와 익산+군산 사이의 규모 차이를 확인하라), 양청 접경에서 대전의 60%에 달하

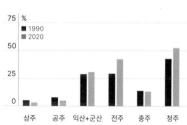

도표 4-1. 상주, 공주, 익산+군산, 전주, 충주, 청주(청원 포함)의 소속 도 인구 대비 인구 비중. 각 연도 인구총조사 값으로부터 산정.

---

[57]　경북은 10시 12군으로 22개 시군, 충남은 8시 7군으로 15개 시군이므로, 두 도시는 모두 각 도에서 평균 이하의 인구 비중을 차지하는 시이다.

[58]　전주와 완주를 합쳐 약 76만, 익산과 군산을 합쳐 약 55만 명 수준이다.

는[59] 인구를 보유하여 규모 여건도 어느 정도 확보할 수 있었다. 충주를 비롯한 충북 북동부 도시 대부분이 충북선의 영향권 내에 있었으므로 오히려 청주 지역의 수위도를 높이는 데 기여하는 배후지로 기능했다는 점은 1장에서 짚은 대로다.

청주가 이렇게 충북도 내의 모든 역량을 집결시키자, 정부 역시 침묵할 수만은 없는 상황에 놓였다. 이들이 내놓은 대안은 바로 청주 지선이었다. 고속철도 본선 가운데 연기군 지역에 분기선을 설치하고, 여기서 청주 방면으로 지선을 건설하자는 것이다. 하지만 이렇게 되면 청주의 고속철도 연결 품질은 크게 떨어지고 만다(보강 2). 결국 청주의 입장에서는 결국 본선을 청주 관내로 이끌고 들어오는 것만이 자신들의 이득에 부합했다. 이런 이득을 현실에 실현하기 위해 청주에서는 진부한 종류의 음모가 하나 입안되었다.

---

[59]   구 청원군 지역을 포함하는 값이다.

보강 2: 본선 중간 부분의 본선역과 지선역

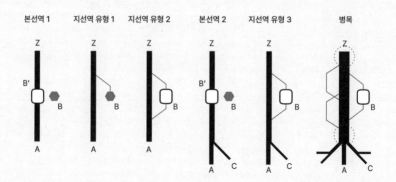

도표 4-2. 본선역과 지선역의 유형. 붉은 색 B는 시가지를 나타내며, B'는 본선상의 역, B를 통과하는 지선상의 역은 시가지를 관통하거나 인접하는 역을 뜻한다. 선의 굵기는 열차의 수를 의미한다.

도표 4-2는 본선 중간 부분에 인접한 도시와 관련된 지선 구조를 유형화한 그림이다. 논의를 단순화하기 위해 다섯 가지 유형만 제시했지만 더 많은 유형이 있을 수 있다(가령, Z 방향과 A 방향 모두 지선이 존재하거나, B의 반대편에 다른 도시가 존재하거나 등).

'본선역 1' 유형은 Z-A 간 간선 주변에 있는 B시에서 출발/도착하는 통행 수요에 대응하고자 B시 근교에 B'역이 건설된 유형이다. 이 경우, B시의 시민들은 본선의 열차를 모두 이용할 수 있다. 가령 B'역에서 Z시와 A시까지 모두 1시간이 걸리고, B시 도심에서 B'역까지 약 30분이 걸린다고 하자. 이때 본선의 배차

간격이 12분(시간당 5회)이라면, B시 시민들은 도심에서 출발한 다음 Z나 A까지 1시간 36분 걸린다. 도심에서 B'역까지 가는 시간과 B'역에서 열차를 기다리는 시간을 한데 묶어 '마찰 시간'[60]이라고 부른다. 본선역 1 유형에서는 마찰 시간이 36분이라는 것을 기억해 두면 된다.

'본선역 2' 유형은 동일한 구조에 A측, C시로 향하는 지선이 추가된 형태다. 여기서 A 방향 배차 간격은 20분, C 방향 배차는 30분이고,

---

[60] 전현우, 『거대도시 서울 철도』, 워크룸프레스, 2020: 1장 2~3절.

표 4-1. 도표 4-2 예제에서 이동에 소모되는 시간의 조합.

	(단위: 분)	차내 시간	대기 시간	접근 시간	총 이동 시간	비고
본선역 1	B' → A	60	6	30	96	
	B' → Z	60	6	30	96	
본선역 2	B' → Z	60	6	30	96	
	B' → A	60	10	30	100	
	B' → C	60	15	30	105	
지선역 유형 1	B → A	60	30	10	100	
	B → Z	120	36	10	166	A에서 환승, 배차 12분
지선역 유형 2	B → A	60	30	10	100	
	B → Z	60	30	10	100	
지선역 유형 3	B → A	60	30	10	100	
	B → Z	60	50	10	120	
	B → C	60	75	10	145	

B'~C 사이 역시 B'~A와 동일하게 1시간이 걸린다고 하자. B시 시민들은 (Z 방향은 동일) A 방향으로 갈 때는 약 1시간 40분, C 방향으로 갈 때는 약 1시간 45분이 걸릴 것이다. 마찰 시간이 각각 총 40분, 45분이기 때문이다.

지선역 유형 1의 경우 B시 도심에 Z 방향으로 직접 들어가는 열차가 있으나 A 방향으로는 열차가 없다. 물론 그 대신 B'도 없다. 이 경우 B시 시민은 다른 교통수단을 이용하거나 Z역 등 다른 본선역에서 A 방향 열차를 이용해야 하므로 큰 시간 손실을 볼 수 밖에 없다. B시 시민들이 집이나 사무실에서 출발해 역에 도착하는 데 약 10분의 시간이 걸린다고 하자(접근 시간 10분). 또한 지선의 배차 간격은 1시간이라고 하자. 이 경우 B시 시민들은 마찰 시간 약 40분을 더해 Z까지는 약 1시간 40분이 걸린다.

한편 지선역 유형 2는 지선이 B시를 관통하여 A시까지 운행한다. 이 경우 Z까지 걸리는 시간은 1시간 40분으로 변화가 없으며, A 방향으로도 약 1시간 40분의 시간이 걸린다.

여기에 지선을 추가한 지선역 유형 3을 검토해 보자. 지선의 배차는 Z 방향으로는 1시간으로 동일하지만 A 방향으로는 그 2/3 수준인 100분(1시간 40분), C 방향으로는 150분(2시간 30분)이다. 접근 시간이 동일하게 10분이라면, A 방향 마찰 시간은 총 60분, C 방향 마찰 시간은 총 85분이다. 열차 순 운행 시간이 본선역 유형 2와 같다면, B~A 사이 이동에 필요한 시간은 2시간, B~C 사이 이동에 필요한 시간은 2시간 25분이다.

소요 시간 조합을 검토해 보면, 가지가 많아질수록 B시의 입장에서는 시가지와 약간의 거리가 있더라도 본선상에 역을 짓는 것이 더 유리하다. 본선역 2 유형의 A, C 방면 소요 시간과 지선역 유형 3의 A, C 방면 소요 시간을 검토해 보라. 열차 순 운행 시간을 동일하게 설정했음에도, 20분에서 30분 정도 총 이동 시간이 더 길어진다. 배차 간격이 대부분을 차지하는 마찰 시간 때문이다.

청주가 제안받은 것은 경부고속선만을 고려할 경우 지선역 유형 1이었다. 이는 동대구·부산 방향의 통행은 고속철도로 처리하는 것이 사실상 어려운 구조라고 보아야 한다. 만일 이 노선이 계속 연장되어 대전 이북에서 경부고속선과 합류했다고 해도, 경부선의 지선인 경전선과 동해선을 고려할 경우 지선역 유형 3이 최선의 구조였을 것이다. 이는 어떻게 개량하더라도 대구와 부산 등 남부지방 연결의 품질이 본선에 역을 짓는 것보다 낮았을 것이라는 뜻이다.

청주는 경부고속선 본선상에 역을 건설해 달라는 요구를 통해 본선역 유형 2와 같은 구조를 만들어 냈고, 대구, 부산 등 남부지방 방면 연결에서 이를 통해 마찰 시간이 오히려 감소하는 효과를 얻을 수 있었다. 이런 식의 추론은 경부고속철도 기본계획에 없었으나 2단계 개통에 포함된 다른 고속철도역인 울산역, 김천구미역에서도 동일하게 이뤄졌다.

물론 단 한 가닥 뿐인 본선에 국토에 위치한 모든 도시의 역을 밀어 넣는 것은 불가능한 일이다. 가령 경부고속선에서도 청주를 택하기 위해서는 공주에서 멀어지는 선택을 하지 않을 수 없었다. 한국이 남북 400km, 동서 250km 수준의 직사각형 모양으로 된 국토인 이상, 그리고 고속철도역의 전형적인 접근 시간인 30분 내로 역에 접근하려면 고속도로를 활용하더라도 20km 이내의 거리여야 하는 것이 통상적인 이상(4절), 복수의 축을 활용하지 않으면 안 되는 국토 구조라고 보아야 한다. 이런 국토의 구조를 감안하면 경부선과 같은 줄기, 간선의 활용을 극대화하기 위해서라도 이 간선에서 갈라져 나오는 지선 운영은 필수에 가깝다.

그렇지만 이렇게 분기를 남발할 경우 병목 문제를 피할 수 없다. 도표 4-1의 지선역 유형 3에서 본선 중간에서 분리/합류되는 지선이 3개, 본선 끝에서 나뉘어 다시 합류하지 않는 지선이 3개 더 추가된다고 가정하자(이하 지선역 유형 4). 더불어 이들 지선에 시간당 열차가 모두 시간당 1편씩 들어간다고 하자. 이

경우 모든 열차가 몰리는 Z시 인근, 그리고 A/C 간 분기점의 열차 수는 분기 후 합류 지선 때문에 3편, 분기 후 비합류 지선 때문에 6편이 추가된다. 유형 3을 운영하기 위해 필요한 6편에 더해 시간당 15편이 되는 셈인데, 이는 평균 시격 4분으로 현재 고속철도 신호체계의 한계 수준에 해당한다. 이렇게 간선을 용량 한계까지 활용할 경우, 열차를 증편하기 위해서는 부근에 복선을 하나 더 추가로 건설하는 2복선 투자까지 필요하다. 5장에서 오송역 인근 호남고속철도는 이와 유사한 이유에서 2복선 논란의 중심에 서게 되었다는 점을 확인하게 될 것이다.

3절. 부강터널 폭파협박 사건 (1991)

1991년, 13대 국회의원 정종택(당시 민자당 소속, 민주정의당계)을 중심으로 청주 지역 일군의 유지들이 모여 정부에 서한을 하나 보냈다. 서한 원문은 확인할 수 없었으나, 언론 보도는 이들의 요구가 무엇인지를 명확히 전하고 있다. "경부고속철도 본선을 청주 경내로 돌려라. 그렇지 않으면 경부본선 부강터널 및 신탄진~매포 사이 협곡을 폭파시켜 열차 운행을 마비시키겠다."[61] 이른바 부강터널 폭파협박 사건이다. 충북인들의 회고에서 이 사건은 오송 분기역 탄생 설화의 출발이다.

오늘날 이 사건은 충북의 악명을 떨친 주요 사건으로 늘 언급된다. 특히 인터넷 여론은 대부분 이 사건을 규탄하고 비난하고 있다. 그러나 여기서는 이 사건을 규탄하려는 목적으로 소개하지 않는다. 그것은 너무 쉬운 길이다. 이 사건을 일종의 신화로 기억할 수 있었던 심성(mantalité)을, 그리고 실제로 이러한 사건이 단순한 해프닝이 아니라 현실에 큰 충격을 주는 사건이 될 수 있었던 이유를 이야기하는 것이 훨씬 유의미한 일이라고 생각한다.

가장 먼저 조명해야 하는 행위자는 1991년 당시 정부다. 이 시기의 집권 정부였던 노태우 정부는 제5공화국의 군사 독재 정부와 제6공화국의 민주 정부 사이의 과도기적 정부의 형태를 취하긴 했지만, 여전히 갈등을 폭력으로 진압하는 데 거리낌이 없었다. 아무리 국회

---

[61] 박상준, "지금도 가슴 뭉클한 한 편의 대하드라마", <중부매일>, 2010. 10. 14. http://www.jbnews.com/news/articleView.html?idxno=317196

의원이 끼었다지만, 일개 민간인 집단이 무력을 행사하겠다는 협박이 얼마나 가소로워 보였을까? 1991년은 북한의 조직적 테러가 있은 지 몇 년 되지 않은 시기였고, 일부 재야 운동 세력은 정부로부터 과도한 탄압을 받고 있었다. 그런데 이런 상황에서 흥미롭게도 노태우 정부는 부강터널 폭파협박에는 유화적으로 대응했다. 협박 참여자들의 회고에 따르면, 그들이 "감옥 갈 각오"를 했음에도 그랬다. 협박 사건 그 자체보다 폭파와 협박 사건이 실제로 빈발하던 시기 이들에게 유화적 태도를 취한 정부의 선택이 더욱 흥미롭다.

'산업 평화'가 정착되었던 충북

여기서 '산업 평화'란, 노사 간 대립에 의한 쟁의 행위가 벌어지지 않은 상태를 말한다. 앞서 금성반도체[62]의 청주 입지는 바로 이 '산업 평화'를 감안한 것이라는 증언을 언론에서 확인할 수 있다. 금성반도체가 청주산업단지에 공장을 기공한 시점은 1988년이었는데, 이때는 동남 해안의 대규모 중공업 사업장에서 '노동자 대투쟁'으로 불리는 다양한 유형의 쟁의 행위가 1년 여 동안 지속되던 시기였다. 서울과 그 인근(인천, 경기 동부 등), 강원도의 탄광 지대, 그리고 동남 해안에 비해 청주가 속한 충청 지역은 노조 활동이 상대적으로 미약했고, 따라서 기업은 '산업 평화'를 찾아 사업장을 옮길 수 있었다.

이렇게 노조 활동이 상대적으로 약했던 결과, 정부는 충북을 이른바 '용공세력'이 미약한 지역, 즉 체제 위협 세력의 활동이 미미한 지

---

[62]　1996년 LG반도체로 이름을 바꾸고, 1999년 이른바 '빅딜'을 통해 하이닉스로 통합되어 오늘에 이른다.

역으로 판단했을 가능성이 있다. 게다가 국회의원, 이상록 등 관변 단체의 활동가 등이 주축이 된 협박이었던 이상, 이들의 활동은 체제 위협으로 간주되지 않은 것으로 보인다.

3당 합당과 정치의 지역 구도 강화

1989~90년, 당시 민주정의당(이하 민정당)은 3당 합당을 통해 사실상의 유일 전국정당을 건설하려고 시도했다. 민정당은 자신들의 거점인 대구 경북과 김영삼계의 거점인 부산 경남을 포괄해 영남을 지역적 기반으로 삼았고, 이 정당에 저항하려 한 민주당은 호남을 지역적 기반으로 삼았다는 것은 상식의 영역일 것이다. 양당 대립 구도에서 충청의 선택은 이른바 캐스팅 보트로서 주목받았다. 특히 충남 지역을 거점으로 하는 김종필계는 지속적으로 제3세력의 존재감을 드러내며 지역 구도의 한 축으로 작동했던 반면, 충북 지역을 거점으로 하는 중앙 정계의 거물은 없었다. 따라서 충북 지역은 표심이 가장 유동적인 지역으로써 모든 당으로부터 세력을 확장할 수 있는 '중원'[63]으로 간주되었다.

폭탄 테러 협박에 관대한 사회 분위기

이 항목의 주장은 다른 항목보다 조금 조심스럽다. 직접적인 증거가 아니라 유사한 사건에 대한 여론 반응을 활용해 추측을 제안하려는 항목이기 때문이다. 이 추측을 위해 5년 뒤인 1996년 경인선에서 있었던 부평역 폭파협박 사건에 대한 사회적 반응을 확인해 보자. 부

---

[63]   신라 시대 이래 중원(中原)이 충주의 이름으로 쓰이기도 했다.

강터널 폭파협박 사건은 1996년에 비해 좀 더 폭력이 격심했던 1991년의 한국 사회에서 일어난 사건이므로, 부평역 폭파협박 사건에 대한 한국사회의 반응은 부강터널 폭파협박 사건을 평가하는 심성의 내용을 추측하는 데 쓸 수 있는 자료일 것이다.

1996년 2월과 3월, 부평역을 폭파하겠다는 협박 전화가 걸려 왔다. [64] 철도 당국은 협박범의 요구를 부분 수용하여 부평역장 명의의 사과문을 게시하였고, 경찰은 협박 전화의 발신지와 성문을 분석하여 협박범을 특정하고 검거하는 데 성공한다. 이 사건은 폭파협박 자체보다 당시 극에 달했던 경인선의 혼잡에 대한 사회적 주목을 이끌어 냈다는 점에서 흥미롭다. 실제로 〈한겨레〉에는 자신도 여러 해 동안 매일같이 지옥철에 시달리면서 경인선을 폭파시키고 싶었다는 칼럼이 실렸고,[65] 참여연대는 지옥철을 방치한 정부의 불법 행위 책임을 묻는 소송을 진행하면서 재판 중이던 협박범 이원철을 보석으로 꺼내기도 했다. 이런 기록들은 폭파 협박은 당시의 심성을 기준으로는 억눌린 주체가 자신의 의사를 표현하기 위해 꺼낼 수도 있는 수단의 하나처럼 간주되었다는 뜻으로 보인다.[66] 이와 유사한 심성이 5년 전에도 있었을 것이라는 추측을 부인하는 것이 오히려 섣부른 일 같다. 그리고 부강터널 폭파협박 사건에 대한 당시 주동자들의 평가와 현 세대의 평가 사이에 있는 간극은, 테러리즘이 지극히 부정적 의미를 가

---

[64] 이 사건의 경과에 대한 저자의 정리는 「경인선: 혼잡 연대기」, 『확장도시 인천』 (마티, 2017), 68~71에서 확인할 수 있다.

[65] "한 번쯤 경인선 전철 안에서 시달려 본 사람이라면 전철 폭파보다 더 심한 생각을 할 수도 있을 거라는 추측을 해 본다면 나 또한 범죄자일까." 경인전철 폭파 위협 타 보면 그 심정 이해, 〈한겨레〉, 1996. 3. 12, 17면.

[66] 물론 이원철은 형법의 심판을 받아 1년간 복역하지만, 후일담 취재를 통해 별다른 문제 없이 일을 하게 되었다는 것을 확인할 수 있다.

지게 된 2000년대 이후의 시각[67]에서는 이 시기의 심성을 이해하기 어렵다는 점에서 일어난 마찰일 수 있다.

지방자치의 확대

그렇다면 질문은 이렇게 이어진다. 왜 충북은 자신들이 일종의 억눌린 주체[68]라고 생각했던 것일까. 그 답 가운데 하나는 바로 지방자치의 부재일 것이다. 1990년대 이전에 지방 정부의 인사권은 중앙 정부가 가지고 있었으며 따라서 지방 세력은 자신들이 원하는 방식으로 지역 발전을 수행할 수 없었다. 지방은 전국 단위의 개발에 있어 하나의 기능을 분담하는 부분으로만 취급되었다. 다시 말해, 지방자치가 없던 시대에 지방은 일종의 부품일 뿐 그 자체로 하나의 전체로 인정받지 못했다. 그런데 1991년에 노태우 정부가 주민 직접선거로 선출하는 지방의회를 출범시켰다. 1공화국 이후 사문화되었던 지방자치가 다시 시작된 것이다. 지방자치의 핵심은 지방이 스스로의 개발 역량을 확충해 나가는 것이지만, 충북의 활동은 아마도 지방자치 시대에 전형적으로 벌어질 수 있는 사건, 즉 지역 내부의 세력이 연합하여 주변의 사업을 자신들에게 유리하게 변형하려는 다양한 시도의 예고편이라고 해야 할 것이다. 부강터널 폭파협박 사건의 후일담은 이런 상황 하에서 정부가 이 예고편을 시대 변화의 방향에 따른 필요악으로 생각하고 넘기려는 판단을 했다는 방증이다.

---

[67]   결정적인 계기는 2001년 9·11 테러, 그리고 한국의 선진국 진입과 함께 폭력 투쟁이 흔했던 개도국 시기에 대해 망각이 벌어졌기 때문이 아닐까 추측해 본다.

[68]   서발턴(subaltern)의 번역어로 생각한 것이다. 이들이 억눌렸다는 말은 자신이 원하는 방식이나 내용의 발언을 하기 어렵다는 뜻이다.

청주공항의 표류

마지막으로 빼놓을 수 없는 것이 청주공항의 표류일 것이다. 청주국제공항은 1984년 처음 입안되었으나 수년간의 표류 끝에 1988년 서울에 좀 더 인접한 공항 계획이 입안되면서 그 규모가 축소되었다[69](활주로 2본→1본).[70] 당초 청주공항은 점차 포화되는 김포공항을 보완하여 수도권 수요를 분담하는 공항으로 기획되었다.[71] 서울에서 먼 거리는 강남의 도심공항터미널과 중부고속도로로 보완하고,[72] 국토 균형개발을 지향하면서 나아가 동아시아 지역 항공로 허브 기능을 포함하는 공항으로 건설될 예정이었다.[73] 그러나 1988년 이후, 정부의 방침이 서울에 더욱 인접한 대규모 공항을 건설하는 것으로 바뀌면서 충북의 불만은 누적되었다.[74] 이러한 공항 개발 사업의 표류는 충북의 공격적인 방법에 정부가 온건하게 대처하게 만드는 배경이 되었을 가능성이 있다.

---

[69]　1980년대는 북한군의 스커드-B 미사일(사거리 300km)이 개발되고(1984) 실전 배치된 시기다. 통일부 북한정보포털 참조. https://nkinfo.unikorea.go.kr/nkp/term/viewNkKnwldgDicary. do?pageIndex=1&dicaryId=82 북한 미사일은 청주공항의 상대적 약화, 그리고 인천공항의 부상에 이르는 입지 선택의 간접 요인으로 볼 수 있다. 청주공항은 대동강-원산 라인에 배치된 스커드-B 포대의 사거리 내에 들어가므로, 이들에 의해 화학탄 공격이 자행되면 무력화될 수밖에 없다. 청주공항의 입지 이점이 사라졌다는 뜻이다. 이 경우 차라리 핵심 표적의 전시 무력화를 가정하고, 평시의 편의를 위해 서울과 인접한 입지를 찾는 것이 유리하다고 볼 수도 있다.

[70]　동양최대 새국제공항 만든다, <동아일보>, 1988. 3. 9.

[71]　교통부 당국자는... 국토균형개발을 위해 수도권 공항이 아닌 중부권 공항의 개념으로 개발하고 수도권 수요는 부차적인 기능으로 발전시킬 것이라고 설명했다. "92년 개항 청주 새국제공항 86년 착공", <동아일보>, 1984. 4. 20.

[72]　공항터미널의 기능 상실은 이 터미널이 당초 청주공항 개항을 대비하여 건설된 것이기 때문... "강남 공항터미널 제구실 못 해", <매일경제>, 1990. 12. 4.

[73]　국제중계공항대상으로는 청주신공항 등... 검토되고 있으며 "동·서 연결 국제중계공항 건설", <경향신문> 1988. 6. 1.

[74]　"청주국제공항 원안관철방안 마련하라", <경향신문>, 1989. 9. 27.

4절. 60km, 30km, 15km, 그리고 미호강

방금 제안한 여러 추론이 맞든 틀리든, 폭파 협박에도 불구하고 중앙 정부가 충북에게 유화적으로 대처하겠다는 결정을 내렸다는 것만은 명백한 사실이다. 바로 이런 결정 하에, 정부는 결국 청주 방향으로 경부고속철도 본선을 돌린다. 이 책의 주인공, 오송역은 바로 이 때 충북권 경부고속철도 본선역으로 결정되어 역사의 수면 위로 드러났다. 폭파협박 사건 이전, 본래 경부고속철도 본선은 지금의 천안아산 일대에서 바로 대전조차장 부근으로 연결되는 직선 노선이었지만, 충북의 요구 때문에 천안아산~오송~대전조차장을 잇는, 다시 말해 오송에서 한 차례 꺾이는 직선으로 바뀌었다.

그런데 1장에서 확인했듯 오송역은 양청 접경의 어중간한 지점에 있다. 청주 도심까지 15km, 조치원까지도 5km 떨어진 이곳은 나중에 들어선 세종시와도 15km 이상 떨어져 있다. 대체 애초에 청주는 왜 버려졌고, 더불어 다시 고속철도를 불러온 지점은 왜 오송이었을까? 선형을 좀 더 꺾어서 역을 아예 청주 시가지 서측에 연접하는 것이 낫지 않았을까? 이렇게 오송으로 돌아가게 되면서 늘어난 거리는 얼마나 될까? 고속열차는 역 간 거리를 충분히 넓게 잡아 가속과 감속을 억제해야 효과적으로 운영될 수 있는데, 오송역을 추가해 좁아진 역간 거리를 운영 계획에는 어떻게 반영하려 했을까? 연달아 이어지는 의문은, 세 숫자와 기존 네트워크 그리고 지형을 조합해 풀어야 한다.

60km 대 30km

현재 한국의 고속선을 달리는 KTX 가운데, 열차의 순 주행 시간 기준 표정속도 150km/h[75] 이상을 달성하기 위해서 필요한 평균 역간 거리는 최소 60km이다. 이보다 더 짧은 역간 거리마다 정차할 경우에는 고속열차의 평균 속도가 크게 떨어진다. 실제로 전체 고속열차의 평균 역간 거리는 이에 근접하는 수준이다. 그런데 60km라는 거리는 한국 도(8개 기준)의 평균 면적(1.25만km²)과 면적이 동일한 원의 반지름과 거의 같은 값이다. 이는 도내에 고속열차 역이 한두 곳만 돌아가면 평균속도 150km/h 이상의 고속열차를 운행하는 데 어려움이 없다는 뜻이다.

그런데 다른 지역과는 달리, 양청 접경은 주요 도시들이 도 경계선 인근의 경부선을 따라 몰려 있다(지도 3-1). 이들 도시의 행정구역 평균 면적인 645km²와 동일한 원의 반지름은 약 14km이다. 이는 두 도시의 중심부 사이의 거리가 약 30km 수준이라는 뜻이다. 실제로

표 4-2. 양청 접경 일원 4개 시의 면적과 반지름.

	면적(km²)	반지름(km)
청주	940	17
천안	636	14
대전	540	13
세종	465	12
평균	645	14

이 역 간 거리는 서울~대전 간 무궁화호처럼 통상적인 경부본선 열차에서 기록되는 수준이다(166.3km/6=28km, 서울-영등포-수원-평택-천안-조치원-대전 정차. 7개 역 사이 구간의 개수는 6개). 다른 지역이었다

---

[75] 이 속도를 넘어야 200km의 거리에 대해 마찰 시간 1시간(고속철도 출발역에 접근하는 평균 시간+대기 시간+도착역에서 최종 목적지까지 이동하는 평균 시간)을 더한 상태에서 평균속도 110km/h, 즉 고속도로 주행 차량의 최대(=제한속도에 따른 극한값) 표정속도를 넘는 속도가 기록될 수 있다.

면 이들 도시 가운데 일부를 무시하고 고속선을 놓는 편이 좋았을지 모른다. 그러나 청주는 충북도의 모든 역량이 집중된 지점이었고, 따라서 우리가 목도한 것과 같은 강력한 저항이 일어났다. 결국 정부는 고속철도의 높은 표정속도를 위해 필요한 거리보다는, 도시마다 역을 세우기 위해 택해야 하는 역간 거리를 선택한 셈이다.

이러한 선택의 원인은 자신의 주변으로 충청권의 인구가 밀집되도록 만든 경부선 철도, 빠른 건설을 위해 현재의 노선을 택한 일본 제국주의, 그리고 이렇게 건설된 노선의 배후지에 영향을 미친 충청남북도의 분할 방법이라 할 수 있다. 만약 경부선 철도가 지금과 다르게 놓였다면 아마도 오송역 사태는 없었을지도 모른다. 일본의 경부선 노선 선택이 후대에 미친 악영향을 찾는다면, 서울~대전(또는 가상의 충청권 최대도시) 사이의 병목 자체보다는[76] 양청 접경의 도계와 거의 일치하는 방향으로 놓인 경부선 직선 노선안을 지목해야 할 것이다. 30km마다 고속철도 역을 놓아야 하도록 집중되면서도 동시에 행정구역 때문에 여러 개의 도시로 중심이 분산되어 버린 충청권의 도시 체계는 결국 경부선에 의해 생겨난 것이기 때문이다.

30km 대 15km

그렇다면 이렇게 들어선 역은 15km 떨어진 지점에 있었음에도 왜 충북의 관문역으로 인정받게 된 것일까. 여기서도 출발 지점은 표 4-2일 것이다. 이들 도시의 반지름이 모두 대략 15km 수준이라는 데

---

[76]   정재정, 같은 책: 54~55. 나는 『거대도시 서울 철도』에서 추풍령과 수도권 위주로 이 주장을 논의한 적이 있다. 137~140.

서 출발해 보자. 이는 도시 중심부에서 도시 외곽, 행정구역 경계선까지의 거리가 대략 15km라는 뜻이다. 청주 도심에서 15km 떨어진 오송역은 청주, 나아가 양청 접경의 기준으로 조금 멀기는 하지만(승용차로도 30분 이상의 접근 시간이 필요) 동일한 도시의 행정구역 내에 있었고,[77] 따라서 청주 도심으로부터 30km 이상 떨어진 대전이나 천안아산역과는 달리 청주 시가지와 접속 가능한 역으로 인정받는 데 큰 무리가 없었다.

이러한 거리 차이는, 행정구역이라는 단순히 규약적인 문제뿐만 아니라 이들 역까지 접근하는 데 걸리는 시간도 결정하였다. 역까지 접속하는 도로 통행의 평균 속도를 감안하면, 도심에서 15km 떨어진 역까지는 약 30분(평균 30~40km/h) 걸리는 데 반해 도심에서 30~40km 떨어진 역까지는 약 1시간이 걸린다. 이렇게 마찰 시간이 두 배가 되면, 고속철도의 경쟁력이 급락할 수밖에 없다. 특히 자동차가 고속도로를 이용해 속도를 국도 대비 두 배로 올릴 수 있을 만큼 충분히 거리가 멀고 가야 할 방향을 거슬러 움직일 필요도 적은 방향(가령 서울, 대구)으로는 말이다.

오송역 선택 1: 노선의 굴곡도

또 다른 문제가 있다. 청주는 왜 가능한 여러 내부 입지 가운데 오송을 골랐을까. 청주의 요구가 현재의 선형에 이르기까지의 문헌 증거는 충분치 않지만, 지도를 통해 어렵지 않게 상황을 추정할 수 있다.

---

[77]   여기서는 청원군과 청주시의 분리는 무시한다. 청원군은 도넛 모양으로 청주시를 완전히 둘러싸는 외곽 행정구역이었기 때문이다.

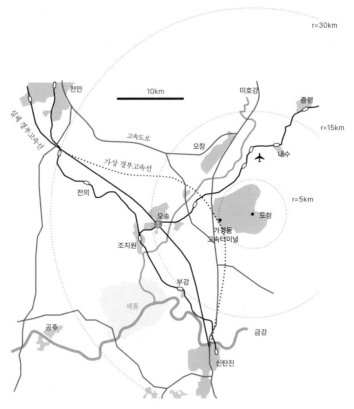

지도 4-2. 청주 인근 시가지, 교통로와 가상의 청주 근접 경부고속선 노선. 경부고속철도 계획 당시 존재하지 않았던 세종은 연한 색으로 표기.

표 4-3. 청주 인근 경부고속선의 세 대안. 지도를 다시 수치화한 것이다.

	거리(km)	굴곡도 (직선=1)	비고
천안아산~대전 직선	59	1.00	
현 경부고속선	64	1.08	
가경동 경유 가상선	72	1.22	지도 4-2 참조

표 4-3은 경부고속선의 세 대안을 나타낸 표다. 현재의 고속선은 천안아산~대전 사이를 직선으로 연결한 선에 비해 약 5km 길고 굴곡도는 1.08 정도다. 노선을 청주 시내로 더 가까이 당겨올 수는 있다. 가령 청주 도심(도청)에서 6km 떨어져 있으며 버스 터미널이 인근에 있는 가경동 일대에 신청주역을 건설했다면 모든 면에서 지금보다는 접근성이 우수했을 것이다. 그러나 이를 가정하고 가상의 경부고속선을 작도해 보면 고속선 길이가 70km로 늘어난다. 그러면 굴곡도는 1.2가 넘는다. 물론 고속열차가 신청주역을 정차하지 않으면 이 거리, 10km를 2~3분 내로 주파할 수 있다. 그러나 이 경우 추가되는 건설비 역시 문제가 된다. 경부고속선의 단가는 km당 400억 원가량으로 알려져 있으므로, 10km는 약 4천억 원 수준의 건설비 증대를 불러왔을 것이다. 당시는 고속철도의 건설비 자체가 계획보다 폭증하고 있었다.[78] 그리고 고속철도 노선을 정하던 90년대에는 고속철도가 기존에 존재하던 대중교통망 체계의 일부로 기능할 수단이라기보다는 공항과 같은 새로운 세대의 무언가로 간주되던 시기였다. 이런 점을 되새겨 보면, 본선에 더 급격한 곡선을 추가하고 건설비를 추가로 부담하면서까지 청주 시가지에 철도를 인접시켜야 한다는 생각은, 있었다고 해도 강하게 주장하기 어려웠다고 보아야 할 것이다.

오송역 선택 2: 조차장과 '미호강의 드넓은 평야'

오송역 그 자체 또한 흥미로운 입지 조건을 가진다. 충북선 오송역은 수많은 측선을 보유한 역이다. 경부고속철도 건설 당시 철도로

---

[78]   초기 비용은 5조 원이었으나 1단계에만 약 13조 원, 사업 전체에는 약 20조 원이 지출되었다.

수송해야 할 경부고속철도 자재를 끌어와 수송하기 위한 일종의 작업장 또는 조차장으로 쓰였기 때문이다. 이 역할을 수행하기 위해, 이 역에서는 고속철도 오송 기지로 들어가는 오송 기지선이 분기된다. 특히 천안~대전 구간은 시험선 구간으로, 오송 기지는 경부고속철도 건설과 개통 준비가 이뤄진 주요 시설이기도 했다.[79] 더불어 이 역은 충북선이 산악 구간으로 진입하기 이전에 경부선과 인접하는 구간에 있어 화물열차가 잠시 대기하는 조차장으로도 활용할 수 있다. 기지와 조차장으로 적절한 부지는 교통량이 적고 평지가 넓은 지점이다. 미호강의 범람원과 약간의 구릉이 위치한, 그리고 자연 취락의 규모가 인접한 옥산 등지에 비해 작았던 오송은 바로 이런 조차장을 건설하는 데 가장 적절한 입지처럼 보인다.

미호강 평야는 또 다른 의미에서 오송역의 주요 배경이 된다. 청주의 도시 개발 방향을 전환하려는 시도의 중심에 바로 미호강이 있었기 때문이다. 7세기 통일신라가 서원경을 건설한 이래 지금까지 이어지고 있는 청주의 구도심은 우암산 등 산악으로 한쪽이 둘러싸여 있는 무심천 중심의 시가지다. 그러나 이 시가지는 90년대 이후 성장하는 도시를 모두 품을 수 없는 입지로 간주되었다. 자동차를 대규모로 활용할 수 있게 된, 그리고 평야를 곡물 생산에 사용해야 한다는 압력에서 점차 벗어나게 된 시대적 배경 하에서,[80] 방대한 가용 면적을 가진 미호강 방향에서는 다수의 개발이 진행되었다. 1980~90년대에

---

[79]   특히 고속선에 사용되는 장대레일 용접같이 방대한 부지를 필요로 하는 작업이 진행되었다. http://www.molit.go.kr/USR/NEWS/m_71/dtljsp?lcmspage=1860&id= 50048348

[80]   정용승, "고속철 건설 미래 안목서 추진을", <조선일보>, 1992. 2. 17. 평야를 농업에 사용해야 한다는 생각이 90년대 초반까지도 흔했고, 오송의 미호강 평야가 바로 이 생각이 적용되어야 하는 지점이라는 진술을 담고 있는 귀중한 글이다.

는, 1987년의 중부권 개발 계획 이후 미호강 일대의 오창(중부고속도로 인접)을 거점으로 대규모 전자공업, 화학공업이 등장했다. 이들은 미호강 북안의 자연 취락에서 이름을 따오기는 했지만 1980년대 후반 이후 질적으로 달라진 한국의 대규모 제조업을 수용하는 입지로서 조명받았다. 1992년 발간된 청주시 장기발전구상은 청주에서 오송역을 거쳐 조치원에 이르는 미호강 평야를 '자립 발전의 축'으로 규정하기도 했다.[81] 이 구상은 청주의 미래 발전을 위해서는 기존 무심천 중심의 단핵구조를 벗어난 다핵구조가 필요하다고 진단하는 한편, 그 축으로 오송과 미호강 평야를 사용하겠다고 밝히고 있다. 1990년대에는 기존의 화학공업 및 전자공업과 더불어, 바이오 산업 역시 이들 지역을 주요 입지로 삼는다. 더불어 청주공항도 미호강 남안에 인접해 있다. 이렇게 미호강은 1990년대 이후 '중부권' 일원에서 있었던 새로운 시도를 관류하고, 구도심과도 연결시키는 물리적 틀이 되었다. 5장에서는 이 '미호강의 드넓은 평야'가 분기역 유치 경쟁 속에서 어떻게 활용되었는지 다시 확인하게 될 것이다.

---

[81] "도시공간 多核구조로 개편을" 淸州-증평-충주시 과학기술 단지, <중부매일>, 1992. 12. 17.

보강 3: 티부 메커니즘(Tiebout mechanism)과 철도 계획

경부고속철도를 둘러싼 충북의 투쟁을 이렇게 이해해 보자. 이들은 결국 사람들이 몰려드는 매력적인 도시를 건설하기 위해 활동했다. 이들의 노력은 사람들이 충북, 정확히는 청주 바깥에서 청주로 이주해 올 경우 성공한 것이다.

그런데 사람들은 무수히 많은 이유로 이주를 한다. 대체 이 선택에 충북 같은 지방 정부가 끼칠 수 있는 영향은 무엇이고, 대체 어떤 메커니즘에 의해 가능한 것일까? 1956년 경제학자 티부[82]는 여러 지역 사이의 이주를 설명할 가설적 메커니즘을 하나 제안한다.

아래와 같은 의미에서 이상화된 지역을 하나 상정해 보자. 각각의 주민들은 이 지역 내에서 마음대로 주거지를 옮길 수 있고, 이 지역을 구성하는 각 지방 정부의 정책 정보를 아무런 유무형의 비용 없이 확인할 수 있다. 한편 지방 정부는 자신들의 관할 구역 내부에 사는 주민에게서만 세금을 받아 자신들의 살림을 꾸려 나간다. 이 경우, 지방 정부는 주민들을 끌어들이기 위해 치열한 경쟁을 벌일 것이다. 더 많은 주민이 선호하는 정책을 펼치는 지방 정부에게 주민이 몰려 결과적으로 세수가 늘어나고, 이 세금을 바탕으로 지방 정부의 조직과 집행 예산 액수를 증대시킬 수 있기 때문이다. 인구는 쪼그라들고 세수 또한 줄어들어 소멸하지 않기 위해, 지방 정부들은 주민들이 선호하는 정책을 가능한 한 많이 펼치기 위해 노력할 것이다.

이 가설을 개인의 관점에서 다시 서술할 수도 있다. 주민 개개인은 자신의 이주 가능성을 기반으로 자신이 이주할 역량이 있는 주변 지역의 지방 정부와 일종의 교섭을 벌인다. 물론 이 교섭이 명시적인 형태로 그리고 구체적인 개인과 지방 정부 사이에서 개인화된 형태로 이뤄지기는 어렵다. 그렇지만 그가 이주해 나가면 지방 정부는 세수 감소라는 명확한 손실을 본다.

---

[82]   Charles M. Tiebout, "A Pure Theory of Local Expenditures", *The Journal of Political Economy*, Vol. 64, No. 5, Oct., 1956: 416-424.

때문에 인구를 늘리고자 하는 지방 정부에게는 자신이 지배하는 관내에 유지하려는 또는 끌어들이려는 주민들의 선호 체계를 가능한 한 상세히 파악해야 할 동기가 있다. 주민과 지방 정부 사이의 이러한 교섭을, 나는 '항구적 교섭 상태'라고 좀 더 중후하게 불렀으면 한다.

철도가 이런 교섭에 끼치는 영향은 명확하다. 무엇보다 철도는 개인의 이주 가능성을 높인다. 통근 범위를 넓힐 수 있다면, 일자리를 옮기는 비용을 치르지 않고서도 더 넓은 범위에서 자신이 살 집을 선택할 수 있게 되기 때문이다. 티부 가설에 따른 지방 정부와의 교섭에서, 개인의 협상력은 광역 철도로 인해 상승한다.

동시에 철도는 정주 여건을 결정하는 하나의 서비스이기도 하다. 철도는 특정 지역에서 출근할 수 있는 일자리의 범위를, 그리고 대면 접촉하여 활용할 수 있는 전문가의 범위를 넓히기 때문이다. 그렇다면 철도는 주민과 교섭하는 지방 정부 측의 협상력 또한 올려 주는 수단인 셈이다. 이것은 철도가 모두가 행복한 결말로 우리를 이끌 것이라는 예언처럼 보인다.

그러나 이런 예언에 빠진 것이 있다. 바로 철도망 자체의 논리다. 고속열차를 포함하는 모든 철도는 위계적 구조를 이루고 있을 때 가장 잘 활용될 수 있다. 다시 말해, 빠른 열차가 더 큰 중심지 사이를 연결하면, 그보다 느린 열차는 좀 더 작은 중심지를 이들 중심지의 역으로 연결하는 식의 역할 분담이 필요하다. 또한 이런 역할 분담은 단 2개 층으로 끝나는 것이 아니라 최소한 4개가량의 층위로 이뤄진 중층적 구조를 가질 것이다.[83] 그러나 지방 정부 사이의 경쟁만으로는 이들 역할 분담에 효과적인 망을 구성할 수 없다. 이들은 서로 자신들의 지역에 더 빠른 열차를 더 많이 정차시키고자 할 것이기 때문이다. 철도망 전체를 총괄하는 계획 그리고 이를 실행할 정치적 권위가 필요하다.

지방 정부 사이를 조율할 중앙 정부에 의한 수평 통합이냐, 다수의 지방 정부 사이의 경쟁 체제냐, 이것이 문제다. 중앙 정부에 의한 통합은 위계적 구조만을 강조한 채, 그리고 지방 정부를 전국의 일부에게

---

[83]   『거대도시 서울 철도』 1장 1~5절에서 바로 이 주제를 다룬다.

서비스를 제공하는 하위 파트너로만 간주한 채 지역에 밀착하지 못할 수 있다. 가령 지역 내부의 15km 정도는 전혀 중요하게 생각하지 않은 채, 지역 내부의 자동차 교통에 고속철도 접속 교통의 모든 것을 맡기고 책임을 다했다고 생각할 수 있다. 반면 경쟁 체제 속에서 진행되는 '항구적 교섭 상태'에서 자신의 상대적 입지를 높이는 데 열을 올려야 하는 지방 정부들은, 경쟁 속에서 효과적인 전국망을 구축하기 위해 필요한 역 간 거리나 네트워크 구조 따위는 안중에도 없이 자신들에게 가장 유리한 망을 요구할 것이다. 이 사이의 불안한 균형점, 이곳에 고속철도 계획이 서 있었다. 5장에서 우리는 바로 이 두 관점의 충돌로 인해 일어난, 한국에서 가장 중요한 사건을 보게 될 것이다.

3부.
오송 분기에
이르는 길

이제 책의 논의는 오송 분기역의 탄생과 이후의 쟁점으로 접어든다. 1995년부터 충북에서는 오송 분기역을 자신들의 관내로 끌어들이기 위한 활동을 시작한다. 이후 오송 분기역은 2005년 6월 30일에 확정되지만, 2022년 현재까지도 이 역이 일으킨 교통망의 지각 변동이 충청 지역의 철도망 곳곳에 여진을 일으키고 있다.

5장은 1995년부터 2005년 사이에 진행된 호남고속철도 분기역 논쟁, 그리고 그 결과 아마도 2028년까지, 아니 그보다 더 오랜 시간 동안 진행될 여진을 하나의 연대기로 다룬다. 이 책의 집필 시점인 2022년을 기준으로 이 논쟁은 비교적 최근의 일인데다 대부분의 이해관계자나 결정 당사자들이 아직 활발히 활동 중이기 때문에, 이 논쟁의 과정을 비판적으로 정리하는 작업을 거의 확인할 수 없었다. 그리고 이 틈새를 충북과 민간에서 내놓은 몇 가지 과장된 설화가 채우고 있었다.

이 빈 틈을 채우기 위해 나는 오송백서[84]를 중심에 놓고 여러 보도를 종합해 일종의 연대기를 구성하는 작업을 수행할 것이다. 오송백서가 포괄하지 못하는 분기역 결정 이후의 여진은 여러 보도와 보고서를 종합하여 논의하기로 한다. 이러한 연대기는 오송 분기와 이후의 갈등을 직접적으로 설명하고 있으며, 몇몇 부분에서는 완전한 설명을 위해 추가 자료를 필요로 하는 부분이 있지만 오송 분기가 처한 상황에 책임이 있는 행위자가 누구인지 명확히 밝히고 있다.

6장은 이렇게 그린 연대기 속에서 몇 가지 논점을 추출하여 논쟁의 전개 과정을 다시 간략히 기술한다. 이러한 기술 속에서 연대기의 서술은 쟁점별로 나뉘어 조명될 수 있고, 이를 통해 오송 분기라는 선택이 어떤 의미인지 다시 환기할 수 있을 것이다.

7장은 이러한 전체 역사적 과정을 하나의 모형을 활용해 정리하는 부분이다. 여기서 나는 이른바 정책 흐름 모형(policy stream model)을 활용하여 오송 분기에 얽힌 역사적 흐름을 정리하고, 오송 분기에게 열렸던 정책의 창이 왜 열렸고 어떤 요인으로 구성되어 있는지를 설명하려 한다. 이는 3부 전체의 논의를 포괄하는 하나의 틀은 물론, 4부의 비판으로 넘어가기 위해 필요한 정리까지 함께 제공할 것이다.

---

[84] 핵심 사료인 『호남고속철도 오송분기역 오송(청주) 유치 백서』(호남고속철도분기역오송(청주)유치추진위원회, 2006)는 '오송백서'로 지칭한다.

5장. 호남고속철도와 오송 분기역의 탄생

"…그리하여 국토에 죄를 짓는 것이 된다."

– 박종호, 호남고속철 분기점 결정과 충청북도의 주장, 오송백서 1539.

1절. 수면 위로 올라온 분기역 문제 (1995)

1993년 고속철도 시범선 구간이 천안과 대전 사이로 결정된 후, 경부고속철도 사업이 착착 진행되면서 호남고속선 분기역을 결정해야 한다는 요구도 점차 수면 위로 올라왔다. 서울과 호남을 잇는 남북 방향의 노선인 이 선로의 북쪽 목적지는 경부고속선과 동일한 서울이었다.[85] 따라서 호남고속선은 천안 이북에서는 경부고속선을 공유하면 되었다. 그러나 이 노선의 남쪽 목적지는 경부고속선과 달랐고, 따라서 어디가 되었든 한 지점에서 경부선과 분기해야 했다. 경부고속선이

---

[85]   지금의 수서평택고속선으로 이어진 강남 방면 지선 기획은 이 책에서는 다루지 않는다.

수도권에서 호남과 영남으로 갈라지는 시옷 모양의 갈래에 위치한 양청 접경의 주요 세 도시를 모두 경유하는 이상, 호남고속선의 분기역은 이들 세 도시 가운데 한 곳의 역에 자리하는 것이 자연스러웠다.

노태우 정부 이래 기본계획에서 두 고속선의 분기역은 신천안(이하 현재 이름인 '천안아산')역이었다. 서울과 광주를 잇는 노선을 가능한 한 직선으로 건설하기 위해서는 이 역에서 고속선을 분기시키는 것이 가장 나았기 때문이다. 그러나 이는 호남고속선이 양청 접경 최대의 도시 대전과 이 책의 주인공 청주에서 멀어지는 결과로 이어졌다. 충청의 도시들이 서울과 영호남을 모두 연결할 수 있다는 데 기반하여 발전해 온 만큼, 이런 망 구조는 수도권과 호남 사이의 연결은 가장 빠르게 제공할 수 있었으나 대전과 청주의 반발을 잠재울 수는 없었다.

이런 상황이 전개되던 1990년대 초, 이 책의 주인공 청주는 어떤 활동을 벌이고 있었을까. 이들 역시 태세 전환을 하는 데 생각보다는 시간이 걸렸다. 그도 그럴 것이, 경부고속선 본선을 충북 관내로 끌어들이려는 적극적인 활동을 벌인 것이 1990년대 초반이었기 때문이다. 잠시 휴식을 가졌던 것인지, 오송백서에 따르면 경부고속철도 기본계획이 발표된 직후인 1993년 10월과 1995년 10월 사이 오송유치위의 공식적인 활동 기록은 없다.

하지만 이후 청주는 호남고속철도 분기역이 바로 오송역에 입지해야 한다는 여론을 모아 낸다. 바꿔 말하면, 1993년 10월과 1995년 10월 사이 약 2년 동안의 어느 한 시점에 오송역이 경부고속선과 호남고속선의 분기역이 되어야 한다는 충북 내부의 의사가 결정되었다.[86]

---

[86]   적어도 1995년 3월 시점에 관련 논리가 정리되었다는 점은 확인할 수 있다. "충북 리포트", 충북개발연구원, 1995년 3월호.

2절. 오송 분기 연대기 (1995~2006)

그렇지만 충북 내부의 의사만으로 전국에 걸친 고속철도망을 결정할 수는 없었다. 작은 도일 뿐인 충북이 중앙 정부의 초기 계획에 도전해 그 위상을 뒤흔든 도전자의 입장에 처해 있었다는 데서 이야기를 시작해 보자. 이러한 상황에서 이들은 단순히 논리를 개발하는 데서 그치지 않고 이 논리가 사람들에게 받아들여지도록 가능한 한 다양한 방법으로 자신들의 세력을 키워야만 했다. 달리 말해, 이들은 입장이 비슷하거나 이해관계가 일치하는 자들과는 동맹을 만들고, 그렇지 않은 자들에 대해서는 그들의 행동을 제약하는 방향을 찾아야만 했다. 바로 이렇게 동맹을 구축하는 한편 적에게는 일정한 행동을 강요하려는 충북의 활동은 연대기의 형태로 기술할 때 가장 잘 전달할 수 있다.

이번 절에서는 논의의 편의상 오송유치위의 "호남고속철도 기점역 오송(청주) 유치 추진을 위한 추진일지(89~298쪽, 이하 '일지')"[87]를 서술의 기준으로 삼아 일종의 일대기 서술을 진행한다. 특히 충북 측이 정치인, 행정가와 진행한 면담의 경우 다른 기록을 찾기 곤란하여 해당 일지에 등장하는 사건과 그 시점을 일단 받아들여 서술한다. 다만 다른 보도로 비슷한 시기에 면담 결과나 발표 등의 내용이 실현되었다는 점이 교차검증되지 않는 경우 추진일지의 보고를 가능한 한 유보적으로 활용한다.

---

[87] 3부에서 별도 표기 없이 제시된 쪽수는 모두 오송백서의 것이다.

1995년 10월~2000년 1월: 국토 계획 차원의 논쟁과 오송의 대두

연대기의 시작은 1995년 10월이다. 오송 분기 유치 운동이 기록의 수면 위로 드러난 시점이기 때문이다. 이들은 중앙 정부 기관(건설교통부, 철도청, 재정경제원, 교통개발연구원)은 물론 호남권에도 공문을 보내 오송 분기역 결정이 최적이라는 주장을 하기 시작했다. 물론 중앙 정부와 호남권의 반응은 차가웠다. 하지만 이들은 11월에 호남을 방문하는 등 설득 시도를 꾸준히 지속했으며, 더불어 재경 충북인 네트워크를 가동하여 서울에 있는 여러 학자들이 오송 분기를 지지하도록 만드는 활동도 진행했다.

이 당시 충북은 대전과 보조를 맞추었다. 적어도 11월부터 대전과 공동 행동을 했다는 기록이 일지에 존재한다. 충북이 보낸 각종 공문에서 오송 분기 노선은 대전 서부에서 계룡산을 거쳐 공주로 넘어가는 길목인 박정자를 거쳐 가는 것으로 등장하였다. 더불어 12월 12일에는 충북 측 인사들이 강원 남부 5개 시군을 방문하여 이들로부터 오송을 지지하는 공동체 결성에 대한 찬동을 얻기에 이른다.

1996년, 충북은 지난 성과를 더욱 강화하는 활동을 진행했다. 1월 4일에는 대전과의 공동 연구를 협의했고, 3월에는 충북-대전-강원이 하나의 공동체를 구성하기로 합의했다. 3자 연합은 대전이 오송 분기 연합에서 이탈한 것이 확인되는 2002년까지 이어졌다.

이 해 6월에는 호남고속철도가 '백제문화권', 즉 매장문화재가 다수 존재할 것으로 추정되는 공주 일대를 파괴할 수 있다는 우려가 수면 위로 드러났다. 일지에 등장하는 위원회 참여 교수의 인명(이융조, 충북대)으로 보아, 이는 충북 지역 고고학계에서 나온 아이디어로 보인다. 이 시기는 경부고속철도 경주 노선 논란(1993. 6~1997. 1)[88]이 막바지에 접어들던 시점으로, 동일한 아이디어가 호남고속철도에도 적용될 수 있다는 생각이 충분히 설득력 있게 퍼졌을 것이다.

이 해 가을에는 오송역 요구에 정당을 활용하거나 해당 요구에 정당이 반응하는 움직임도 나타나기 시작했다. 9월에는 자유민주연합(이하 자민련)이 오송 현장을 방문하고, 10월에는 충북 내부 인사가 새정치국민회의[89]에 오송 분기역 당론화를 추진하기로 요구하는 한편, 11월에는 당 부대표에게 직접 청원서를 전달했다. 신한국당(당시 집권당, 국민의힘의 전신)에도 청원서가 전달되어, 당시 모든 주요 정당으로 충북의 견해가 전달되었다. 그러나 12월 27일에 진행된 교통개발연구원의 공청회에서는 여전히 천안아산 분기가 우세했다. 일지의 기록에 따르면, 공청회에서 천안아산 분기를 찬동하는 전문가의 수가 오송~공암(박정자)~논산 대안을 찬동하는 충북과 대전 측 전문가의 두 배였다. 결국 충북은 이 공청회는 무효라고 선언하기에 이른다.

1997년, 충북은 1월에 호남고속철도 공청회 재개최를 요구하는 한편, 3월에는 내부 서명을 진행하여 30만 명 서명을 확보하고 이를 교통개발연구원에 전달했다. 그러나 이 시기는 IMF 구제금융으로 이어지는 사회적 혼란기였던 만큼, 호남고속철도에 대한 사회적 논의는 물론 충북의 활동 역시 소강 상태를 보인다. 이 와중에 12월에 교통연구원은 천안 분기 대안이 최적이라는 연구 결과를 재차 내놓았다.

---

[88]　해당 노선은 형산강을 통과하고 태종무열왕릉 인근에 본선역을 건설하는 대안이었다. 경주 시내 접근성은 지금보다 획기적으로 개선되지만 경주에 다량 분포할 수밖에 없는 추정상의 매장문화재는 물론 동국대 부지까지 저촉하게 된다. 역 남측의 부산 방향 본선은 남산 앞을 통과하기까지 한다. 따라서 문화재계, 불교계 전체는 해당 노선을 거부했고, 정부는 재평가를 거쳐 현행 노선안을 확정했다.

[89]　김대중 정부의 여당. 노무현 탄핵 사태 이후 해체 수순을 밟는다.

1998년에도 소강 상태는 이어졌다. 그러나 오송 분기를 위한 논리 개발은 박병호(충북대)의 주도로 계속되고 있었다.

1999년, 유치위원회의 활동이 미진한 가운데 충북의 논리와 교통개발연구원의 계획은 계속해서 평행선을 달렸다. 3월, 국토 X축이 효과적이라는 주장이 담긴 박병호의 논문[90]이 대한교통학회지 3월호에 실렸다. 한편 충북의 동맹 구축 작전은 좀 더 구체화되었다. 충북, 강원, 경북을 구성원으로 하는 중부내륙권 3도 협력회가 3월 16일에 발족하였기 때문이다.[91] 이 협력회는 제4차 국토개발계획 등에서 제시된 개념인 '중부내륙권'을 공유한다는 점에서 상호 협력을 필요로 하는 집단이었다. 지리적 협력체였던 만큼, 오송 분기는 자연스럽게 이들 3도의 의제가 될 수밖에 없었다. 이들 사이의 협력체는 오송 분기를 이끌어 내는 데 결국 큰 역할을 하였다. 4/4분기가 되자 논쟁이 다시 수면 위로 드러났다. 10월, 교통개발연구원은 다시금 국가기간교통망계획과 제4차 국토개발계획을 재구성하면서 여전히 호남고속철도는 천안에서 분기한다고 고시한다. 10월 26일 대전에서 개최된 국토개발계획 공청회에서 이러한 대안이 재확인되고, 충북의 X축 논리는 이에 반영되지 못했다. 11월, 충북은 오송을 중심으로 하는 국

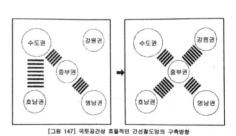

수도권
강원권
중부권
호남권
영남권
수도권
강원권
중부권
호남권
영남권
[그림 147] 국토공간상 효율적인 간선철도망의 구축방향

그림 5-1. 국토 X축 논리의 도해. 박병호, 같은 논문, 226쪽.

[90] 박병호, "호남고속철도 계획의 주요 쟁점", 대한교통학회지 17권 1호 (1999): 3.

[91] "잘 해봅시다", <강원도민일보>, 1999. 3. 17.

토 X축 구축이 국토 균형발전의 공간적 표현이라는 견해를 11월 전체에 걸쳐 전국에 전파하기에 이른다. 충북의 투쟁은 12월 국가기간교통망계획 고시문에서 나름의 성과를 거둔다. 정부의 계획도에서 분기역의 이름이 '천안'이 아니라 비어 있는 채 제시되었기 때문이다. 하지만 충북은 이에 만족하지 못하고 도면상에 도해로 천안 분기가 남아 있다는 데 항의하여 실력을 행사하였다. 도의회와 청주시의회 의원들이 집단 탈당을 진행하는 한편, 유치위에서는 항의성으로 건설교통부를 방문하였다. 하지만 12월 27일에도 문제의 도면은 원안 그대로 통과되어 천안아산 분기의 근거 문서는 그대로 남았다.

2000년 1월 5일에는 건설교통부 장관이 전년 말에 확정된 교통망계획을 그보다 상위 계획인 제4차 국토개발계획에도 그대로 옮긴다는 발표를 했다. 충북에서 이에 대해 지속적으로 반발하자 당시 총리였던 김종필이 사태에 개입한다. 김종필의 개입은 총선을 앞둔 상태에서 충북 측이 당시 자민련에 대해 가지고 있던 싸늘한 민심을 달래기 위한 차원에서 이뤄진 것이었다.[92] 앞서 김종필은 12월에도 충북을 방문했고, 이어서 1월 10일에는 총리 공관에서 면담이 진행되었다. 정부 측에서는 총리, 건교부장관, 자민련 총재 등이 참여하고, 충북 측에서는 충북도지사(이원종)를 비롯해 충북의 공무원과 유치위 위원장(이상록), 박병호 등이 참여하였다. 이 자리에서 총리는 호남고속철도 분기역은 아직 결정되지 않았으며, 자신의 결단으로 미결정 상태가

---

[92]   IMF 구제금융 이후 경제위기 대응 과정에서 충북은행이 시장에서 퇴출되고, LG반도체는 흡수합병되고, 조폐공사의 옥천조폐창이 폐쇄된 데다 1999년 12월 분기역 문제까지 터지자 충북에서는 공동 집권당인 자민련으로부터 오히려 버림받았다는 여론이 팽배했다고 한다. "자민련, 고속철노선 진화 부심… "텃밭 충북 등 돌릴라"", <동아일보> 2000. 1. 7.

유지된 것이라고 강조하였다. 더불어 건설교통부가 교통개발연구원의 견해에 끌려다녔다고 말하며 교통개발연구원에게 그동안의 책임을 떠넘긴 다음, 별도의 연구 기관이 분기역 결정을 진행하도록 하겠다고 약속했다. 더불어 후임 총리인 박태준에게도 이 내용을 인계하겠다는 내용도 덧붙었다.

이렇게 초기 5년간의 투쟁 끝에 결국 오송은 정부가 냉담하게 반응하던 무리한 대안에서 유력한 분기역 후보로 격상되었다. 이 과정에서 충북은 천안아산 분기와는 이해관계를 달리하던 대전을 자신들에게 끌어들이는 한편, 강원까지도 자기 편으로 끌어들였다. 산악 지역으로써 소백산맥을 사이에 두고 긴 경계를 마주하고 있는 경북 역시 이들과의 동맹에 참여하였다. '중부내륙권'의 이해관계를 대표하는 역으로 오송을 자리매김하는 데 충북-강원-경북의 연합은 일정한 역할을 했을 것이다. 이런 동맹을 지지한 핵심 논리는 결국 X축 논리였다. 새로운 고속·간선 교통망인 경부고속철도의 효과를 전 국토로 파급시키는 데 가장 효과적인 것이 X축이라는 것(그림 5-1)이 이 논리의 핵심이었다.

하지만 이들은 X축 논리로 충남과 호남을 포섭하는 데 성공하지 못했고, 당시까지 계획의 전문성을 인정받던 전문 관료 기구인 교통개발연구원과 건설교통부를 설득하는 데도 실패하였다.[93] 따라서 이들은 방법을 전환하여 전문 관료 기구에 지배력을 가진 중앙 정치 영역에 직접적인 접촉을 시도하였다. 그런데 충북은 당시 공동 집권당이었

---

[93]   3장에서 확인한 X축의 몽상과도 비슷한 그림이었을 것이다. 20세기 초반처럼, 천안은 청주와 구분되는 별도의 망을 구축하려는 시도를 계속하고 있다.

던 자민련에 대해 느슨한 지지만을 보내고 있었기에 상당한 협상력을 가지고 있었다. 또한 IMF 구제금융으로 인한 경제위기를 해소하는 과정에서 적지 않은 희생을 치렀다고 믿고 있었다. 이에 따라 이들은 중앙 정치 영역의 핵심 인물인 김종필과의 접촉과 설득에 성공할 수 있었다. 결국 이러한 협상력을 바탕으로, 충북은 2000년 1월 당시 총리 김종필의 주도 하에 오송의 유력 분기역 지위를 인정받기에 이른다.

2000년 2월~2003년 1월: 호남고속철도의 구체적 계획 속 난타전

물론 여기까지의 상황은 어디까지나 오송이 여러 대안 가운데 하나로 인정을 받았다는 뜻일 뿐이었다. 김종필이 열어 준 것은 일종의 정책 대안 간 경쟁 상황이었다. 이 경쟁을 뚫고 경쟁자를 제압해 분기역을 자신들 앞으로 가지고 오는 것은 충북의 과제였다. 이 가운데 지금의 세종시 건설이 공식화되기 이전 단계까지 진행된 상황을 나는 '난타전' 단계라고 부르고 싶다.

2000년, 충북은 충북 내부 견해의 결집에 나서는 한편, 문화재와 국토 X축을 넘는 추가적 논리 개발에 나섰다. 이와 함께 유치위는 4월 총선에 앞서 3월에는 주요 정당(민주노동당 제외)에 오송역에 대한 견해를 묻는 질의서를 보냈다. 김종필이 친히 나섰던 것도 결국 총선이라는 맥락에서 이해해야 할 것이다. 6월에는 충북 내부의 시군을 돌면서 설명회를 개최하였다.[94] 더불어 이 해 12월, 국회에서는 경부고

---

[94]   유치위 차원에서 진행된 설명회는 처음인 것으로 보인다. 이러한 활동의 우선순위는, 오송 분기가 결국 청주 중심의 문제 아니냐는 충북 비청주 지역의 여론을 만드는 데 기여한 것으로 보인다.

속철도 오송역 설계비 30억 원을 2001년도 예산안에 반영하는 데 성공했다. 4월에 당선된 충북 국회의원 8명의 성과였다. 이 가운데 특별히 경제관료 출신인 홍재형이 가장 큰 기여를 했고, 이후 국회에서의 예산 투쟁에서도 가장 중요한 역할을 했음을 일지의 언급(특별 감사 전보 등을 보냈다는 기록이 자주 확인됨)으로 쉽게 추측할 수 있다.

2001년, 충북은 상위 계획이 확정됨에 따라 진행되고 있던 건설교통부의 호남고속철도 노선에 대한 구체적 계획 과정에 개입을 시도했다. 1~2월에는 교통개발연구원을 계획에서 배제하라는 요구를 지속하는 한편, 호남고속철도 기본계획 과업지시서에 충남 서부 개발에 대한 언급이 담긴 사실을 지적하며 정정을 요구하였다.[95] 한편 2월 16일, 대전에서 호남 기존선(대전조차장~논산~목포) 전철화와 관련된 공청회가 열렸다. 이는 대전과 충북의 이해관계가 분리될 수 있음을 보여 주는 사건이었다. 당시 대전은 오송을 지지했으나 이 경우 호남고속본선은 대전에서 멀어졌다. 한편 대전 시내에 있는 서대전역을 활용하면 대전 접근성이 향상될 뿐만 아니라 계룡역, 논산역에서 고속열차를 이용하기도 편리해진다. 이는 서대전 경유편은 충남과 대전이 연합할 근거가 된다는 뜻이다. 4월 23일, 충북의 바람과는 다르게 교통개발연구원이 계속해서 호남고속철도 용역을 수행한다는 보도가 나왔다. 충북은 즉각 반발하고 대전 및 강원과 연대하여 교통개발연구원의 용역 수행 저지에 나섰다. 결국 30일, 충북은 김종필 자민

---

[95] 이것은 호남고속철도 노선 대안 7개 가운데 현재의 서해선~장항선과 근접한 서울~안중(평택시)~익산 대안을 언급하는 것으로 오해할 수 있었기 때문이다. 해당 대안이 채택되었을 경우, 호남고속선은 사실상 별도의 노선이 되어 천안보다도 서쪽으로 건설되었을 것이고, 오송 분기 논란도 없었을 것이라는 지적이 있다. "[긴급진단 호남고속철 오송기점역] 서해안축 무시 정치적 결정", <중부매일>, 2000. 1. 8.

련 명예총재가 전화 통화로 건설교통부 장관에게 교통개발연구원을 용역에서 배제하라는 지시를 내리게 만드는 데 성공하였다. 5월 26일, 건교부와 충북은 협상 끝에 기본계획은 교통개발연구원이 수립하되 분기역 결정은 별도의 기관이 진행하도록 하는 합의안(분리용역안)에 합의했다. 교통개발연구원의 용역 계약은 5월 31일에 체결되었다. 이 가운데 노선과 역 선정은 대한교통학회가 전담하여 다루기로 했다.

한편 이해 10월과 11월에는 충북 측 노선안이 변경되는 사태가 벌어졌다. 초기 노선안은 오송~박정자~논산이었다. 그러나 이 대안은 계룡산 국립공원 구역을 관통하여야 한다. 이를 우회하기 위해 대한교통학회가 현재 노선 대안을 제안하였고 충북은 이를 받아들였다. 이 시점 경부고속철도에서는 천성산 터널 문제가 쟁점이 되고 있었으므로 이와 유사한 상황을 피하기 위한 조치였을 것이다. 공주 우회 노선을 매장문화재로 정당화한 것, 그리고 이렇게 계룡산 우회 노선을 제시한 것 모두 충북의 호남고속철 계획이 일종의 추격자로서 기존 경부고속선 사업의 시행착오를 사업 진행에 반영한 것이라고 평가할 수 있다.

2002년에는 복복선 문제라는 새로운 쟁점이 추가되었다. 1월, 교통학회는 서울~천안 노선의 대안을 검토하면서 미래 교통량 집중 시 복복선이 필요할 수 있다고 지적하였다. 그러나 충북은 이런 지적을 받아들일 수 없다고 반론한다(16일). 더불어 충북이 1999년부터 오송의 장점이라고 홍보하였던 국토 X축을 강조하기 위해 충북선 및 태백선 연결이 오송의 장점임을 명시하고 계획에 반영하라고 다시금 요구했다(29일). 2월, 위원장 이상록은 천안아산역 인근 신도시 개발이 분기역 결정에 영향을 주어서는 안 된다는 주장을 제기했다. 4월 4일, 충북은 홍익대 철도교통기술연구센터에 별도로 컨설팅을 발주하여, 대외 홍보 및 대한교통학회와의 전문적 소통 진행을 맡겼다. 4월 9일에는 공주 통과로 인한 매장문화재 문제가 노선 대안 평가에서 강조되어야 한다고 주장하는 한편, 분기역~서울 간 추가 노선 부설은 배제할 것을 동시에 요구했다. 5월 9일에는 청주에서 오송생명과학시범도시 추진 전략 세미나가 진행되어 충북에서도 오송역 주변 개발의 방향을 잡기 시작했다. 더불어 6월 17일에는 서울에서 이뤄진 "21세기 한반도 통합 철도망 구상에 대한 토론회"에서 호남고속철도~오송역~충북선 연결이 최적의 고속철도 노선 대안이라고 주장하였다. 7월에는 민주당 한화갑 대표에게 서신을 보내고, 교통개발연구원 소속의 특정인을 연구에서 배제해야 한다는 서한도 또 다시 보냈다.[96] 한편 25일에 교통개발연구원과 대한교통학회가 호남고속철도 기본계획에 대한 중간 보고회를 진행하였는데, 여기서 천안 분기가 상대적으로 유리한 평가를 받았다. 특히 쟁점이 된 것은 서울~목포 사이의 복선 신설, 즉 서울~분기역 사이 복복선 투자를 전제로 한 사업비 계산이었다. 이 경우 서울~목포 간 거리가 가장 짧은 천안 분기 대안에 사업비가 가장 적게 들어가는 것은 분명했다. 따라서 2복선화 쟁점은 뜨거운 감자가 되었다. 8월에는 충북이 중앙일보 강갑생 기자의 오송역 건설 예산 기사에 대해 두 번째로 항의했다.[97]

한편 9월에는 대전이 청주와 길을 달리하기 시작한 것이 오송유치위 일지에도 나타난다. 5일, 대전시의회가 호남고속철도 대전 경유

---

[96] 연구 과정에서 서광석을 배제해 달라고 요구한 사실이 2000년부터 지속적으로 일지에 남아 있다.

[97] 강갑생, "고속철 오송역 건설 논란", <중앙일보>, 2002. 8. 24. 오송역 설계 예산 30억 원이 주요 쟁점이 된 기사는 2001년에도 나왔고, 이때에도 충북도와 유치위는 항의하였다. 강갑생, "경부고속철 오송역 설치 놓고 갈등 심화", <중앙일보>, 2001. 7. 6.

특위를 구성하여 대전 분기를 공개적으로 요구하기 시작했기 때문이다. 이는 계룡산을 피하기 위해 오송에서 분기한 호남고속철도 본선이 대전에서 기존 안보다 멀어지게 되자 벌어진 사태로 이해해야 할 것이다. 대전의 이탈로 세가 약해진 충북은 세력을 보강하기 위해 노력을 기울였다. 9일에는 충북도의회가 호남고속철도오송분기역유치특위를 구성하고, 14일에는 청주시의회가 강원도를 방문했다. 24일에는 청주시의회도 호남고속철도분기역청주오송역유치특위를 결성했다. 26일에는 유치위가 호남권에 대해서도 홍보를 진행하고, 10월에는 강원도 수해 지역 복구 지원에까지 나섰다. 더불어 청주기독교연합회가 오송 유치 활동에 합류했다. 이들은 11월 2일에 오송특별위원회까지 결성하였다. 10월 29일에 서울 중앙 경실련에서 오송역사 건립 예산을 낭비로 보고 즉각 삭감하라는 요구를 내놓자, 유치위는 이에 대해 즉각 항의했다. 11월 8일에는 오송 역사 부지 "땅 한 평 마련" 도민 참여 운동을 진행하자고 결의했다. 이어서 온갖 홍보 자료가 생산되고, 전 도에 플래카드가 게시되었으며, 2002년 대선 주요 후보들(권영길 포함)에게도 오송 유치에 대한 입장을 묻는 질의 서한을 송부했다(18일). 청주시의회에서는 오송 분기역 동맹의 저변을 넓히기 위해 심지어 경북 예천, 봉화까지 방문했다(20일). 이 시기에는 지역 내부의 부정적 여론을 기사화한 동양일보에 대해서 항의 서한 및 기독교연합회의 항의 방문이 이뤄졌다(28일). 12월이 되자 청주 시내는 오송 관련 플래카드로 도배가 되고 만다. 16, 18일에는 음성, 진천의 기업에서도 대통령과 건설교통부 장관, 대통령 후보자 등에게 오송 유치를 위한 탄원서를 보내는 일이 벌어졌다. 23일에는 연말을 맞아 경관을 정비하려는 청주시의 항의가 있었지만, 일지의 기록으로 보아 플래카드는 적어도 2003년 1월 중순까지는 시내에 게시되어 있던 것으로 보인다.

2003년 1월이 되자, 충북은 지역사회의 추진 의지가 분기역 선정에 반영되어야 한다고 주장하기에 이른다. 더불어 2002년 12월에 당선된 노무현 당선자에게도 오송역 유치 탄원서를 보낸다. 당선자는 좋은 말로 이들에게 답신을 보냈다.

연대기는 여기서 잠시 멈춰야 한다. 충청권 전체가 분기역보다 더 중요한 쟁점을 맞이하였기 때문이다. 노무현의 대선 핵심 공약은 행정수도 이전이었고, 당선 이후 이를 실제 핵심 국정과제로 삼아 이행하려는 움직임을 보였다. 행정수도라는 변수 앞에서 분기역과 호남고속철 논의는 수정을 필요로 했다. 비록 대전이 이탈하기는 했으나 (2002. 9) 국토 X축 논리를 전파하는 한편 중앙 정부가 야심차게 내놓은 반격 수단인 2복선화 대안에 대해서도 나름의 방어를 해 내고, 내부와 강원, 경북 방면 동맹의 강화까지도 성취한 충북은 잠시 숨을 고르며 상황의 변화가 자신들에게 어떤 효과를 가져올 것인지 주시하고 있었다.

보강 4: 1290~91년, 강호축의 선구자, 카다안

북변에서 침공하는 중국 또는 유목기병 대군은 한반도 국가에게는 하나의 숙명이었다. 이들 대부분은 한반도의 대문인 압록강을 넘어 한반도 국가의 수도(가까이는 평양, 멀리는 개성과 서울)로 내달렸다. 이 과정에서 지금의 경의선 축선은 여러 차례 격전지로 변모했다. 이들을 막기 위한 방어작계 속에서 지금의 평안도 지역의 도시 구조가 형성되었고, 이 지역은 한반도 X축의 서북측 축으로 자리 잡았다.

반면에 한반도 X축의 동북측 축은 이처럼 많은 주목을 받았던 적이 없다. 말하자면, 함경도 방면은 한반도의 후문인 셈이다. 유목기병 대군이 함경도 방면에서 진입하여 중남부 지역으로 돌입한 사례는 보기 드물다. 오히려 이 방향으로는 한반도 세력이 여진족을 밀어 올렸던 적이 많다. 다만, 이때도 반드시 경원선을 따라 간 것이 아니고 평양 등을 거점으로 삼는 경우가 있었다(가령 12세기 초 윤관의 여진 침략).

하지만 이곳 동북측 축으로 한반도에 대규모 적이 침공한 사례가 있다. 바로 충렬왕(재위 1274~1308) 연간의 카다안(哈丹) 침공(1290~91)이다. 카다안은 몽골제국의 방계 황족으로 쿠빌라이의 반대파였다. 이들은 금나라가 패망한 동만주 일대를 봉지로 받아 세력권을 확보하고 있었다. 이들은 1288년 쿠빌라이의 원나라에게 반기를 들었으나 상대의 방어를 뚫지 못하는 교착 상태에 빠져 있었다. 이를 타개하기 위해 카다안은 고려를 침공하기로 결심한다.

카다안의 주력은 그의 영지와 가까운 동북면(함경도) 방면으로 침공하여 고려로 진격해 들어왔다. 침공군과 고려군 사이의 전투 기록은 영흥과 안변 일대에서 시작된다. 이어 이들은 철령에서 교전한 다음, 개성 인근을 우회하여 양근성(현재의 양평읍)을 함락했다. 이러한 진격 과정에서 약간의 유격부대를 보내어 주변을 약탈하고 개경 고려 정부군의 동태를 탐색하는 것도 빼놓지 않았다. 양평을 함락한 이들은 남한강을 따라 기동하여 원주 일대로 진격하였으나 공성전에는 실패하고 남하하였다. 이들은 이어서(여전히 남한강을 따라) 충주로 돌입했다. 충주를 약탈한 카다안 부대는 달천과 미호강을 따라, 다시 말해 오늘의 충북선 축선을 따라 연기 지역 즉 현재의 세종시가 있는 곳까지 진격했다.

고려 정부는 전쟁 초반에는 카다안 부대를 저지하고 나아가 격멸할 야전군을 편성하지 못하고, 각지의 산성으로 입보하여 대응하는 여몽전쟁 당시의 작전 개념을 그대로 사용했다. 고려 측의 야전군이 실제로 출격한 것은 원 조정에서 원군을 보낸 다음의 일이다. 이들은 카다안 군이 양평 등 중부 지역을 공략하던 시기에 개성에 도착하여 여몽연합군을 편성하였다.

여몽연합군은 개성에서 천안으로 남하하였다. 이들은 목천에 주둔하며 남하하는 카다안 부대의 기동로를 탐지하였고, 이들이 미호강을 따라 진격하여 지금의 조치원 일대에 주둔하고 있다는 첩보를 입수하였다. 1291년 5월 1일 밤, 여몽연합군은 기습적으로 기동하여 지금의 고복 저수지 인근에 주둔하던 카다안 부대를 야습하였다. 「충렬왕세가」에는 쿠빌라이가 야습하라는 전술 지도안을 내렸다는 진술이 있는데, 야전에서 멀리 떨어진 대도(지금의 북경)에 있는 사람의 한 마디만으로 전술을 판단했을 리는 없으니 아마도 카다안의 몽골군은 야습에는

지도 5-1. 카다안 전쟁의 전개 과정. 『고려사』, 「충렬왕세가」를 참조하였다. 지명은 13세기에 쓰인 것들이다.

상대적으로 대비를 덜 했던 것 같다. 충분히 대응하지 못한 카다안의 주력은 패주하였으나 이들 가운데 상당수는 건제(建制)를 유지한 채로 산개한 것으로 보인다. 여몽연합군은 이후 금강과 미호강 합류 지점 부근에 있는 감제고지인 원수산에 진을 친 상태로 며칠간 카다안 부대를 견제하였다.

5월 8일 카다안 부대는 다시 병력을 정비하여 여몽연합군 앞에 진을 벌인다. 여몽연합군은 선공에 나선다. 카다안 부대는 기병이 주력이었으므로 교전 장소는 바로

지금의 세종시 중심부였을 것이고 전투 양상은 약간의 야전축성물만 구축된 산야에서 양군이 맞붙은 회전의 형식이었을 것이다. 고려군 좌익을 통솔했던 장수 한희유의 전기인『고려사』「열전: 한희유」에는 당시 회전이 얼마나 격렬했는지 짐작할 수 있는 기록이 있다. 교전 중, 쏘는 족족 아군을 맞추는 적의 명사수로 인해 아군의 기세가 꺾이자 한희유가 상대 진에 단기필마로 돌격하여 문제의 명사수를 참한 뒤 그 수급을 창에 꿰어 적에게 보였고, 그로 인해 카다안 부대의 기세가 크게 꺾였다는 것이다. 이는 그만큼 카다안 부대의 기량이 상당하였음은 물론, 그에 대응하는 고려측의 기세도 만만찮았다는 것을 말한다. 위기에 처한 카다안 부대는 일부 병력이 포위를 뚫고 달아났지만, 여몽연합군이 카다안 부대에서 부녀자[98]를 체포해 충렬왕에게 바쳤다는 기사가『고려사』에 별도로 있을 정도로 궤멸당한다. 이후 도주한 부대 역시 더 이상의 유의미한 군사

행동을 취하지 못한 채 뿔뿔이 흩어져 동북면 방향으로 도주했다. 카다안의 기동로를 따라 동북면에 진입했던 후속 부대 역시 말머리를 돌려 동만주로 달아났다.

조치원 일대부터 원수산 일원에 이르는 권역에서 진행된 이 전투를 연기전투라고 부른다. 연기전투는 땅 위를 이동하는 인간 집단의 흐름이 실제로 강호 축과 경부 축을 따라 양청 접경에서 부딪친 첫 번째 역사적 사례로 보인다. 카다안은 동북방에서 서남방으로, 여몽연합군은 서북방에서 동남방으로 진행하면서 오늘의 오송역 인근이자 세종시의 한 가운데 부분에서 X축을 그리며 교차했다.

땅 위에 붙어서 움직여야 하는 인간 집단의 이동은 지형 조건에 순응할 수밖에 없다. 특히 군사 행동에서는 이동 시간을 절약하고 장비와 물자의 이동까지 시도해야 하므로 더욱 그렇다. 또한 군사 행동에서는 최소한 2개의 서로 다른 집단이 서로 나뉘어 각자의 길로 이동한다. 게다가 이들 각 집단은 한쪽이 상대를 저지하거나 격파하기 위해 지형과 서로의 움직임을 탐색한다. 이들의 움직임은, 서로 구분되지만 서로에게 영향을 미쳐야만 하는 두 성분의 인간 흐름이 어떻게

---

[98] 유목민들은 가족을 함께 데리고 출정하는 경우가 많으므로 이들은 카다안 일족의 여자들이었을 가능성이 크다.

움직이는지 보여 주는 하나의 시금석이 될 수 있다는 뜻이다.

카다안 부대와 고려 정부군의 기동 루트는 이런 의미에서 아주 흥미롭다. 카다안 부대가 원주-충주-연기 방면으로 기동한 것은 분명 지형 때문이었을 것이다. 죽령이나 조령 일대의 험준한 지형을 넘는 것은 물리적 부담일 수밖에 없다. 더불어 기병이 주력인 이상, 이들의 전투력을 활용하기 좋은 평야를 따라 기동하는 것이 카다안 부대에게 유리하다. 더불어 적의 주력이 있는 개성 주변을 크게 우회하는 것은 대규모의 약탈을 자행해 세력을 보강하려는 이들의 목표에 더욱 적절했을 것이다. 이들의 우회 기동로는 한국 동북방에서 서울을 우회하여 한국 서남부의 평야 지대로 들어가고자 할 때 취할 수 있는 길을 보여 준다. 이들이 지금의 세종시 한가운데에 있는 원수산을 향해 마지막으로 진격했던 루트는 미호강이었음이 명백하니, 카다안 부대의 기동로는 바로 태곳적부터 존재했던 옥천대의 화강암 침식 분지 위로 인간이 실제 기동하여 그린 강호 축의 첫 번째 역사적 사례라고 할 수 있다. 한편 여몽연합군의 루트는 개성에서 출발해 천안을 거쳐 삼남으로 향하는 전통적인 루트로서, 정확히 경부 축에 대응하는 길이다. 이들 두 무리가 하필이면 오늘의 세종시 중심부에서 격돌했다는 사실은, 700년 뒤 21세기 충청 지역의 도시 구조를 결정짓는 또 다른 회전(回戰)이 바로 이곳에서 일어나리라는 것을 예견한 사건일지도 모를 일이다.

2003년 2월~2004년 8월: 충청권 제1차 회전-행정 중심 복합도시

2003년 2월 11일, 유치위는 대통령 인수위원회를 방문하여 수도 이전과 분기역 입지를 연동해 결정해야 한다고 주장했다. 그러나 유치위는 철도청에서 제시한 21세기 국가철도망구축계획에도 호남고속철도 분기역이 여전히 천안으로 되어 있다는 사실을 19일에 확인하고 항의 공문을 보냈다. 27일에는 오송역 조기 건설을 위해 역사 건설비 500억 원을 2004년 예산안에 반영하기 위해 지역 내 8명의 의원실과 협의에 나섰다.

3월, 노무현 정부가 수립된 이후 청주시의회는 오송 분기역특위를 행정수도 유치를 위한 특위로 확대했다. 정부는 행정수도와 호남고속철도 노선을 연동시키겠다는 방침을 확정했다. 이후 4월, 충청권 전체, 즉 대전, 충남, 충북은 행정수도 추진을 위해서는 서로 입장을 공조하겠다는 방침을 세웠다. 6월에는 호남고속철도 기본계획이 변화된 상황에 맞게 어떻게 변경되었는지 밝히고 자문위원들에게 자문을 구하는 회의를 했는데, 이때 교통연구원과 대한교통학회는 서울~화성 구간은 신설, 화성~분기역은 경부고속선 공용, 분기역~익산 간은 신설하는 계획을 제시했다. 이에 충북 측 자문위원들은 여전히 오송보다는 천안 분기에게 유리한 상황이라고 판단하였으며, 화성~분기역이 병목이 될 수 있다는 정부의 주장이 오송 분기 대안의 약점이라는 것을 직감하고 복복선 계획에 대해 정부가 입장을 명확히 해야 한다고 주장하였다.

7월 1일, 노무현 대통령은 2004년 상반기까지 행정수도 입지 선정 작업을 진행하기로 했다. 더불어 계속해서 진행되던 호남고속철도 기본계획 관련 공청회에서 오송은 여전히 불리했다. 공주시 시가지 인근을 거쳐 가는 것이 최적 노선이라는 것 그리고 복복선 투자가 필요할 수 있다는 것이 계획의 핵심이었으니, 오송 분기를 택할 경우 이러한 계획을 구현하기는 어렵기 때문이다. 7월 4일에는 충북 지역 인사 350여 명이 공청회 개최 예정이던 과천시민회관 회의장을 점거했다. 이들은 자신들의 요구 사항을 반복하며 공청회 진행을 막았다. 당시 참석자들은 공청회 취소라는 목표를 달성한 뒤 "우리는 이제부터 하나다", "충북을 위하여 이 한 몸 바치자", "충청북도 만세"를 외치며 결의를 다졌다고 한다.

충북은 7월 내내 유치위를 재정비하며 다음 상황을 주시하였다. 그러나 기존 연구진은 여전히 화성~분기역 간 복복선 대안을 주장하며 천안아산에게 유리한 평가를 진행하기를 바라고 있었다. 8월이 되자 2002년 4월 홍익대에게 맡긴 컨설팅에서 이에 대응하기 위한 논리가 제출되었다. 천안아산은 수도권 연담이 쉬워 수도권 비대화를 부추길 수 있는 입지라는 것이 핵심 주장이었다. 이때 대전 역시 충청권 최대 도시라 그 자체로 비대화될 수 있는 도시라고 평가되었다. 결국 분산을 위해서는 오송이 최적의 입지라는 주장을 도의 논리로 채택하고 확정하였다. 7일에는 공청회 이후 새로운 안을 제출하라고 압박하기 위해 건교부장관 면담은 물론 감사 청구까지 진행했다. 그리고 22일에는 유치위가 고속철도 실무자들과 접촉하였다. 여기서 건교부는 행정수도 결정 이후에 기본계획과 분기역 결정이 충북이 원하는 방향으로 이뤄질 것이라고 답하고, 오송역 건설 개시 역시 내부에서 검토 중이라고 밝혔다. 이렇게 정부의 발진에 제동을 거는 데 성공한 이후인 9~10월, 충북 내에서는 다시금 오송 분기 지지 여론을 키우기 위한 시도가 이어진다. 중앙에서 신행정수도특별법을 입법하기 위한 정국이 진행되고 있어 충북이 대외 활동을 할 시기가 아니었기 때문일 것이다. 11월 14일에는 건설교통부가 실제로 오송역을 설치하겠다고 발표

했다. 12월에는 정부의 대안을 입수하여 충북 측에서 심층 평가를 진행하였는데, 여기서는 오송 측의 요구(복복선 내용 삭제, X축 구축)를 받아들이자 오히려 대전이 유리해졌다는 진단이 나왔다. 12월 29일에는 드디어 특별법이 국회에서 통과되어 행정수도 건설이 궤도에 올랐다.

2004년은 경부고속철도 개통과 행정수도 건설 논란이 벌어진 해다.[99] 당시 정부는 국회를 통과한 신행정수도의건설을위한특별조치법을 1월 16일에 공표하고, 이에 따라 5월 21일 신행정수도건설추진위원회를 발족시켜 계획 업무를 맡겼다. 이 사이에 노무현 대통령 탄핵 소추와 권한 정지(3월 21일), 그리고 2004년 총선에서의 열린우리당(친노 세력의 신당, 새 집권당) 압승(4월 15일), 탄핵 소추 심판 기각(5월 14일)이 있었다. 행정수도 논란 그리고 오송 분기역 결정은 노무현 정부 시대의 이러한 정국 변화와 연동되어 진행될 수밖에 없었다. 건설추진위는 5월 이후 3개월에 걸쳐 신행정수도 입지 평가를 진행했는데, 위원회는 국토연구원의 주관으로 이미 후보 입지 네 곳을 선정한 상태였다(그림 5-2). 이들의 입지 선택 논리를 잠시 점검해 보자.

제1단계: 충청도 전체를 잠정 후보지로 설정한다.
제2단계: 후보 지역 가운데 '균형발전성'을 달성하기 적절한 지역을 선정한다. 균형발전성의 구체적 의미는 세 가지다. ① 서울과의 거리가 충분히 멀어(서울시청 기준 직선거리 90km 이상) 수도권 연담화 가능성이 낮다. ② 국토의 면적중심점과 반경 30~50km 이내에 있다.

---

[99]   서술은 다음 두 자료에 따른다. 신행정수도건설추진위원회, 신행정수도 건설 추진 현황 및 계획, 환경재단 발표자료, 2004. 6. 건설교통부, 행정중심복합도시건설기본계획(안), 공청회 자료, 2005.

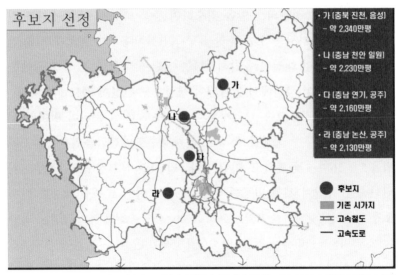

그림 5-2. 신행정수도 후보지 결정도. 신행정수도 건설 추진 현황 및 계획, 환경재단 발표자료, 2004. 6. 충청도 전체를 초기 후보지로 놓는다.

③ 전국 인구중심점과 반경 30~50km 이내에 있다. 이렇게 입지를 결정하자, 충청 북부 수도권 인접 지역과 충남 서해안 지역이 배제되었다.

　제3단계: 이렇게 결정된 입지 가운데 표고(標高), 부지 경사도, 재해 발생 빈도, 토지 이용 상태(임야인가 농지인가, 기존 시가지 인접 지역인가, 군이 사용 중인가)를 확인하고, 더불어 국립공원이나 상수원, 대규모 산악 지역 등을 제외하고 신도시 입지에 적합한 개발 적합 지역을 선정한다. 이들 과정에는 언급한 정보가 모두 입력되고, 단위 셀이 수백 미터 수준으로 보이는 GIS(Geographic Information System) 지도의 정보가 활용되었다는 것을 확인할 수 있다. 당시 가용한 최선의 데이터가 활용되었다고 인정할 수 있는 부분이다.

　제4단계: 이 가운데 개발 가능 지역이 밀집한 회랑을 선정한다.

이 회랑은 부여와 논산, 공주, 연기, 청주 서부, 천안 동부, 진천·음성 분지를 포함하고 있었다. 이 회랑의 토지 가운데 위원회가 필요하다고 판단한 규모의 토지, 즉 개발 가능지 면적이 절반 이상인 약 70~80km^{2}[100]의 평지(단, 연약 지반이나 홍수 다발 지역은 배제)를 조사하는 작업이 이어졌다. 이들 조건을 모두 만족하는 입지들이 지도 5-2의 (가), (나), (다), (라)다.

이러한 조사 결과가 봄에 알려지자 충북은 고민에 빠졌다. 충북 경내의 입지는 청주에서 거리가 멀고, 청주에 인접한 입지는 충남 연기에 속해 있었기 때문이다. 천안 동부, 목천 일대의 입지 역시 충북에 인접한 양청 접경 지역이었던 이상, 충북은 논산을 제외한 세 입지 가운데 하나를 택해야 하는 입장에서 처하였다. 6장에서 확인하게 될, 천안이 오송역에 인접해 있다는 주장은 바로 행정수도가 입지 (나), 즉 현재의 목천 지역에 입지할 경우를 대비한 주장이었을 것이다.

결국 충북이 택한 것은 지금의 세종시 입지, (다)였다. 바로 이로 인해 충북 내부의 분열이 일어난다. 충북 북부 지역의 불만을 달래기 위한 청주와 도의 활동이 여름 이후 부쩍 늘어난다는 사실, 그리고 2005년 12월 충북 진천음성혁신도시가 (가) 인근에 들어섰다는 사실은 바로 이 분열을 수습하려는 후일담일 것이다. 어쨌든 충북은 5월 20일, 오송과 가장 가까운 신행정수도 입지인 (다), 즉 연기-청원 지역(이하 연청 지역) 입지 지지를 선언한다. 6월에는 충북 내부에서 행정수도 입지 후보에서 오송이 배제된 데 대한 논란이 있긴 했으나, 정부의

---

[100]   평을 비롯한 척근법 단위는 이 책에서 사용하지 않는다.

선정 과정이 신속하게 전개되는 한편 곧 소개할 수도 이전 자체에 대한 반대까지 진행되는 등 상황이 복잡하여, 충청권 내부의 세부적 입지 논란 자체는 주목받지 못했다. 아마도 이렇게 일종의 사회적 과부하가 걸린 후과가 바로 지금의 오송역과 같이 이용자 경험 따위는 뒷전으로 한 채 고속철도 본선과 멀리 떨어진 행정도시 건설로 돌아왔다고 말해도 크게 틀리지 않을 것이다.

이렇게 충청권 내부의 입지 갈등이 진행되는 와중에 수도권에서는 행정수도특별법 자체에 대한 위헌 소송이 준비되고 있었다. 특별법이 헌법 72조의 "외교·국방·통일 등 국가 안위에 관한 중요 정책"에 해당함에도 국민투표를 하지 않는 등 노무현 정부가 월권을 하고 있다는 것이 그 요지였다. 소송 주체는 수도이전반대국민연합으로, 서울시(당시 시장은 이명박) 등과 함께 2003년 11월부터 활동을 진행해 왔다. 헌법 소원은 7월 12일 헌법재판소에 제출되었다.[101]

소송이 진행되는 중에도 신행정수도의 입지 선정 작업은 계속되었다. 7월 5일에는 지금의 세종시인 (다) 입지의 점수가 최고점이라는 소식이 충북에 전해진다. 이후 충북은 다시금 오송 분기에 집중하기 시작했다. 강원도 방문은 물론 호남 방문도 재차 추진했다. 8월 11일, 행정수도 입지는 지금의 세종시로 확정, 발표되었다. 이후 행정수도 논란은 충청권 내부의 갈등이 아니라 충청권과 수도권의 갈등으로 전개되며, 오송역은 단순한 청주 관문역을 넘어 행정수도와 연동된 존재로 격상된다. '세종시-오송역 복합체'가 형성된 것이다.

---

[101]   한종수, "험난했던 행정도시 건설 과정", 디지털세종시문화대전, 세종특별자치시, 2013. http://
         sejong.grandculture.net/sejong/toc/GC07701441 (2023. 3. 2 확인); 황방열·유창재, "끝
         내 헌재까지 간 '행정수도' 논란", <오마이뉴스>, 2004. 7. 13.

2004년 9월~2005년 1월: 사태의 분기점, 한나라당의 오송 분기 당론 채택

앞서 2004년 3~5월, 노무현 탄핵과 4월 총선 열린우리당 압승 정국에 관해서는 지나가는 방식으로만 조명했지만 이는 충북 정계에 급변을 불러일으켰고, 마침내 오송 분기에 중요한 영향을 끼치는 정치적 결정으로 이어졌다는 점에서 별도로 조명할 가치가 있다. 특히 충북에서는 4월 총선에서 열린우리당이 8전 전승을 거두었다. 2위조차 한 곳에서도 하지 못한 1996년 총선, 그리고 두 석을 얻고 지역구 두 곳에서 2위를 했던 2000년 총선과는 완전히 다른 결과였다. 지역 내 주요 정당인 자민련은 충북에서 1석도 건지지 못했다. 그 세력은 김종필의 고향인 충남에서도 쪼그라들었다.

열린우리당의 압도적인 우세 속에 충북 자민련은 2위를 한 지역구조차 단 한 곳만 남았다. 그런데 자민련의 약화를 노리고 충북을 공략해야 한다고 판단한 곳이 있었다. 바로 충북 대부분 지역에서 2위를 달성한 한나라당이었다. 일지에는 한나라당은 총선 패배 후 전열을 정비하던 와중인 2004년 9월 23일 오송 분기를 당론화한 것으로 기록되어 있다(274쪽). 별도의 보도는 확인되지 않지만, 10월에도 이 사실을 충북이 확인하는 것으로 그리고 결국 2005년 연초에는 박근혜의 입으로 이 사실이 공표되므로, 2004년 4분기에 한나라당의 오송 분기 당론화 방침이 결정되었다는 것 자체는 믿어도 좋을 정보일 것이다.

당시 한나라당은 7월 19일 전당대회로 박근혜 대표가 당권을 장악한 상태였다. 박근혜는 노무현 탄핵 이후 열린우리당에게 절대 우세가 예상되었던 4월 총선에서 의외의 선전을 보여 당 안팎의 신망을 얻은 상태였다. 9월은, 5일 노무현이 대통령 신분으로 직접 국가보안법은 폐지되어야 한다고 공개 발언한 이후 국가보안법 정국이 진행되던 때였다. 중앙의 모든 이슈가 이 정국과 인접한 정무적 개혁 입법에

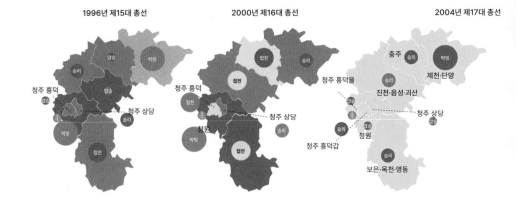

■ 자민련 ■ 한나라당계(현 국민의힘) ■ 민주당계 ■ 무소속

지도 5-2. 1996~2004년 충북 지역 총선 결과. 지도축 색깔이 당선자의 당, 원 내부의 색깔이 2위 당을 나타낸다. 당선인과 2위와의 득표율 차이는 압승(15~100%), 승리(5~15%), 접전(1~5%), 박빙(0~1%)으로 표기. 자료: 선거관리위원회 선거통계시스템(http://info.nec.go.kr/electionin fo/electionInfo_report.xhtml)

쏠려 있었다. 갈등의 핵심은 정국의 주도권을 누가 장악할 것인지에 있었다고 보아야 할 것이다. 2004년 총선에서 단독 과반 달성으로 기세가 오른 열린우리당과 대 반격을 진행하는 한나라당 구도에서 한나라당은 세력을 확대할 기반을 찾아 헤매고 있었다.

그렇다면 한나라당의 눈에 왜 다른 충청권이 아닌 충북이 들어왔을까? 앞서 보았듯 2004년은 수도 이전이 쟁점이었다는 데서 설명을 시작해 보자. 헌법재판소는 10월 21일에는 7월에 제출된 행정수도 특별법 위헌 심판에서 특별법이 위헌이라고 선고했고 결국 수도 이전 사업은 부분적으로 중단되었다.[102] 이러한 상황에서 충청권은 공통의 이해관계를 가지게 되는 한편, 수도 이전을 추진한 열린우리당 세력과도 이해관계 일치를 보았다.

---

[102]   박소영, "한나라당, 장외로 나가나, <중앙일보>. 2004. 9. 29.

이 상황에서 충청권을 분열시켜 한나라당의 입장을 조금이라도 유리하게 만들기 위한 약한 고리로 떠오른 것은 바로 분기역 문제였다. 충청권 3개 광역 지방 정부는 모두 자신의 관내에 분기역을 유치하고자 했고, 이에 따라 이 문제는 행정수도 공동 전선을, 그리고 그에 따라 행정수도 공약을 통해 충청권에서 다수당으로 등극한 열린우리당의 우세를 무너뜨릴 수 있는 잠재력을 가지고 있었다. 실제로 충북은 천안 분기 유치 활동을 적극적으로 벌이려는 충남에게 계속해서 공조에서 이탈하겠다는 경고를 보냈다. 한나라당은 충북의 오송 분기를 지지함으로서 충청권 공조를 약화시키고, 충청권 전체가 행정도시를 추진한 열린우리당을 지지하는 상황을 저지함과 동시에, 당시까지 열린우리당의 홍재형[103]이 주도하던 국회와 충북의 협상 창구를 자신들에게로 옮겨 올 수 있다고 생각했을 것이다. 이를 통해 충북의 열린우리당 세력을 견제해 미래의 충청권 선거와 정국에서 자신들에게 더 유리한 판세를 만들려 했을 것이다.

이러한 서술을 뒷받침하는 것이 2004년 총선에서 주요 3당이 충청권에서 거둔 성적표다. 도표 5-1은 열린우리당의 압도적 우세 속에서, 권역 내 2당의 지위를 놓고 자민련과 한나라당이 격전을 벌였다는 것을 보여 준다. 충북에서 한 곳(진천·음성·괴산) 빼고 한나라당이 2등 지위를 모두 장악했다는 점은 이미 확인한 대로다. 한편 대전에서는 한나라당과 자민련이 백중세를 이루고 있고, 충남에서는 자민련이 좀 더 우세하여 도내 2당의 지위는 자민련이 장악하고 있었다. 이는 충청

---

[103]   이미 여러 차례 일지에서 그 이름을 확인했을 것이다. 그는 2000년부터 언론 보도 등에서 문제가 되었던 오송역 설계 예산을 당겨 온 장본인으로 추정된다. 또한 홍재형은 한나라당 당론이 결정되기 직전 9월 22일에 오송역 건립 예산 100억 원을 당정협의회에서 추가로 확보했다.

권에서 한나라당의 세력 확장이 가장 용이한 지역이 기존 보수 지역 정당인 자민련의 지지 세가 위축되어 가던 충북이었다는 뜻이다. 충남에서는 여전히 한나라당이 자민련의 아성

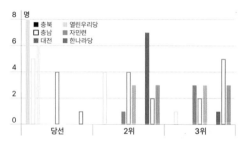

도표 5-1. 2004년 충청권 총선 결과, 주요 3당의 지역별 등수 분포. 자료: 선거관리위원회 선거통계시스템(http://info.nec.go.kr/election info/electionInfo_report.xhtml)

을 넘지 못한 상태였다. 결국 분기역 갈등에서 충북을 지지하는 것이 당의 지지세를 확대하여 민주당을 견제하는 데 효과적이었던 반면, 충남을 지지할 경우 오히려 자민련에게 치적을 빼앗길 가능성까지 우려해야 하는 상황이라고 보아야 할 것이다.

　　이런 판단 하에, 2005년 1월 26일 박근혜 당시 한나라당 대표최고위원은 청주를 공식 방문하여 한나라당의 당론이 오송 분기역임을 대내외에 천명하였다. 일지는 여섯 쪽(244~249)에 걸쳐 당시 행사 기록을 남기고 있다. 오송분기위원회 활동 10년 가운데 가장 밀도 있게 기록된 두 시간이다. 열린우리당은 1월 28일 부랴부랴 노영민 열린우리당 의원이 충북 측 인사를 면담하게 하고 성명서를 몇 건 내며 대응하였지만, 박근혜가 직접 움직인 한나라당에 비해서는 충북에서 피동적인 상황에 처하고 말았다. 이후 5월에는 당시 한나라당의 또 다른 핵심 정치인인 이명박 역시 박근혜를 따라 오송 분기를 지지하기에 이른다.

2005년 2월~6월 30일: 충청권 제2차 회전-분기역 결정

이 시기 행정수도 대안은 위헌 판결에 따라 축소되어 지금의 세종시 계획안 초안이 작성되기에 이른다. 국회는 2005년 2월 전체에 걸쳐 행정중심복합도시건설을위한특별법을 놓고 협상을 벌였고, 결국 2월 23일 특별법과 세종시 건설의 핵심 내용(12부 4처 2청의 이전)이 의결되었다.

세종시 건설과 관련된 쟁점이 정리됨과 함께, 분기역 선정 절차 역시 다시 정리되고 있었다. 2004년 10월 14일, 건교부는 분기역 평가를 담당하고 있던 국토연구원에게 분기역 선정 보완 용역의 수립 방향을 지시하는 과업지시서를 송부하였다(곧 이 과업지시서에 이해하기 어려운 독소 조항이 있었다는 사실을 확인하게 될 것이다). 2005년 1월 7일에는 건설교통부와 국토연구원, 그리고 충북, 충남, 대전 관계자가 참석한 가운데 분기역 선정 방법에 대한 협의회가 열렸다.

국토연구원은 삼각 체제(그림 5-3)를 구상하고 있었다. 먼저 분기역추진위원회를 충청권 전문가와 국토연구원 추천 전문가로 구성하고, 이와 더불어 분기역 평가 기준만을 선정하는 위원회와, 이렇게 선정된 기준을 활용해 평가를 진행하는 위원회를 별도로 만드는 것이었다. 국토연구원은 이들의 활동을 돕는 역할을 맡는다. 국토연구원은 이러한 삼각 체제를 통해 평가의 중립성과 객관성을 높이고자 했을 것이다. 특히 평가 기준을 평가 실행 위원회가 임의로 조정할 수 없도록 한 것은

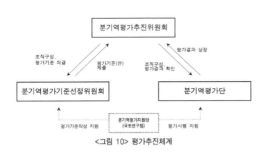

그림 5-3. 분기역 평가추진체계 도해. 국토연구원, 호남고속철도 기본계획 조사연구 보완용역 공청회 자료, 2005. 12: 50.

최종 점수를 일정 방향으로 조작하기 위해 특정 기준에 과도한 가중치를 부여하거나 아예 누락시키는 일을 방지하려는 방책이었을 것이다. 1월 24일에는 1차 분기역추진위원회 회의가 소집되었고, 여기서 다섯 가지 평가 기본항목(국가 균형발전 효과, 충청권 개발 대안과 연계 발전 효과, 환경성, 교통 및 사업성, 건설의 용이성)이 발표되었다. 이후 추진위원회는 열 차례 소집되어 평가 과정을 주도한다.

3월, 4차 분기역추진위원회 회의에서는 평가 추진체계에 대한 중요한 합의가 이루어졌다. 평가 기본항목마다 세부 항목을 설정하는 작업을 어떻게 할 것인지, 그리고 각 기본 항목이 총점에서 몇 퍼센트를 차지하는지를 결정하는 작업은 분기역평가기준선정위원회에서 학회나 지방 정부의 자문 의견을 받아 시행한다. 이렇게 선정된 세부 항목별로 얼마의 가중치를 줄 것인지는 선정위원회에서 일반인과 전문가 설문을 통해 결정하기로 한 것이다. 이때 일반인 가운데 호남권에 대한 설문 결과로 얻은 값은 다른 지역보다 더 높은 가중치를 부여하여 점수 설정에 반영하기로 하고, 전문가 조사는 6월 10일~21일, 일반인에 대한 전화 면접 조사는 6월 13~14일 진행되었다.

3월에는 호남고속철도 운임 문제가 수면 위로 떠올랐다. 오송 분기가 이뤄질 경우 천안 분기보다 수도권 방면의 운임이 상승할 것은 명약관화한 사실이었기 때문이다. 고속선 길이가 20km 연장되는 만큼, 분기역~익산 간 운임 역시 임률에 따라 약 3,000원 또는 그 이상 상승할 수밖에 없다. 따라서 분기역과 무관하게 호남 방향 통행에 대해 동률의 임률을 매기는 것이 필요하다는 주장이 호남을 중심으로 제기되었다. 오송으로서는 자칫 운임이 상승하여 호남 측의 불만이 생긴다면 자신들에게 불리해지는 쟁점이었던 만큼, 3월 9일부터 여러 차례에 걸쳐 정부와 철도공사 측에게 지속적으로 운임 문제에 대해 질의를 보냈다. 이 쟁점은 분기역이 결정된 이후 시점인 7월 6일 국회에서 당시 건설교통부 장관이 의원 질의에 응답하며 운임을 할인하겠다는 발언을 내놓아 일단락되는 듯했다. 이 모든 과정에서 박근혜는 지방 방문 일정마다, 심지어 호남 방문 일정(3월 29일)에서도 오송 분기가 한나라당의 당론이며 조속한 착공이 필요하다는 발언을 이어 갔다.

이렇게 짜인 평가추진체계 하에서, 최종 점수를 산정하는 주체는 분기역 평가단이었다. 4월, 분기역 평가단 구성 초안이 공개되었다. 국토연구원은 기본 평가 항목 5개에 대응하는 학회에서 15명씩을 추천받아 전문가 위원 75명, 그리고 호남권 및 충청권 광역 지자체에서 기본 평가 항목별로 1명씩을 추천 받아 지방 정부 위원 30명, 총 105명의 위원회를 구성해야 한다는 초안을 내놓았다. 이 경우 평가 결과는 충북에게 불리해질 가능성이 컸다. 호남 전체는 일관되게 천안 분기를 지지했고, 전문가 위원의 지지 방향은 알 수 없었기 때문이다. 충북은 여기서 한 가지 묘수를 꺼낸다. 분기역 평가단의 구성 방법 자체를 바꾸어야 한다는 의견을 내놓은 것이다. 이 갈등은 5월 9일 충청권 지방 정부와 건설교통부 실무자가 마주한 자리에서 표면화되었다. 충남은 국토연구원 안을 지지한 반면 충북은 전국의 광역지자체에서 5명씩 추천받아 총 80명의 위원회를 구성해야 한다고 주장했다. 대전역시 충북 안에 동의함으로써 이해 당사자들의 견해는 2:1, 한쪽으로 쏠렸다.

5월 13일, 제8차 분기역추진위원회가 열렸다. 여기서 국토연구원과 건교부는 2004년 10월 14일에 작성된 분기역 선정 보완 용역의 과업지시서와 2005년 1월 7일 이뤄진 광역지자체 국장급 회의 결과 때문에 발목이 잡힌다. 해당 문서와 회의에서 분기역 평가단을 전국 광역지자체 전체가 참여하는 방식으로 구성한다는 내용이 언급되었기 때문이다. 건교부는 회의 석상에서 사과할 수밖에 없었고, 결국 평가단 구성은 충북안에 따라 이루어졌다(일지의 기록상, 충북은 비공개 사과가 불충분하다는 입장이었다). 5월 27일 개최된 9차 위원회에서는 세부 사항이 확정되어, 제주가 빠진 15개 광역지자체가 분기역 평가단에 참여한다는 대안이 이 자리에서 결정되었다. 충남은 회의 중 퇴장하였으나 9차 위원회 참석자 15명 가운데 나머지 10여 명[104]이 만장일치로 충북 안을 지지한 이상 상황을 뒤집을 수는 없었다. 이 회의에 참여한 총 75명의 분기역 평가단 위원들은, 평가기준선정위원회가 만든 채점 기준표를 들고 3개의 후보를 평가하였다.

6월, 남은 문제는 평가단의 판단이었다. 누가 평가단 위원이었는지는 어디에도 기록이 없는 것으로 보아 비밀이었던 것으로 보인다. 그렇지만 분기역 평가단 위원이 어떤 견해를 가지고 있었을지는 쉽게 예상할 수 있다. 일지에는 충북 측 인사들이 분기결정위원회 위원 선정 직전인 6월 9일(수도권), 20일(부울경)에 지방자치단체장들을 면담한 기록이 남아 있다. 이들의 태도는 명확했다. 인천시장 안상수는 "당론을 따르겠다"(273쪽)라고 말했고, 서울시장 이명박[105] 역시 경제 논리에 따라 오송을 지지하겠다고 재차 밝혔다. 경기도지사 손학규 등 다른 인물은 관료 시절 충북과의 인연을 언급하기도 했다. 울산시

---

[104]   분기역추진위는 "관련 지자체 추천 전문가 3명, 국토 계획, 도시 계획, 교통, 철도, 토목, 환경, 재정·경제, 문화재 등 8개 분야별 전문가 각 1명씩 8명 (관련 학회 추천), 국토연구원 부원장을 포함하여 총 12명(국토연구원, 호남고속철도 기본계획 조사연구 보완용역 공청회 자료, 국토연구원, 2005. 12: 50)"으로 구성되어 있었다는 공식 기록이 있다. 이 12명이 의결권을 가지고 있었을 것이다. 따라서 15명은 의결권이 없는 배석자 3명을 포함한 숫자일 것이다. 아무튼 당시 위원회는 11:1로 충북 안이 우세한 상황이었음을 알 수 있다. 이렇게 충북 안이 우세해진 이유에 대해 세부적인 후속 연구가 필요하다고 본다.

[105]   면담 이틀 전에 충북 한나라당으로부터 오송 분기역 당론 관련 일지를 받아 본 것으로 되어 있다.

장 박맹우는 "평가단이 확정되면 별도 교육시켜 오송을 적극 지지하겠다(274쪽)"라는 발언까지 남겼다.

이것은 분기 평가 추진체계가 설계 당시에는 반영하지 못한 문제에 부딪혔다는 것을 보여 주는 증거다. 삼각 체제는 평가 지표의 누락이나 가중치 과장을 막는 데 의미가 있었을 수는 있다. 그러나 실제 이렇게 만들어진 평가 지표 자체를 활용하는 평가단이 편향된 인물들로 가득 차는 것을 막지는 못했다. 당시 한나라당의 당론 그리고(비록 충북과의 면담에서 나온 발언이지만) 박맹우의 발언은, 광역지자체 추천인들로만 평가단을 채우는 것은 중립성에 문제가 생길 수 있음을 충분히 예상할 수 있는 의사결정 방법이었다는 증거다. 평가단원 후보군을 지자체장들이 지명하는 것이라면(그래서 박맹우의 말처럼 교육이 가능하다면) 이들의 평가를 당론과 독립적인 것으로 보기는 어렵다.

게다가 당시 비충청 지역의 한나라당 소속 광역지자체장은 이명박(서울), 손학규(경기), 안상수(인천), 김태호(경남), 허남식(부산), 박맹우(울산), 이의근(경북), 김진선(강원) 총 9명이었다. 호남을 더해 총 12명의 비충청 광역지자체장 가운데 75%가 한나라당 소속이었다는 뜻이다. 한나라당의 오송 분기 지지 당론은 이미 널리 그리고 여러 차례에 걸쳐, 그것도 핵심 정치인이었던 박근혜의 입으로 공표된 상태였다. 이것은 이미 당시 알려진 정보만으로도 광역지자체 15개 가운데 충북을 합쳐 총 10개가 오송을 지지할 것이라고 예상했어야 한다는 뜻이다.

결국 당시 국토연구원은 여러 달에 걸쳐 정교한 평가 체계를 구성했음에도 막상 평가단 구성 방식에서는 당시 가용한 증거만으로도 충분히 피할 수 있던 오판을 범했다. 중앙 정부는 과거의 오판을 바로잡기 위해 필요한 뚝심을 가지지 못했던 것일까? 이 결정적인 오판의 표면적 이유는 2004년 10월 17일 건교부가 내린 과업지시서이지만, 이 오판의 수정에 실패한 배경에 대해서는 후속 연구를 기다려 보기로 한다.

6월 28일, 평가단 위원 75명이 평가장(충주 건설연수원)에 입소하였다. 한나라당의 당론을 감안하면, 이 가운데 50명이 오송 분기를 지지한 것으로 추정된다. 상황을 뒤집는 것은 불가능하다는 것을 파악한 충남과 호남 대표단 20명은 결국 퇴장을 택한다. 그러나 여전히 위원 55명은 잔류하고 있었고, 이들은 과반을 넘어 3분의2 이상의 숫자이므로 국토연구원은 평가를 충분히 진행할 수 있다고 판단하였다. 6월 30일에는 평가단의 분기역 평가 결과가 수합되었다(그림 1-2). 이어 제10차 분기역추진위원회 회의가 소집되었고, 평가 결과 최고점을 받은 오송이 최적의 분기역이라고 선언하였다. 충북 유치위 사무실에 있던 유치위원들이 "오송 만세"를 외치는 당시 사진이 보도 사진으로 남아 있다.

상황은 계속 진행된다. 가령, 계룡산 인접 노선에는 환경 문제가 있다는 충남의 항의, 고속철도역 건설 위치를 정하지 못한 공주나 연계 자체가 불투명해진 대전~호남 간 고속철도 연결 등등. 하지만 국토연구원은 6월 30일의 분기역 결정을 계속해서 이행되어야 할 것으로 못 박고, 이후의 모든 결정은 오송 분기를 전제로 내리도록 하였다. 이 과정에서 분기역 기본계획을 위해 수행된 경제성 평가의 결과[106]가 평가단의 평가 점수와는 일부 부정합한다는 사실이 명확히 드러났음에도 결정은 번복되지 않았다. 아마 호남고속철도의 빠른 개통을

---

[106]   오송이 가장 낮은 것으로 예측되었다. 건설교통부, 호남고속철도 건설기본계획 (2006): 12~13.

위한 결정이었을 것이다. 호남은 천안 분기를 지지했지만 동시에 호남고속철도가 가능한 한 빠르게 개통해야 한다는 입장이었고, 따라서 후자를 구현하기 위해 우선 분기역을 확정한다는 국토연구원과 정부의 방침을 납득했던 것으로 보인다. 이렇게 논란 속에서 벌어진 결정은 오류와 오차를 품을 수 있다는, 어찌 보면 당연한 가능성도, 문제가 발생했을 때 이 오류를 수정하는 방법이 필요하다는 요구도 충분히 고려된 것 같지 않지만. 아무튼, 이렇게 오송 분기는 현실이 되었다.

3절. 영광과 상처

오송 분기 연대기는 이렇게 막을 내린다. 이후의 사태를 이해하기 위해 날짜 단위로 여러 행위자들의 입장과 발언을 추적할 필요는 없다는 뜻이다. 하지만 오송 때문에 일어난 도시와 교통망의 지각 변동은 계속된다. 여기서는 오송 분기의 후일담을 확인하면서 이 지각 변동의 크기를 짐작할 수 있는 몇몇 사건을 확인해 보자.

2006~2015년: 서대전역, 공주역, 논산역

후일담을 확인하기 위해 가장 먼저 이동해야 할 공간은 바로 대전 서부와 충남 남부다. 이 가운데 대전과 논산 지역은 1911년 이래 호남선을 통해 호남과 쉽게 연결될 수 있다는 이점을 누렸고, 공주는 철도 사각지대로 100년을 지내 왔다는 점을 이미 확인한 바 있다.

이들 지역의 철도 연결은 호남고속철도로 인해 중요한 갈림길에 처한다. 천안 분기가 실현된다면 대전 지역은 호남 방면의 고속철도 본선 연결을 잃게 된다. 한편 논산 지역은 어떤 대안을 택하든 고속철도 본선은 도시와 연접하지만 익산, 대전과의 거리가 30km 수준인 이상 본선역은 얻기 어려웠다(청주가 이례적인 사례임은 이미 4장에서 확인했다). 공주의 경우 시가지에 인접한 본선역을 얻느냐, 다른 지역과 연합하여 중간 지점에 본 시가지와 멀리 존재하는 본선역을 얻느냐 하는 선택지 사이에서 선택해야 했다.

이 가운데 가장 중요한 것은 물론 대전의 선택이었다. 광역지방자치단체이자 충남, 충북보다 인구가 훨씬 밀집한 충청권 최대의 도시 대전은 분기에 얽힌 모든 상황에서 어느 한 편을 유리하게 만들 수 있는 힘을 가지고 있었기 때문이다. 그런데 대전은 적어도 박정자 경유 노선이 충북 측 대안이었던 2001년 가을까지는 오송 분기를 지지하고 있었고, 이후에도 오송에게 유리한 의견을 내놓는 경우가 적지 않았다(가령, 분기역 평가단 위원 구성 방법에 대한 의견에서). 이들은 오송 분기 결정 이후에도 분기역 결정을 곧바로 수용하면서 오송 분기를 전제로 했을 때 실리를 찾으려 했다. 이 실리로 얻어 낸 것이 바로 호남고속철도 일부 열차의 서대전 경유 대안이다.[107] 그리고 이에 따라, 분기 결정 이후의 갈등에서 대전의 이름은 잠시 사라진다.

한편 충남은 여전히 호남고속철도 분기역을 다시 평가해야 한다고 주장하였다. 그러나 이들은 장기간의 분기역 갈등에 지친 호남으로부터도 고립되고 만다. 2006년 2월 3일, 호남고속철도 관련 의견검토위원회에서 호남은 고속철도 조기 착공이 필수적이라는 입장을 명확히 밝혔기 때문이다. 따라서 당시 작성 중이던 기본계획은 오송 분

---

[107]　　이인회, "호남고속철 서대전역 계속 통과", <충청투데이>, 2006. 4. 14.

기를 전제로 작성되었다.

이때 충남은 지금의 호남고속철도 본선상의 세종역이 논의되는 용포-별산리 일대의 역을, 그리고 지금의 공주역을 요구했다. 하지만 이는 오송역과 행정도시 관문역을 놓고 경쟁하는 위치에 처할 가능성이 컸다. 따라서 4월 4일, 충북 측 인사와 충북 지역구 국회의원은 이들 역을 견제하기 위해 건교부를 항의차 방문하였다. 이 당시 장관 추병직은 현재의 공주역이 충남도민들을 위해 호남고속철도 기본계획에 포함되었다고 밝혔다. 이후 논전이 과열되자, 추병직은 공주역을 받아들일 수 없다는 충북의 요구가 과도하다며 서류를 내팽겨치고 면담장을 퇴장하고 말았다.

충북은 이후 오송역의 규모를 '특대역'으로 확대해야 한다는 주장을 내세우며 충남의 요구를 견제했다. 정부 역시 고속철도의 표정속도를 고려하고, 계룡산 국립공원 지구와 세종시 개발 지구 등을 모두 회피하면서도 오송역 남측으로, 그것도 반지름 5km라는 아주 완만한 곡선을 이루는 호남고속선을 통과시킬 수 있는 좁은 틈을 찾기란 어려웠다(지도 6-2 참조). 결국 2006년 8월 28일 발표된 현재의 노선에서, 공주에 건설되는 역은 계룡산-세종 시가지 사이의 좁은 틈을 지나 익산 방향으로 방향을 꺾은 직후의 지점이자 익산과 오송의 중간 지점인 현재의 어정쩡한 위치에 자리하고 만다.

이것은 공주와 논산에 인접한 고속철도역을 건설해야 한다는 당시의 여론과는 동떨어진 것이었다.[108] 결국 논산은 일단 대전과 연합

---

[108]   임덕규, "호남고속철 논산·공주에 서야 한다", <중도일보>, 2006. 4. 18. http://www.joongdo.co.kr/web/view.php?key=20060417000000542. 글쓴이는 11대 국회의원이다.

하여 서대전 정차 KTX를 익산까지 운행시키고 이들 열차를 정차시켜 고속철도 접속을 확보하는 방향을 택한 다음, 논산훈련소라는 지역 특징을 활용하여 호남고속선 본선 정차역을 추진하고 있다.[109]

한편 공주역은 고속철도 본선역으로서 다수의 정차 열차가 확보되어 있으나, 공주역에서 공주시청까지 버스로 약 1시간이 걸리는 등 교통 여건이 심대하게 불리하여 많은 비난을 받으며 고전 중이다. 역세권 개발의 가능성은 거의 없다. 게다가 수요 확대를 추구할 경우 결국 세종시의 남문 기능을 놓고 호남고속선 본선 상의 세종역과 경쟁 관계가 된다는 분석[110]을 충남 측에서 내놓고 있는 이상, 앞으로의 운명 또한 밝지 않다.

한편 충북은 호남고속철도 운행 계획이 수립되던 2014년경에 과거 약속된 서대전역에 대해서도 공격을 퍼붓는다. 이 당시 충북은 (놀랍게도) 호남과 손을 잡고 대전과 충남을 공격했다. 서대전 경유 열차가 익산까지 호남 재래선을 사용하는 이상, 호남 방면 고속열차의 소요 시간이 과거와 동일하다는 것이 이 연합의 핵심 이유였다.[111] 서대전역 경유 열차가 늘어나면 늘어날수록 선로 사용료 납부액이 줄어들

---

[109]   예비타당성조사[김세용 등, 호남고속철도 논산훈련소역 신설 사업, KDI PIMAC(타당성 재조사 보고서), 2019]에서는 입영 장정만 다루고 있지만, 열차는 훈련을 마친 신병을 전방으로 전개시킬 때도 사용할 수 있다. 개인적 기억을 꺼내자면, 다른 많은 병사들처럼 나 역시 인근의 강경역에서 열차를 갈아타고 전방으로 배치받았다(2014년 12월). 이렇게 전개되는 병력의 수는 입소 병력과 거의 같을 수밖에 없다. 다만 이런 식의 수요는 시간이 중요하지는 않아 평시에 고속열차를 활용하기에는 부적절하다.

[110]   김양중, 「KTX 공주역 여건 분석 및 수요 확대를 위한 정책 제안」, 충남연구원, 2020: 80~81.

[111]   "수익이냐 시간이냐...코레일의 선택은?", <중도일보>, 2014. 12. 22.

어 철도 부채 감소에 악영향이 있다는 지적[112]까지 이어졌다. 대전-호남 간 이동에는 공주역을 사용하면 된다는, 일종의 망언[113]까지 나왔다. 물론 이런 주장은 대전과 충북이 손을 잡았던 2002년 이전의 관점에서라면 이해할 수 있긴 하다. 그러나 대중교통으로 대전 중심까지 1시간 반 가까운 시간이 걸리는 지금의 공주역을 대전-호남 간 연결에 사용하라는 것은 지나친 요구였다. 더불어 논산은 물론, 각군 본부가 있는 계룡까지 호남 재래선의 고속열차 운행을 요구하자, 철도공사는 결국 하루 편도 8회가량의, 대부분 익산[114]에서 종착하는 고속열차 운행을 유지하기로 한다. 기존 호남선 운행량의 40%(전라선 포함시 약 25%) 가량이었다. 이는 대전시의 요구(호남고속선 개통 이전 경유 열차편의 50% 유지)보다는 더 적은 양이었다. 앞으로도 서대전 경유편은 큰 변화 없이 유지될 가능성이 크다.

2005년 7월~2015년 4월: 분기역~익산 간 운임 논란

승객 관점에서 열차를 탈 때 가장 중요한 것은 결국 소요 시간과 운임이다(다른 요소들은 기본은 한다는 전제 하에). 그리고 운임은 대개 영업거리에 일정한 임률을 곱해 얻는다. 이런 기계적인 방식이 가장 공정

---

[112] 김동민·변재일 의원, "호남고속철 서대전역 경유론에 쐐기", <충북일보>, 2014. 10. 22. 그러나 이러한 지적은, 선로사용료란 철도공단으로 입금되는 돈이라는 점 때문에 철도공사가 탐탁찮아 한다는 사실을 파악하지 못하고 내놓은 것 같다. 철도공사에게 가장 치명적인 비판을 이 자리에서 하나 지어내 보면, 고속선을 달리지 않는 고속열차는 열차 회전율을 떨어뜨려 수송량과 운임 수익을 모두 낮추는 편성이므로 서대전 경유는 일종의 배임이라는 식의 비판이 될 것이다.

[113] "충북과 전남·북이 결정적으로 반대하는 이유이기도 하다. 다시 말해, 고속철도 역할을 할 수 없으니, 광주로 가는 대전권 이용객은 서대전역이 아닌 남공주역 등을 이용하라는 얘기다." <중도일보>, 같은 기사.

[114] 운전 거점역으로 운전 관련 기능을 집중시키기 용이하다.

한 운임 부과 방식이라는 직관 덕일 것이다.

이런 제도 아래에서 오송 분기처럼 철도의 영업 거리를 20km 이상 늘리는 대안은 반드시 운임 문제를 불러온다. 당연하게도 오송 분기 시에는 천안보다 영업 거리가 20km 길어지기 때문에, 오송 분기는 수도권~호남 간 운임을 늘릴 수밖에 없다. 호남고속선(오송~공주 간) KTX 임률은 약 155원/km이니, 추가 운임 부담은 3,100원에 달할 것이다.

이렇게 증가하는 운임에 상대하는 논리는, 결국 강호축과 세종시-오송역 복합체의 강화가 국토 균형발전의 실현 방법이라는 것뿐이었다. 하지만 설사 그 논리가 충분한 것이었다고 하더라도, 그로 인해 생기는 운임 부담을 누가 져야 하느냐 하는 문제가 남는다. 현재로서는 이 부담을 승객이 진다. 다시 말해, 국토 균형발전을 위해 수도권~호남 간 이동객이 통행당 3,100원을 더 내야 한다는 것이 오송 분기 결정의 함축이다. 이 이동객의 수는 약 1천만 명(2019년)이니, 오송 분기 덕에 매년 추가 지불하는 운임만 300억 원 선인 셈이다. 5~10분[115]의 손실을 보고서도[116] 이런 비용을 내야 한다면, 호남으로서는 반드시 수정할 만한 동기가 있는 오차라고 평가해야 할 것이다.

이 논란을 의식하고 있었던 정부는 2005년 7월 국회 상임위에서

---

[115] 전 노동자 평균 임금 약 2만 원/시를 기준으로 할 때, 이는 약 1,700원의 가치를 가지는 시간이다. 따라서 호남을 오가는 사람들은 오송 분기로 인해 총 5,000원가량 손실을 보고 있는 셈이다.

[116] 사실 전국망 이동을 하는 일상인의 감각에서 5분 자체는 큰 문제가 아니다. 그러나 재정 당국의 경제성 평가에서 사용되는 공식 지침에서는 단 1분의 변동도 사회적 타당성의 변화에 영향을 미친다고 보고 있다. 개인적으로는 다른 종류의 감각처럼 '너무 느리다'라는 판단은 지수적으로 그 역치가 형성된다는 가설 하에, 속도 변화율을 기준으로 평가를 진행했으면 한다. 즉, 나는 사업 시행 이전에 비해 통행 시간을 몇 퍼센트 감축했는지 평가하는 것이 필요하다고 본다. 이 경우 5분은 한 통행이 30분 이내에 이뤄지는 도시 교통, 1시간 이내에 이뤄지는 광역 교통, 1시간 이상의 통행이 통상적인 고속철도와 같은 전국망 교통으로 갈수록 그 효과가 줄어들 것이다.

주무 장관이 직접 운임을 할인하겠다고 약속하였다.[117] 하지만 2015년 봄, 호남고속철도 본선 개통 직전에 실제로 이런 할인을 실행하라는 호남 정치권의 요구는 묵살되고 말았다. 전국적으로 동일한 기준에 따라 KTX 운임이 산정되고 있다는 주장 하에서였다.[118] 정부는 "경부 KTX에 비해 승차율이 낮은 호남 KTX에 대해 수요 진작을 위해 상대적으로 더 높은 할인율이 적용될 수" 있다고 밝혔지만, 수십 년째 실적 개선 압박에 시달리던 철도로서는 결국 운임을 할인하지 않는 길을 택하였다. 호남 방면 최대의 승객이 몰릴 익산~오송 구간인 만큼, 고속철도의 운임을 낮추는 것보다는 운임을 유지하는 것이 운임 수익을 극대화하는 길이라고 판단했을 것이다. 결국 2015년 4월, 2022년 현재와 같은 임률(고속선 기준 155원/km)로 오송 분기가 개통했고, X축 분기로 인한, 그리고 세종시-오송역 복합체의 구성으로 인한 비용은 결국 수도권~호남 간 이용객의 부담으로 남았다.

2006년~: 분기 비리[119]

충북 내부에서는 폭로성 웹싸이트가 하나 등장했다(bungibili.co.kr). "분기 비리"라는 제목을 걸고 있는 이 싸이트는 분기역 결정 과정에서 여러 비리가 있었다고 폭로하고 있었다. 이 폭로의 핵심은 '강원도 보상 논리', 2002년 이후 유치위원회 자금 지원 증액, 분기역 유치위원

---

[117]   17대 국회회의록, 건설교통위원회 255회 2차 회의록, 2005. 7. 6.

[118]   [해명] "호남고속철 과다 요금 시정 조치 검토"는 사실과 다름, 철도운영과, 2015. 3. 18. http://www.molit.go.kr/USR/NEWS/m_72/dtl.jsp?id=95075387

[119]   놀랍게도 집필 시점인 2022년 7월 10일에도 해당 싸이트의 텍스트가 남아 있었다. 당시 싸이트를 개인적으로 갈무리해 두었다.

회의 공금 횡령[120] 및 분기역 평가단 심사위원에 대한 금품 살포[121]였다. 관련된 인물로 지역 국회의원의 이름도 등장한다.

이 싸이트가 누구에 의해 만들어진 것인지는 명시되어 있지 않다. 충북의 내부 논의나 주요 정치인의 발언 등이 반영되어 있다는 점에서 충북과 이해관계가 있던 사람으로 추정할 뿐이다. 가령 일지에는 7월 9일 충청리뷰에 "오송 분기역 일등공신은 누구"라는 기사가 실렸는데 여기서 당시 유치위 명예회장이자 1980년대부터 활동한 인물인 이상록의 이름이 누락되었고 이후의 일지에 2002년부터 유치위를 이끈 것으로 기록된 이상훈의 이름이 사라진 것으로 보아, 이 사건과 관련된 것이 아닐까 추정되기도 한다. 더불어 분기 비리 싸이트가 극적인 반응을 불러일으킨 것으로 보이지도 않는다. 아는 사람들만 방문하여 이런 주장이 있었다는 것을 곱씹는 데 쓰이고 있을 뿐이다.

그렇지만 이 싸이트는 적어도 충북 내부에서 오송역이 일종의 성역처럼 취급받는 이유에 대한 방증처럼 보인다. 오송역은 지역 개발을 바라는 이해관계가 실체를 가지고 결정화된 역이었고, 덕분에 이 역을 둘러싼 장밋빛 전망만 조명 받은 채 관련된 여러 논쟁이나 명확히 이해되지 않는 몇몇 쟁점들은 사회적 논의의 무대에 오르지 못한 채 망

---

[120] "2002년 이후 충북에서 오송 분기 유치 활동에 사용한 충북도민의 세금 총 9억4000여 만 원 중 6억 7500여 만 원이 오송 분기역 유치위원회에 지원된 금액인데, 유치위의 정산서에서 증빙서의 이중 사용이나 납득하기 곤란한 지출들이 발견되고 있고, 이중 장부 의혹이 언론에서 보도"

[121] "충북에서 분기역 평가단 심사위원 예상자 명단까지 만들고 7800만 원을 분기역 평가단 심사위원 예상자에 대한 홍보비 명목으로 사용하였는데 개인들에게 송금된 사실이 밝혀지고 있고, 관계 인사로 부터 오송 분기가 19개 세부항목 전체에서 1등을 한 것은 7800만 원 홍보비가 주효했을 것이고, 충북에서 강원도 보상론을 거론치 않고 7800만 원까지 사용해 가며 분기역 평가단 심사에서 1등을 하는 형식으로 오송 분기를 확정시킨 이유는, 2001년에 오송 분기를 확정시키지 못한 책임을 숨기기 위한 목적일 것이라는 관계 인사의 견해가 나오는 등 의혹이 증폭되고 있다." 분기비리 사이트의 Home 메뉴에서.

각의 늪 속으로 사라져 갔다. 아마도 이 덕분에 분기역 결정 이후 17년이 지난 2022년 현재로서도 분기역 의사결정 과정에 대한 반성적 논의는 누적되지 않고 있는 것 같다. 2022년 현재, 오송역 의사결정 그 자체에 대한 반성적 연구는 단 한 편[122]만 확인되었다. 아마도 충북 지역 내부의 학계에서 이 과정에 대한 세밀한 연구가 제출되어야 '분기 비리'가 있었다는 2006년의 의심을 거둘 수 있을 것이다.

2012~2028년: 고속철도 2복선화와 세종 관통 고속선

이제 마지막으로 살펴볼 공간은 바로 고속철도 그 자체다. 고속철도 병목 문제는 보강 문제에서 이미 살펴본 대로다. 특히 SRT가 개통한 2016년 12월 이후 오송~평택 구간은 고속철도 최대의 병목 구간으로 자리잡았다.

이 사실은 이미 살펴보았듯이 호남고속철도 논의 단계부터 예상되었던 일이다. 그리고 2013년 2월 23일, 국토부는 하나의 대안을 내놓았다.[123] 지금의 수서평택고속선을 건설하여 병목에 대처하면서, 동시에 세종시 시가지 중심부를 관통하는 신선(이하 세종 관통 고속선)을 건설하여 세종시의 고속철도 접근성을 대폭 향상시킨다는 것이다.

물론 반응은 양분되었다. 세종시 공무원들의 환영 분위기를 전하

---

[122]   권향원, 한수정의 논문을 말한다.

[123]   빅카인즈(https://www.bigkinds.or.kr/)에서 확인되는 최초 보도는 김현주, "국토부, KTX 세종역 신설 검토", <세계일보>, 2013. 2. 23.

는 기사,[124] 그리고 충북의 격렬한 반대를 전하는 기사[125]가 2월 말 각 지면을 수놓았다. 충북은 주말(23일은 토요일이었다)이 끝난 25일 곧바로 담당관을 국토부에 파견, 세종 관통 고속선 건설은 추진 계획이 없는 노선이라는 사실을 확인했다고 밝힌다. 이후 국토부는 이 사실을 인정하여 상황은 싱겁게 종료되었다.[126]

이후 고속철도 2복선화는 정말로 평택과 오송을 연결하는 방식으로 추진되었다. 2019년 1월에는 예비타당성조사 면제 사업으로 선정되어 이 사업 진행과 관련해 참고할 수 있는 공개 보고서는 존재하지 않는다. 2021년 6월에는 이 노선의 기본계획이 확정 고시되었다. 2022년, 이 노선의 건설 예산이 배정되었으나 2023년 3월 현재 아직 착공하지 못했다. 덕분에 오송역에서 세종시에 접근하는 30분이든, 고속선에서 빈발하는 지연 현상이든 해결될 기약 같은 것은 없는 상태다.

[124]   유태종·우정식, "행정수도에 KTX역 없다니"… "역 만들면 누가 이사 오겠나", <조선일보>, 2013. 2. 26.

[125]   가장 흥미로운 언급은 이 기사였다. '충북도가 KTX 세종역 신설 보도에 엄청난 충격을 받았다는 사실이 26일 재확인됐다. …감정 기복이 없는 무표정한 모습 때문에 '포커페이스'란 별칭을 갖고 있는 이시종 지사도 이번 만큼은 적잖은 충격을 받은 듯 다소 상기된 표정이 역력했다.' 김정호·권보람, "맘 졸인 충북도 '세종역 원천 봉쇄'", <충청일보>, 2013. 2. 26.

[126]   그러나 이 논란을 계기로 세종과 수도권 동남부를 잇는 제2경부고속도로를 건설해야 한다는 여론이 다시 비등하기 시작했다. 김동민, "세종역 대안은 제2경부고속도로", <충북일보>, 2013. 2. 26.

보강 5: 2복선화의 논리

고속열차를 자주 타는 사람이라면, 열차가 제 속도를 내지 못하고 서행하는 상황을 꽤 많이 경험했을 것이다. 특히 오송 인근부터 평택에 이르는 구간에서 고속열차가 서행하는 상황은 이제 일상다반사다. 고속열차라면서 이들은 왜 이렇게 서행하는 것일까?

차량은 서로를 뚫고 지나갈 수 없다는 아주 평범한 사실에서 이야기를 시작해 보자. 이는 복수의 차량이 제 속도로 달리게 하려면 이들 차량이 각각 물리적으로 다른 시공간에 존재하도록 만들어야만 한다는 뜻이다. 이를 위해 길은 실제로는 제각각인 차량의 방향을 서로 180도 다른 두 방향으로 정돈하고 각각의 방향에 하나씩의 길을 배타적으로 제공하는 방식으로 구성된다.

도로라면 중앙선을 사이에 둔 상·하행선이 그 하나씩의 길이다. 철도의 경우, 길이 상·하행 한 가닥씩 존재하는 경우를 '복선'이라고 한다. 이보다 규모가 작은 길, 즉 양방향 열차 모두 길 하나만을 사용하는 경우를 '단선'이라고 한다. 단선은 선로 용량을 복선의 두 배 이상 올릴 수 있는 조건이다. 단선은 역에 열차가 서로 비껴갈 수 있는 교행 선로를 구축한 다음 열차가 서로 비껴나가도록 해야 하는데, 이 과정에서 한쪽 열차가 정차한 채 상대편 열차가 진입할 때까지 기다려야 하므로 더 긴 시간 동안 일정 구간을 점유하게 되기 때문이다. 게다가 역 내부에서 열차가 진행하는 진로를 구성하는 동안에도 시간이 걸린다. 산술적으로 단선 구간은 하루에 대략 30~40회가량, 즉 시간당 2회가량의 열차를 처리할 수 있는 것으로, 복선 구간은 100회 이상 열차를 처리할 수 있는 것으로 평가된다. 고속철도의 경우 4분 간격으로 1개 편성을 처리할 수 있으므로 시간당 약 15회가량의 열차를 집어넣으면 용량은 꽉 찬다.

물론 현실에서는 여러 가지 변수가 존재하기 때문에 이렇게 깔끔한 상황은 사실상 불가능하다. 가령 오송역에 정차한 열차 #555 다음에 통과 열차 #777을 설정한다고 하자. 정차해 있던 #555가 300km/h까지 가속하는 데는 약 4분이 걸린다. 이 시간 동안 #777은 #555와 간격을 점점

좁힌다. 앞 열차와의 간격이 3분보다 짧아지면 고속철도의 신호 체계는 열차를 자동으로 감속시킨다. 따라서 #777이 오송역 인근에서도 300km/h를 유지하기 위해서는 #555가 오송역을 출발한 후 적어도 7분 뒤에 오송역을 통과하도록 시각표를 구성해야 한다.

물론 이것은 어디까지나 백지에서 구성된 이야기다. 가령 #555가 오송에 4분 정도 지연 도착했고, 이어서 승객이 너무 많이 타고 내려 오송역에서도 1분 정도 더 지연되었다면, 7분 간격을 확보했다고 해도 결국 #777은 #555의 도착과 발차를 기다리며 2분 정도 정차한 다음, #555가 가속하는 3분 동안 그 속도에 맞춰 속도를 낼 수밖에 없다.

이에 따라 #777 역시 5분가량 지연될 수밖에 없다.

이처럼 오송, 천안아산에서 정차 열차와 통과 열차가 혼재하여 서로 진로를 방해한다는 사실 덕에, 실제 고속열차의 정시성을 2022년 현재 수준으로 보장하려면 평택~오송 복선 구간에 고속열차를 시간당 11~12회 이상 집어넣을 수 없다. 이 숫자를 늘려 해당 병목 구간을 손보기 위해 현재 수행되고 있는 작업이 바로 고속철도 2복선화이다. 2복선화를 완료하면 두 선로의 조건이 동일하다는 전제 하에 용량이 2배 증가된다. 따라서 평택~오송 사이의 2복선화가 완성되면 시간당 20회 이상의 고속열차를 투입할 수 있으며, 이렇게 되면 현재 약 하루 180회인

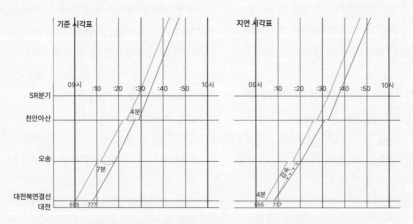

도표 5-2. 선·후행 열차의 시격을 나타내는 열차 시각표. 현업에서 쓰이는 운전 시각표 양식에 따라 작도하였다.

고속열차의 배차를 두 배 가까이 확대할 수 있는 기반이 갖춰진다.

다만 이 선로는 선로 용량을 모두 활용하기는 어려울 것이다. KTX의 경우 아주 오래된 문제인 서울~금천구청 간 병목 때문에 무궁화호와 새마을호를 줄이지 않는 이상 열차 추가가 어렵다. 수서발 고속열차의 경우에도 GTX-A선과의 경합으로 수서역까지 열차를 지금보다 40회 이상 증편하기가 어렵다. 인천발, 수원발 KTX 각각 10여 편과 서울/용산발 수원 경유 KTX와 무궁화 열차를 조정하고 서울발 거제 방면 KTX를 10회가량 추가할 틈을 만들어 총 80회가량의 고속열차를 추가 투입하는 정도가 아마도 한계일 것이다. 결국 서울~금천구청 간 병목이 해소되기 전에는 고속열차가 평택~오송 사이의 병목 구간을 약 260회 통과할 것이다.[127]

충북의 호언장담과 달리 고속선의 용량이 복선으로 부족해진 이유는 방금 서술한 내용 속에서 확인할 수 있다. 특히 수도권 방면에서 늘어난 가지의 개수가 문제다. 평택~오송은 전라, 경상 방면의 가지 6개(호남선, 전라선, 경전선, 경부선 구포 경유, 경부고속선, 동해선)를 운행하는 열차, 그리고 수도권 방면의 가지 2개를 운행하는 열차가 모두 모이는 구간이기 때문에 병목이 된 것이다. 이들 경우의 수마다 1시간에 한 편씩만 열차를 집어넣어도 열차 수는 총 12편에 달하여 열차 운행량은 복선의 한계에 도달한다. 여기에 수도권 방면으로 2개(인천, 수원), 남부 지방으로 하나의 가지(거제 방면 남부내륙선)가 더 추가되면 경우의 수는 더욱 증가하여 4×7=28개에 달한다. 28개 경우의 수에 모두 한 편 이상의 열차를 집어넣을 경우 필요한 선로 용량은 2복선 이상이다.

이들 경우의 수 모두에 대해 약 1천 명이 탑승할 수 있는 KTX-1을 투입하는 것은 당연히 낭비일 수 있다. 바로 이런 판단으로 400여 명이 탑승하는 KTX-산천 편성이 대거 도입, 운행에 투입되었고, 따라서 단순히 통과 인원만으로 2복선이 필요하지 않다는 계산은 무력화되었다. 이것은 결국 수도권 곳곳을 영호남의 곳곳과 연결하는 방향의 고속철도 계획은 그 자체로 양청 접경 주변에서는 2복선

---

[127] 해소된 후에는 서울/용산발 약 190회, 수 서발 약 100회, 인천/수원발 합계 30~40 회를 합쳐 320~330회가량이 될 것이다.

또는 그 이상의 선로 용량이라도 우습게 소모한다는 뜻이다. 더불어 고속철도의 용량은 인원수보다는 설정된 열차의 수로 계산해야 한다는 평범한 사실도 함께 확인할 수 있다. 결국 6장에서 확인하게 될 2복선화 논쟁은 이 평범한 사실을 망각하고 더불어 한국고속철도의 네트워크 구조 또한 무시한 채 이뤄졌다는 점에서 비판받아야 할 역사적 기록이라고 보아야 한다.

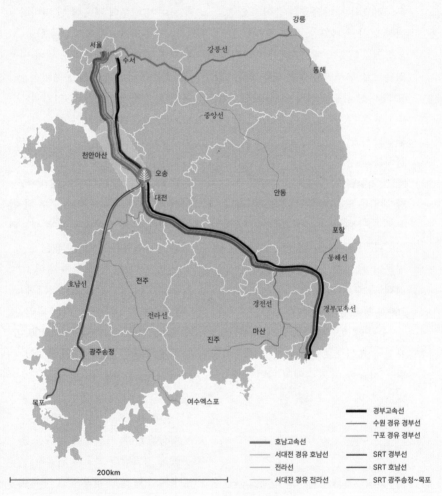

지도 5-3. 한국고속철도의 병목 구조. 2022년 연말 기준. 굵기는 하루 운행 편수에 비례한다.

6장. 분기 논쟁의 논리

…분명히 국가주의적인 정신이 각 주 입법부에 퍼지는 것보다
지역정신이 연방의회의 구성원들에게 훨씬 더 만연할 것이다.
— 제임스 매디슨, 페더럴리스트 페이퍼 46

1절. 논의의 전제: 양청 접경 선택

호남고속철도 중부 지역 노선의 세 대안

이렇게 실제 시간 순서대로 진행된 연대기를 쟁점에 따른 논쟁으로
재구성하기 위해 무엇보다 시간을 되감을 필요가 있다. 호남고속선이
충청의 세 대도시가 모여 있는 양청 접경 지역을 벗어났을 역사적 가
능성이 있기 때문이다.

이 가능성을 이해하려면 지도를 살펴보아야 한다. 지도 6-1은 호
남고속선 노선 대안으로 크게 세 종류의 노선이 검토되었음을 보여
준다. 가장 서쪽에서 경부고속선과 분기하는 서측 노선안은 평택의
안중읍에서 분기해 곧장 익산으로 향한다. 한편 천안에서 분기하여
익산이나 전주를 거쳐 광주 방면으로 남하하는 노선안은 중앙 노선안

이라는 이름으로 불렸다.
지금의 오송 대안, 그리
고 대전 대안은 동측 노
선안으로 불렸다.

중부매일에 실린 김
영철의 기사[128]는 이 가
운데 서측 노선안을 택하
지 않아 문제가 커졌다
는 당시 건설교통부(지금
의 국토부) 관계자의 발언
을 전하고 있다. 실제로
이 노선망을 선택했다면,
평택에서 익산까지의 거
리가 지금보다 30km 가

지도 6-1. 호남고속선의 중부 지역 초기 노선 대안. 김영철, [긴급
진단 호남고속철 오송기점역] 서해안 축 무시 정치적 결정, 중부매
일, 2000. 1. 8의 내용 지도화. 실선이 현존 노선이다.

량 단축되었을 것이다. 표정속도가 200km/h라면 9분가량 걸리는 거
리이고, 정차역 하나가 줄어든다고 가정하면 6~7분이 더 빨라지므로,
약 15분 정도 더 빠른 노선이 바로 이 서측 노선이었다. 이렇게 되면
익산까지 용산에서 정확히 1시간, 전주까지는 전라선을 이용해도 1시
간 15분, 광주까지도 1시간 25분이면 고속열차가 도달했을 것이다. 더
불어 지금의 수서평택고속선은 바로 이 서측 대안의 분기역 부근에서
경부고속선과 합류하므로, 평택 이남 고속선 2복선화 사업은 애초에
필요하지 않았을 것이다.

---

[128]   김영철, "[긴급 진단 호남고속철 오송 기점역] 서해안 축 무시 정치적 결정", <중부매일>, 2000. 1. 8.

왜 양청 접경이 선택되었을까

그렇지만 실제로 선택된 것은 양청 접경 지역을 통과하는 대안이었다. 연대기에서 목도한 것은 중앙 노선안과 동측 노선안 사이의 대결이었고, 여기서 결국 동측 노선안이 이겼다. 그리고 중앙 노선안과 동측 노선안은 모두 양청 접경의 대도시 가운데 하나를 분기역으로 택하는 대안이었다. 그렇다면 호남고속선 계획가들이 가장 먼저 풀어야 했던 문제는, 왜 서측 노선안이 아니라 양청 접경을 택해야 하냐는 문제라고 보아야 한다.

서측 안과 중앙 안 그리고 동측 안의 차이는 결국 호남선 고속열차가 충청권의 대도시를 얼마나 거쳐 가느냐에 있다. 노선이 동측으로 갈수록 열차는 우회하지만 더 많은 대도시를 거쳐 갈 수 있다.[129] 반면 서측 안을 선택하면, 열차는 직선으로 진행하지만 충청권에서 소도시만 만날 수 있다.[130] 따라서 서측 안을 택할수록 호남 방면 속도가 올라가는 대신 충청권 수요를 흡수하는 수준은 낮아지고, 동측 안을 택할수록 호남 방면 속도가 느려지는 대신 충청권 이동 수요는 더 많이 흡수할 수 있다. 이렇게 되면 판단은 수도권과 호남 사이를 오가는 승객 수와 충청권의 승객 수 사이의 비교에서 갈리게 된다.

이 비교에서는 배차 간격 그리고 투입된 차량 규모를 반드시 감안해야 한다. 고속열차를 비롯한 철도는 일정한 배차 간격을 보장하지 못하면 신뢰할 수 있는 이동 수단이 되기 어렵다. 열차를 내 일정에 맞춰 이용하는 것이 아니라 내 일정을 열차에 맞춰야 하기 때문이

---

[129]   전주 경유 문제는 이 책에서 다루지 않기로 한다.

[130]   1990년 당시 아산 인구는 16만 명 수준이었으며, 1990년대 후반에 들어서야 반등하기 시작했다.

다. 자동차와 같은 경쟁 교통수단이 다수 존재하는 상황에서 이렇게 되면 경쟁에서 크게 불리해진다. 한편 차량의 유형은 가능한 한 단일화하는 것이 관리하기 편하고 규모의 경제를 실현하기에도 더 적절하다. 이것이 초기에 경부선 차량, 즉 정원 1천 명에 달하는 20량 편성이 호남선에도 다니도록 설정되었던 이유다. 경부선에 맞춰 설정된 거대한 차량을 호남 지역에도 일정에 특별히 구애받지 않을 정도의 충분한 빈도로 공급하려면, 결국 수요를 극대화할 수 있는 노선을 택하지 않으면 안 된다. 이렇게 하지 않으면 열차는 좌석이 텅 빈 채로 운용될 것이므로, 운영사로서도 수익을 극대화하게끔 수요가 더 많은 노선으로 열차를 돌릴 수밖에 없다.

실제로 호남선의 이용률(제공 좌석 대비 승차 승객)은 20량 열차만 다니던 2009년 이전에는 경부선에 비해 30%가량 낮았으며, 20량 열차보다 더 작은 10량 열차(KTX-산천)가 다수 투입되는 최근에도 여전히 20%가량 낮다. 그렇다면, 고속철도 초기 계획에서도 수도권~호남 사이의 승객만으로는 20량 열차를 높은 빈도로 투입해 열차 운영의 수익을 극대화할 수는 없다고 판단했을 가능성이 크다. 부족한 수요를 수도권~충청권 그리고 충청권~호남권 승객으로 채운다면, 호남선의 열차 빈도를 보장하면서도 수익성을 채울 수 있었을 것이다.

분산 요구

또 다른 문제가 있다. 수도권 분산이라는 문제다. 충청권, 특히 대전이 정부의 의도적인 개발에 의해 수도권 분산의 초점이 되었다면, 천안과 같이 경기도계에 면한 충청 북부의 여러 지역은 21세기 들어 민간 제조업이 남하하여 수도권 분산의 초점이 되었다는 사실을 이미 확인한 바 있다(2장). 수도권 집중을 완화하려는 의도를 가진 정부라면, 이 현상을 활용하지 않을 수 없다.

특히 후자의 분산은 2000년대 이후 20년 넘게 고속도로를 활용해 서해안의 서산부터 중부 내륙의 충주에 이르는 충청 북부 지역 전체에 걸쳐 벌어지고 있다. 한편, 정부의 계획이 촉발시켜 이뤄지는 분산의 거점은 결국 대전, 청주, 천안 같은 지역 대도시들이다. 정부 계획에 의한 분산은 민간의 자발적 분산보다 종심(縱深)이 깊어야 한다. 고속철도는 바로 이 계획을 강화하는 방향으로 이루어졌다. 그리고 수도권에서 가능한 한 먼 지점까지 출퇴근도 가능할 만큼인 1시간 이내의 서울 도심 방면 연결을 제공해 민간을 남하시킬 수 있는 기반으로 주목받았다.

호남고속철도는 경부고속철도가 가지고 있던 이 기능을 더욱 강화할 수 있는 수단이었다. 특히 수도권 기능이 분산되면서 늘어나던 수도권~충청권 수송 수요를, 20량 열차를 필요로 하는 수도권~영남권 수송 수요를 처리할 좌석을 잠식하지 않고 그 자체로 처리할 수 있는 열차를 제공한다는 점에서 호남고속철도 열차는 수도권 분산의 도구로서 매력적이었다.

우리의 주인공 오송은 이 맥락에 호소하여 양청 접경에서 하나의 자리를 확보했다. 천안은 수도권에 지나치게 연접하여 수도권 연담화를 피할 수 없고, 대전은 이미 대도시이므로 분산의 효과가 적다는 것이 충북의 주장이었다.[131] 실제로 천안은 경기도계 바로 남쪽이며, 평택, 안성과의 경계는 평지로 이뤄져 있다. 이들 지역은 1호선 개통

---

[131]   오송백서, 646~647.

호남고속철도 구간 및 대안별 현황

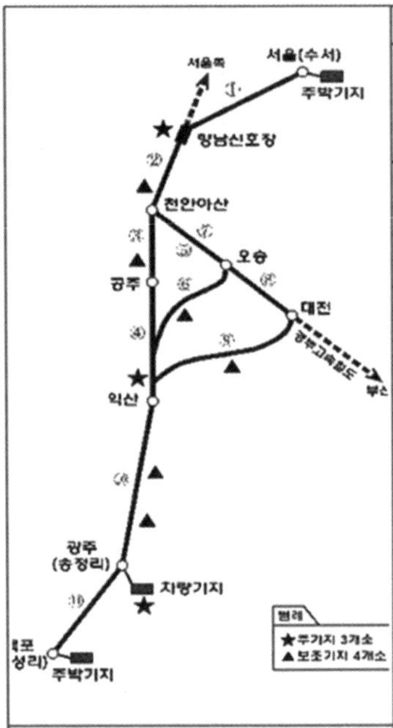

구 분		연장(km)	열차운행 시간(분)
서울(수서)~천안아산	①	44.27	21
	②	40.58	
	소계	84.85	21
천안아산~공주~익산	③	35.17	11
	④	63.35	17
	소계	98.52	28
천안아산~오송~익산	⑤	28.65	10
	⑥	88.84	22
	소계	117.49	32
천안아산~오송~대전~익산	⑦	28.65	19(26)
	⑧	34.50	
	⑨	69.09	19
	소계	132.24	38(45)
익산~광주(송정리)	⑩	92.73	22
광주(송정리)~목포(임성리)	⑪	48.74	13
	소계	141.47	35
천안아산		324.84	89
오 송		343.81	93
대 전		358.56	96

주) 1. 구간별 열차운행시간은 정차시분을 제외한 시간임.
2. 열차운행시간의 ( )는 오송역 정차시임.

그림 6-1. 호남고속철도 기본계획 수립 당시 건설교통부의 분기역 대안 평가 그림. 자료: 미래철도DB.

(2005) 이전에도 경부선과 1번 국도를 따라 도시가 연담화되어 있었다. 한편 청주는 천안과 차령산지로 분리된 지역이므로 경기 남부 도시권과 지형을 통해 분리되어 있다고 평가할 근거가 있다. 더불어 대전은 1990년에 이미 인구 100만 명을 돌파한 대도시였다. 이에 충북은 오송 분기를 통해 청주에 교통로라는 자원을 몰아 주어야 수도권이나 대전의 비대화 및 확산을 막고 그에 대응해 균형을 맞출 수 있다고 주장할 수 있었다.

2절. 대전 문제

초점을 대전으로 옮겨 보자. 오송이 동쪽 대안으로 묶인 이유 가운데 하나는, 이 노선이 애초에 대전 서부를 영향권으로 포함하고 있었기 때문이다. 청주 충북도청으로부터 직선으로 15km 떨어진 오송역이 청주 지역의 수요에 대응할 수 있다면 대전시청에서 직선으로 15km 떨어진 현재의 호남고속선 상에 건설될 역 역시 대전 서부의 수요에 대응할 수 있다고 보는 데도 무리가 없다.

박정자역이라는 유령

이런 구상의 핵심이 바로 박정자(공암)역이다.[132] 이 지점은 대전 서부에서 공주, 나아가 충청 서해안 지역으로 향하는 도로망이 통과하는 지점이기까지 하다. 박정자역을 제대로 활용하면 대전은 물론 공주와 충청 내륙, 나아가 서해안 지역까지도 호남고속철도의 수요 범위에 들어올지도 모른다.

그림 6-2는 박정자역 구상의 실체를 보여 준다. 대전과 공주의 접경에 위치한 박정자에 역을 건설하고, 대전 서부(유성)의 수요를 흡수한다는 것이 그 핵심이다. 중심이 점점 더 서쪽으로 옮겨 가던 대전의 발전을 위해서도 이는 적절한 대안처럼 보였을 것이다.

앞서 확인한 것처럼, 대전은 적어도 2001년까지는 충북과 보조

---

[132]   정리된 보고서로 오덕성, 「호남고속철도 대전 공주 경유 타당성 연구」, 대전광역시개발위원회, 1996. 4. 오송백서, 1343~1346에서 재인용.

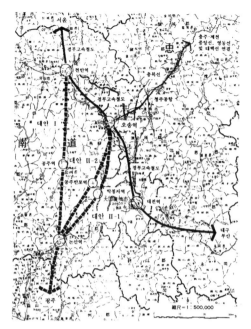

그림 6-2. 호남고속철도의 노선 대안. 박병호, 「호남고속철도 분기역 대안의 비교 분석」, 충북리포트, 1995년 3월호: 3.

를 맞추었다. 당시의 언론 기사[133] 등에 대한 정량적 분석을 통해 대전
이 충북과 밀접하게 연결된 하나의 파당을 이루고 있었음을 보여 주
는 연구도 존재할 정도이다. 이는 중앙 정부는 물론 최대 수요처인 호
남 지역에서 더욱 선호하였던 천안 대안에 비해 열세였던 오송 대안
의 세력을 키워 준 결정적 행위자가 대전이었다는 점을 보여 준다.

---

[133]   대전시가 오송 분기 후 박정자 경유 안을 추진하고 있다고 언급하는 기사로는 다음을 참조. "천안-논
         산 직결·대전 통과안 격론", <중도일보>, 1995. 4. 15.

대전의 입장 변동: 계룡산 변수

하지만 대전은 적어도 2001년 11월 27일부터는 충북과 행동을 달리하기 시작했다. 대전시가 이날 정부와 교통학회에, 자신들은 이제 대전역 분기를 지지한다는 공식 입장을 내놓은 것이다.[134]

그 이유는 앞서 일대기에서 언급된 대로다. 계룡산 관통 문제가 2001년 10~11월에 걸쳐 중요한 쟁점으로 떠올랐기 때문이다.[135] 양산 천성산에서 2001년 여름 이후 여러 달에 걸쳐 진행된 고속철도 통과 반대 투쟁은 2001년 11월에는 전국적 주목을 끌었고,[136] 계룡산은 이미 국립공원으로 지정된 지 오래된 산인 만큼 보존이 필요한 상황이었다. 그런데 박정자든 공암이든 오송에서 출발한 호남고속선이 남북으로 통과한다면 계룡산국립공원 경내를 관통하는 선형이 불가피하다. 이로 인해 교통학회는 박정자 통과안을 포기한 것으로 보인다. 대전 시가지 근처로 노선을 끌어들이면 이번에는 군사 시설 부지나 대전 서측의 개발 가능지를 저촉하는 문제가 생기고 만다. 결국 대전이 충북과 행동을 달리한 원인은 계룡산, 그리고 당시 고속철도를 직접 겨냥했던 환경 운동이라는 두 행위자 때문이라고 할 수 있다.

이런 입장 변화 속에서 타격을 입은 지역은 바로 공주다. 박정자는 서부 대전과 공주 모두가 활용할 수 있는 입지의 역이었을지도 모른다. 하지만 대전이 이 입지를 활용하길 포기하자 대전과 공주의 가

---

[134] "호남고속철도 대전 분기 건설 적극 추진", 대전광역시, 2002. 10: 3.

[135] 다만 계룡산 문제는 1995년 호남고속철도 노선 논쟁 초기부터 인지되었던 문제였다. 다음 기사를 확인. "천안-논산 직결·대전 통과안 격론"", <중도일보>, 1995. 4. 15.

[136] 양산시의 천성산 습지 보호구역 신청은 2001년 8월 말, 13개 늪이 추가로 발견된 것은 9월 초, 고속철도 관통 자체가 논란이 된 것은 11월이었다. 그보다 앞서 2001년 여름에 임도 개설 반대 시위와 생태계 조사 활동이 진행되었다. 해당 투쟁의 흐름은 임도 개설에서부터 누적되어 온 투쟁이 당시 천성산을 관통할 준비를 하던 고속철도를 활용해 규모를 키우고자 했던 시도로 이해해야 할 것이다.

운데 지점에 역이 들어설 것인지 여부는 불투명해지고 말았다. 교통학회가 제시한 노선이 세종시-계룡산-자운대 회랑을 직선으로 지나지 않고 공주 시가지 동남측으로 접근할 경우, 점선(가상 선형 1, 2)과 같이 선형이 지나치게 구불구불해져 아마도 호남 등 여타 지역의 지지를 받기는 어려웠을 것이다.

대전역 분기와 토목 비용

이렇게 대전이 선택한 대전 분기는 겉보기에는 아주 중요한 장점을 가지고 있었다. 현재의 대전역뿐만 아니라 천안~대전 사이의 경부고속선을 그대로 활용할 수 있으므로 재정 면에서도 유리하다. 게다가 영호남 사이의 환승 통행을 가장 짧게 만들 수 있다는 점에서, 그리고 대전과 호남 사이의 통행 역시 고속철도로 흡수할 수 있다는 점에서 수요를 극대화하는 노선이기 때문이다. 하지만 대전 분기는 비용과 토목 구조 면에서 중요한 문제를 노출하고 말았다.[137]

먼저 대전 지하역 문제. 대전에서 분기할 경우, 분기역을 지하에 만들어야 한다. 초기 경부고속철도 계획은 대전역을 지하에 건설할 계획이었으므로, 이 계획에서 대전 분기를 택할 경우 이 지하역 옆에 또 다시 호남고속철도 분기선로를 시공해야 했다. 이는 막대한 토목 공사비가 필요한 결정이다. 이후 과도한 예산 때문에 경부고속철도 대전 구간이 지상으로 바뀌었으나(1999), 지상 대전역은 주변이 이미 개발된 상태이므로, 고속철도 분기를 위해 필요한 넓은 공간을 제대로 확

---

[137]   오송백서, 1387~1388.

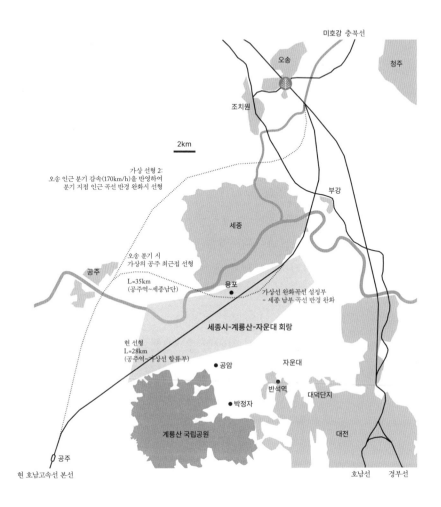

지도 6-2. 오송부터 공주까지, 주요 시가지, 철도, 계룡산국립공원의 위치 관계. 2022년 현재의 포털 지도를 바탕으로 저자가 그렸다. 점선이 공주 접근성을 확보하기 위해 곡선반경 5km, 그리고 시가지와 계룡산을 피해야 한다는 조건 아래에서 그린 가상의 선이다. 공주시의 금강 남안이 백제 시대부터 이어진 구도심이지만 지형이 험준하여, 부득이 금강 북안의 신도심 인근에 역을 세울 수 있는 선형을 택했다. 현 공주역 이남 노선의 경우, 국토연구원의 계획에서 천안 분기 시에도 동일 노선이 검토되었다 (미래철도 DB 참조). 검은 점은 대전 서부-세종 남부 정차역과 관련해 논의된 지역의 위치이다.

보할 수 없다. 결국 어떤 방향이 되든, 지금의 대전역을 유지하는 한 대전 분기는 난공사가 예상되었다.

더불어 대전역은 도시철도 1호선의 핵심 역(이용객 최대, 통상 약 10%)이므로 이를 포기하고 대전 시내에 다른 분기역을 건설하는 것은 대전 시내 교통망의 관점에서도 택하기 어려운 대안이다.

대전역에서 분기할 경우, 호남과 수도권 사이의 소요 시간도 가장 길어진다. 대전은 분기역 가운데 가장 남쪽이자 가장 동쪽에 있기 때문이다. 대전역에서 분기할 경우 호남으로 진입하기 위해서는 방향을 더 틀어야 한다. 천안에 비해서는 35km, 오송보다는 약 15km가량 더 길기 때문에, 호남선 방면 열차는 천안 분기에 비해서는 10분, 오송 분기에 비해서는 6분 정도 더 걸릴 것으로 예측되었다. 게다가 대전은 산악 지역과 좀 더 인접해 있고, 이로 인해 본선에 산악 터널이 더 늘어난다는 점 또한 문제로 지적되었다. 당시로서는 공사비가 더 비싼 터널보다는 저렴한 토공이 많은 본선 계획이 조금 더 유리했다.

이들 두 논거는 결국 이렇게 정리할 수 있다. 공사도 어렵고, 비용역시 예상보다 많이 들 수 있다. 게다가 이미 확인했지만, 경부고속철도의 2복선화 논란은 중앙 정부가 개입하여 촉발시킨 것이었다. 고속선 2복선화 시, 대전 분기는 비용을 최대로 만드는 선택이 된다. 경부고속철도 사업비 폭증, 교통 재정 전체의 팽창 등 재정 건전성에 대한 악영향을 조정해야만 했을 뿐만 아니라, 가능한 한 빠르게 호남고속철도를 개통시켜 달라는 호남의 요구에 직면했던 정부로서는, 2001년 이전은 물론 그 이후에도 다른 지역의 지지를 전혀 얻지 못해 그리 유력한 입장이 아니었던 대전 분기안을 강화할 동기가 없었다.

분기역 문제의 스캐빈저, 대전

권향원 등의 논문은 2004년부터 2005년 6월 사이 대전이 동맹을 구축하지 않은 채 단독 행동을 했다고 밝힌다(409~412쪽). 이것은 아마도 겉으로는 사실일 것이다. 그리고 실제로 대전의 단독 행동이 오송이나 천안 분기 동맹에 참여한 여타 지방 정부의 행동에 별다른 영향을 끼치지 않은 것 또한 사실일 것이다.

하지만 이것은 대전이 분기 쟁점에 결과적으로 완전히 중립적이라는 뜻은 아니었다. 가령 대전 대표단은 최종 의사결정 당시 충남과는 달리 평가장에서 퇴장하지 않았다. 이미 연대기에서 살펴보았듯 한나라당의 당론에 영향을 받는 지역 대표가 평가단의 66%에 달하는 상황임에도 그렇게 한 것이다. 더불어 이들은 평가단 구성 방법에서 충북의 손을 들어 줬다는 사실 또한 연대기에서 확인할 수 있다. 이것은 결국 충남 안 즉 대전에서 상대적으로 멀리 떨어진 지점을 통과하는 대안보다는 충북 안, 즉 여전히 대전시청에서 직선 거리 20km 이내의 지점에 호남고속선을 통과시키는 대안이 대전에게 더욱 유리해 보였기 때문이지 않을까.

이로부터 결국 대전이 분기역 쟁점에서 일종의 기회주의적 태도를 보여 줬다는 해석이 나온다. 노선을 자신들의 경계에 가능한 한 가까이 끌어오길 원했지만 본래 원하는 방식으로는 어려워지자, 가능한 한 협상의 여지를 남겨 두어 미래에 무언가를 얻고자 하는 태도. 나는 대전 문제를 정리하면서 2002년 이후 이들의 태도를 스캐빈저(scavenger)에 빗대어 이해하고 싶어졌다. 스캐빈저란 사냥감의 숨통을 직접 끊기보다는 사냥감을 쫓는 다른 포식 동물의 주변을 맴돌다가 포식 동물이 사냥감의 목숨을 끊고 식사를 마친 다음에야 사체에 다가가 사냥감을 뜯어먹는 포식 동물이다. 사자 곁을 맴도는 대머리독수리,

시체 곁에 모이는 까마귀를 떠올려 보라. 동맹이 없다는 점에서, 승산이 전혀 없는 독자 행동에 나선 대전은 바로 이렇게 다른 포식 동물(이 경우에는 충북) 주변을 맴도는 스캐빈저를 연상시킨다.

물론 이 과정에서 대전이 실제로 많은 것을 얻었다고는 할 수 없다. 현재의 공주역을 이용하라는 망언을 듣는 처지에 놓인 데다, 서대전역 경유 KTX가 이용하는 호남본선 가수원~논산 간 개량 공사는 2022년 가을 현재 겨우 예비타당성조사를 통과한 채 서류 위를 맴돌 뿐이다. 용포리에 역을 짓고 대전 1호선을 연장해 붙이고자 하는 세종시와의 협력도 여전히 원활하지 못하다. 그렇다면 대전의 스캐빈저 활동은 목표를 충분히 달성했다고 보기 어렵다.

3절. 충북과 충남의 격전

충남의 공세: 서해안 축과 호남 방면 동맹 구축

이제 초점을 포식 동물로 옮겨 본다. 충남은 자신들의 논의를 정당화하기 위해 '서해안 축'이라는 종관 방향 축을 활용한다. 이는 노태우 정부 시기 중국의 개혁 개방과 함께 정부의 국토개발 방향에 등장한 축이자, 이를 실제 물리적으로 구현하기 위해 서해안고속도로가 투자되었던 축이기도 했다. 충남으로서는 서부 지역이 상대적 저개발 지역인 이상,[138] 이 지역을 개발할 여러 방법을 추구할 수밖에 없었다.

---

[138]   도청신도시가 이 지역 북부(내포 지역)의 홍성-예산 일대에 들어섰다는 것은 하나의 방증이다.

더불어 충남이 옹호하는 노선, 즉 천안에서 분기하는 중앙 노선은 어느 쪽이든 충북과 대전이 옹호하던 동부 노선보다 호남 방면으로의 거리를 더욱 단축시켰다. 이는 호남 지역 3개 지방 정부와 충남이 지속적이고 강한 연합을 구축하여 1990년대 이후 2005년 6월 30일까지 공동 전선을 펼치게 만든[139] 근본적인 이유였다.

이 축을 보완할 의미가 있는 철도 노선인 장항선을 살펴보아야 한다. 호남고속철도든 경부고속철도든 모두 장항선과 환승이 가능하다 (천안아산역의 장항선 측 역인 아산역의 실제 개통은 2008년)는 점에서, 그리고 장항선이 충남 서해안을 종관하는 교통로를 제공한다는 점에서 고속철도 투자의 효과를 확대시키기 위해 함께 고려되어야 하는 노선이었다.

하지만 3장에서 보았듯 이 노선은 투자 우선순위가 밀려 2022년 현재로서도 대부분(신창~익산) 구간에 걸쳐 단선 비전철이 유지되고 있다. 선형 개량 사업도 두 단계로 나누어 거의 20년째 이뤄지고 있다. 이런 현실 상황에서는 환승의 효과도 반감될 수밖에 없다.

게다가 천안 지역에서는 동북측 내륙 방향으로 향하는 노선이었던 안성선이 1989년을 끝으로 사라졌다. 이는 충북선이 건재하던 충북과는 달리 천안으로서는 호남고속철도 분기 논쟁에서 X축의 몽상을 동원하기 어려운 상태였다는 뜻이다. 3장에서 보았듯 안성선을 활용해 중앙선과 경부선 사이의 교량선을 구축하는 기획은 1944년 이후 오랜 시간 동안 잊혔다. 이 교훈 덕인지, 천안은 2016년 이후 2022년 현재에 이르기까지 서산에서 천안, 증평을 거쳐 문경을 통해 경북으로

---

[139]   연합의 지속성과 강도에 대해서는 권향원·한수정, 같은 논문: 407~412.

진입하는 중부권 동서횡단철도 부설을 위한 행동[140]에 나서고 있다.

충북의 확전 1: 강호축 방면의 산악 동맹

충남의 확전 시도가 양청 접경의 서측과 남측을 향하는 사이, 충북은 충북선을 따라 강원 그리고 경북 방면으로 동맹을 형성했다. 이들과의 동맹은 대전과 함께 충북의 든든한 우군이 되었다. 특히 대전이 독자 행동에 나선 2001년 이후, 강원과 경북 방면 동맹은 오송 분기의 승리에 결정적으로 기여하였다.[141] "충북선이 곧 이론이고 논리다"라는 박종호의 말처럼, 충북에 광물 자원의 기회를 주었던 충북선은 오송 분기를 위한 기회도 주었다.

충북선은 강호축의 근거다. 이 노선은 호남 방향에서 올라오는 열차가 방향을 전환하지 않고 진입하여 강원 산악으로 향할 수 있는 유일한 교량선이다. 이 사실에 주목한 충북은 고속철도 영역에서도 충북선이 호남과 강원을 잇는 역할을 할 수 있을 것이라고 주장한다. 그림 5-1에서 비어 있는 중부권~강원권 사이의 연계를 바로 강호축이 제공할 수 있다는 것이 이들의 논리였다는 점은 이미 연대기에서 확인했다.

---

[140] 빅카인즈에서 포착된 '중부권 동서 횡단철도"에 대한 첫 번째 기사는 2016년 10월 20일의 것이다. 장영태, "중부권 동서 횡단철도 노선통과 12개 지자체·민간단체 손 맞잡아", <세계일보>, 2016. 10. 20.

[141] 특히 경북은 한나라당 강세 지역의 핵심이고, 강원 역시 한나라당 강세 지역이었으며 현재로서도 그렇다는 점을 염두에 둘 필요가 있다. 이것은 한나라당의 당론이 영남 지역 대표들에게도 위력을 발휘했던 핵심 이유일 것이다.

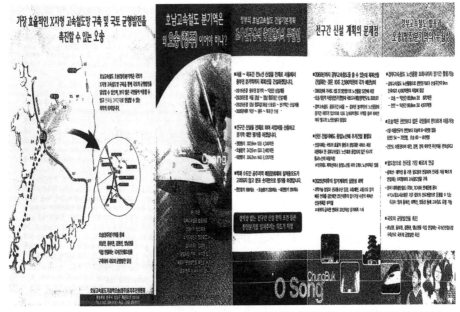

그림 6-3. 오송역의 정당성을 알리는 브로슈어. 오송백서, 646- 647쪽. 이번 절에 등장하는 논리를 해당 브로슈어를 기준으로 선정하였다. 시점은 명시되어 있지 않으나 복복선 쟁점이 등장하는 것으로 보아 2002년 이후의 자료이다.

이 주장은 우선 강원도에게 고속철도망 연계라는 보상을 제공할 수 있다는 점 때문에 주목받았다. 또한 이 노선은 동해안을 따라 함경도 방면으로, 나아가 러시아와 유럽 방면 연계용으로 활용할 수 있을지도 모른다. 충북 지역 학계에서는 이런 관점으로 서술된 논문이 여전히 출판되고 있다.[142] 대륙 철도 연계라는 국가적 그림 속에서, 충북은 오송 분기가 중요한 역할을 할 수 있을 것이라는 주장을 계속해 온 셈이다.

---

[142]   임은성, "강호축과 극동 철도 연결의 과제와 전망" (충북대학교 석사학위논문, 2022).

게다가 이를 위해 충북선을 활용하는 것은 재래선을 활용한다는 점에서 경제성까지 추구할 수 있다. 박병호는 IMF 상황에서는 과도한 투자보다는 재래선 직결이 중요하며, 그런 의미에서 충북선을 활용하여 고속철도의 활용 범위를 넓히는 방향을 추구해야 한다는 주장을 내놓았다.[143] 이렇게 충북선을 활용하여 고속철도를 중심으로 전철과 도시철도를 구축해 계층적인 망 구조를 구성하면 오송역의 포괄 범위는 더욱 넓어질 것이다.

충북의 확전 2: 영호남 연계와 지역균형발전

충북은 또 다른 방향에서 천안의 약점과 동시에 오송의 강점을 내세웠다. 충청도가 한국인의 심상 지리, 즉 마음속의 지리 공간 구조에서 가지는 지위는 이야기를 출발시키기 좋은 지점이다. 충청은 함께 삼남을 이루는 영호남에 비해 지역색이 약한 지역이었고, 서울과 남부 지역의 가운데에 있어 전국 모임을 개최하기에도 적당한 곳으로 취급되었다. 이를 구체화하기 위해 충북은 세 곳의 분기 후보역 가운데 한국의 인구중심점(1990년대 당시는 지금의 청원구 내수읍)과 가장 가까운 역이 오송임을 내보인다. 이러한 사실은 행정수도가 세 분기역 후보 가운데 오송과 가장 가까운 지점에 들어서는 데 기여했다는 점을 이미 5장에서 확인했다.

이러한 사실에 기반해 영호남 환승 문제를 거론하면, 오송은 천안에 비해 좀 더 유리한 입장에 설 수 있다. 천안 분기 시, 영남-호남 간

---

[143]   박병호, "호남고속철도 계획의 주요 쟁점", 대한교통학회지 17권 1호 (1999): 3.

환승객은 세 환승역 가운데 가장 크게 우회하므로 영호남 연결성이 약해지기 때문이다.

이 문제는 2023년 현재에도 호소력이 있다. 영호남을 직접 연결하는 철도는 지금도 우회가 극심하고 고속열차 직결이 불가능한 경전선뿐이며 일반 열차로는 신탄진에서 환승하는 것 정도가 대안일 뿐이다.[144] 이는 경부선, 호남선에 비해 수요가 비교적 적기 때문이다. 영호남 직결 철도를 짓기 위해 필요한 긴 기간 동안 고속도로망만을 이용하기보다는 고속철도 환승을 유도하는 것이 좀 더 합리적인 대안이라는 주장은 상당한 지지를 받을 수 있다. 그런데 이를 위해서는 분기역을 가능한 한 남쪽에 설치하는 것이 유리하다. 영남과 호남에서 각각 출발한 통행이, 충청 북부까지 북상했다가 다시 영호남으로 남하하는 거리를 가능한 한 줄일 수 있기 때문이다. 천안아산은 세 분기역 가운데 가장 북쪽에 있으므로 환승 시 우회 문제에서는 가장 불리한 입장이었다. 대전 대안은 동맹 없이, 대전시의 단독 행동에 의해, 그것도 2001년 가을부터 뒤늦게 제안되었으므로 사실상 채택 가능성이 없는 대안이었다는 점은 2절에서 이미 밝힌 대로다.

이러한 영호남 연계는 수도권에 대응할 만큼 지역을 발전시키는 방향과도 연결된 문제다. 천안은 수도권과의 연담화 우려가 있는 지역이라는 것이 충북의 논리임은 앞서 확인한 바 있다. 천안, 아산을 포함하는 충청 북부의 수도권 연담화 가능성은 세종시 입지 결정 과정에서도 심각하게 고려되었다는 것도 이미 확인한 대로다. 이와 더불어, 충북은 역세권 개발 가능성 자체도 논거로 사용한다. 오송은 대전이나

---

[144]   이 부분에 대해서는 별도의 저술에서 논의한다(철도 3부작의 제3부 『도시 속의 철도』).

천안아산보다 역세 배후지가 넓었다. 대전은 이미 개발이 완료된 구도심의 심장부이고, 천안아산의 경우 야산이 인접해 있어 부지 정리를 하는 데 어려움이 컸던 데다 고속철도 개통과 함께 신도시 입주가 진행되었다. 반면 오송은 미호강의 평야가 역 사방으로 3km 이상 뻗어 있었으므로 역 주변에 반지름 3km 수준의 시가지를 건설하는 데 아무런 지장이 없었다(7쪽 지도 0-1). 이 가운데 기지가 있는 한쪽 사분면을 제외한다고 해도 개발 가능 지역의 면적은 20km²에 달했다.

충북의 공격: 고도 공주와 매장문화재 문제

다시 초점을 충남 내륙으로 옮겨 본다. 충남은 호남고속철도 건설을 계기로 내륙 지역에 대전만한 도시가 들어서길 바랐고,[145] 세종시 기획 이전까지 이 도시의 후보는 단연 공주였다. 하지만 충북은 연대기에서 확인한 것과 같이 1996년 들어 공주가 매장문화재의 보고라는 점을 들어 공주 주변 경유를 막는 논리를 개발해 낸다.

이 논거는 1990년대 당시 다른 고도(古都)에서 일어난 논란을 반영한 것이다. 경부고속철도 경주 통과 구간의 경우, 초기 계획으로는 고속철도 본선이 형산강을 통과하여 경주 시가지에 연접하고, 역은 무열왕릉 인근에 건설될 예정이었다. 그러나 경주 시가지의 경관을 보존하고 본선 예정지 일대에 산재할 것으로 추정되는 미발굴 유물·유적이 파괴될 것을 우려한 문화계의 요구(문화재위원회의 외곽 노선 요청

[145]   "공주를 지나게 해 대전만한 도시를 충남 중심권에 발전시켜야 한다." "천안-논산 직결·대전 통과안 "격론"", <중도일보>, 1995. 4. 15. 김용호 충남도의회 부의장의 발언.

은 1993년 6월), 그리고 신라조 이래 1,500년에 걸쳐 막대한 양의 불교 유적이 누적된 남산의 인접 통과를 반대한 불교계의 요구에 따라, 여론은 경주 통과를 반대하는 쪽으로 기울었다. 현재의 노선이 결정된 것은 1997년 1월이었다.[146]

오송 분기 논의가 시작된 1995년 시점, 경주 문제는 현재 진행형이었다. 따라서 1996년에 제기된 공주 문제는 적지 않은 주목을 끌었다. 공주 시가지 인접 노선을 건설할 경우 경부고속철도 경주 문제가 호남고속선에서도 재현될 것이라고 주장했기 때문이다. 실제로 청주 측은 세 대안 가운데 오송 분기는 천안 분기보다 문화재가 적은 대안이라는 점을 강조하는 자료를 여럿 배포했다. 이것이 청주 측의 일방적인 주장이 아니라는 점 또한 언론 보도를 통해 쉽게 확인할 수 있다.[147] 이 주장이 먹혔다면, 마치 계룡산 일대처럼 공주 일대 역시 고속철도 노선이 반드시 피해야 할 지점으로 간주되었을 것이다.

하지만 이러한 주장이 반드시 성과를 거두었던 것은 아니다. 가령 2002년 교통연구원의 조사에서는 천안아산 대안이 영향을 미치는 문화재와 유적이 더 적다는 결과가 나오기도 했다.[148] 더불어 호남고속철도 기본계획에서는 문화재는 단순한 보존 대상이 아니라 백제문화권 개발의 대상으로 등장하기도 했다.[149] 따라서 충북이 공주를 직접

---

[146] 한국고속철도건설공단, 『경부고속철도건설사』, 2000: 234~239.

[147] 가령 김판주, "호남고속철 문화재 훼손 우려", <경향신문>, 1996. 6. 8. 관련 조사와 발표문은 충남대 이강승 교수가 발표한 것이다. 다만 충남대 역시 2002년 여름까지는 오송과 손을 잡았던 대전에 입지하는 이상, 1996년의 발표가 충북과 무관하다고 믿어 넘기는 것도 어렵다. 아쉽게도 공주대 교수가 이런 우려를 내놓은 사례는 명확히 확인할 수 없었다.

[148] "고속철 경부·호남 분기점 천안역으로 결정될듯", <파이낸셜뉴스>, 2002. 7. 31.

[149] 건설교통부, 호남고속철도 건설 기본계획, 2006. 8.

겨냥하여 준비한 공격은 (충북의 입장에서는) 절반의 성공만을 거두었다고 평가해야 할 듯하다.

충북의 천안 포섭 시도와 오송 자체의 강점 발굴

충북의 공세는 나름의 합리성을 가지고 있었다. 개발과 보존의 균형점이 어디냐는 문제, 균형 발전의 방법은 무엇이냐는 문제, 동서 연결을 효율적으로 구현하는 문제처럼, 국토와 전국망 개발 일반에 걸쳐 있는 쟁점을 통해 충북의 정당성을 확보하려는 시도를 포함하고 있기 때문이다. 그렇지만 이것만으로는 이미 강고한 동맹과 논리를 구축한 천안을 포기시킬 수 없었다. 결국 충북은 천안을 직접 설득하려는 논리를 내놓기에 이른다.

이 논리의 초점은 "천안 역시 오송역 이용권"(오송백서, 647쪽)이라는 주장에 있다. 이는 천안과 청주는 서로 경계를 접하고 있는 인접 도시인 만큼, 오송역을 건설할 경우 천안 시민들도 이용할 수 있을 것이라는 주장이다. 심지어 충북은 오송역의 영향을 받는 인구를 산정하기 위해 천안과 비슷한 거리에 있는 진천, 그보다 먼 음성까지도 2차 영향권에 넣었다(지도 4-1).[150] 이는 청주나 연기(현 세종)와 경계를 인접하고 있는 시군을 의미하며, 따라서 천안도 포함된다. 더불어 실제 천안 동쪽, 목천과 병천 일대는 천안아산역과의 직선거리와 오송역의 직선 거리가 유사하다. 크게 보아 인접해 있는 지역이라고 주장하며,

---

[150] 박병호 외 6인, 호남고속철도 노선 대안 평가, 호남고속철도기점역오송유치추진위원회, 1996: 오송백서, 1327에 재수록.

이러한 인접성을 활용하여 천안의 여론을 분할 통치하려는 것이 결국 청주의 의도였을 것이다.

더불어 이 논거는 천안 동부의 목천·병천 지역이 2004년 당시 행정수도의 후보로 올랐다는 사실(5장 2절)을 반영하는 것일 수 있다. 목천·병천 지역에서 천안아산역 그리고 오송역까지의 거리가 서로 비슷한 이상,[151] 충북으로서는 행정수도가 목천·병천 지역으로 넘어갈 만약의 가능성을 대비해 둘 필요가 있었을 것이다.

물론 이것만으로는 충남은커녕 제3자 역시 설득하기 어려웠을 것이다. 이에 따라 충북은 두 논거를 통해 천안보다는 오송이 분기역으로 더 적절하다는 주장을 강화하였다.

먼저, 오송은 시험선 기지와 인접해 있으므로 공사가 편리하다. 지금도 오송에는 철도공단의 오송 기지가 존재한다. 이 기지는 호남고속철도 시공 과정에서 자재나 여러 구조물을 야적한 다음, 철도를 이용해 호남고속철도 공사 현장으로 수송할 수 있는 기반으로 주목받았다. 이는 오송은 천안이나 대전과는 달리 공사 과정에서 주변 도로 및 경부고속선이나 기존 철도를 활용할 필요가 가장 적다는 뜻이었고, 따라서 철도망 건설에 좀 더 유리했다.

또한 청주권은 천안권보다 인구가 더 많다는 사실도 활용되었다. 2020년 기준으로도 이는 사실이다. 천안시(68만)와 청주시(86만)를 대조하든, 각 역의 서측에 연접한 도시 즉 아산시(34만)와 세종시(35만)의 인구를 대조하든 마찬가지다. 대전은 충북과 행동을 함께 하거나 단독 행동을 하고 있던 이상, 논의의 초점이 되지 않는다. 게다가 충북

---

[151]   실제로 병천 아우내장터~오송역 간 직선거리는 세종정부청사~오송역 간 거리와 거의 동일하다.

은 충북선 방면이나 기타 충북 지역, 심지어 공주의 인구까지도 오송 역의 2, 3차 영향권으로 간주하였다.

4절. 정부와 호남의 반격: 용량과 운임

2복선화 쟁점

정부는 이 모든 논리에 대응하기 위해 한 가지 비책을 꺼냈다. 호남고 속철도 개통 이후 고속열차 운행 편수를 충분히 늘리기 위해서는 2복 선화 노선이 필요하다는 주장이다. 특히 호남고속철도 초기 계획부터 추가가 예정되어 있던 강남 지역 정차역(현재의 수서)이 합류할 경우, 강남 방면 고속선과 서울 방면 고속선의 합류점(이하 합류점)부터 호남 고속선 분기역에 이르는 중부권 수십 킬로미터에 병목이 형성되기 때 문이다(지도 5-2).

충북은 정부의 논리를 공격하기 위해 네 가지 비판을 제기했다.

2복선화의 필요성 문제: 향후 2복선화는 필요하지 않기 때문에 천안이 유리하다고 볼 근거가 되지 않는다

충북이 가장 앞에 내세운 논거는 고속철도의 수요였다. 고속선 본 선은 하루 52만 명에 달하는 승객이 통과하더라도 문제가 없는 시설 이라는 것이 이들의 계산이었다. 약 950명의 승객이 탑승하는 KTX 가 고속선 적정 시격 4분 간격을 두고 18시간 동안 운행한다면, 합류 점~분기역 사이 구간에 공급되는 좌석은 왕복 기준 대략 52만 석이 맞는다. 이 수치는 수요 예측치가 2019년의 현실[152]보다 더 컸던 당시에도 해당 구간은 물론 한국고속철도 전체에서 도달할 수 없는 수치로 예상되었고, 2022년 현재 역대 최대 승객 수치(2019년 추석 당일, 하루 약 30만 명) 역시 이 수치에 한참 미치지 못한다.

물론 이 계산에는 아주 중요한 허점이 있다(보강 5). 그리고 그 때문에 현실의 합류점~분기역 구간인 오송~평택 사이에는 2복선화가 준비 중이다. 하지만 청주의 항변이 아주 근거없는 것은 아니다. 2복선화 자체는 노선 계획이 제대로 정리되지 않아 일어나는 일에 가깝기 때문이다.

2복선화 시 연장 문제: 향후 2복선화를 하더라도
대전에 비해 2복선화 연장의 길이가 짧고 공사 난이도가 낮다

충북은 생각보다 꼼꼼했다. 만일 2복선화를 해야 한다면, 2복선화 구간을 새로 설치하는 구간의 길이를 가장 짧게 만들 수 있는 대안이 오송임을 보이기 위해 노력했기 때문이다. 대전은 가장 남쪽에 위치한 분기역 후보였으므로 2복선화를 시행할 경우 건설해야 하는 노선의 길이가 가장 길었다. 현재의 충청권 경부고속선을 거의 전부 2복선화하는 대안이었다는 뜻이다. 따라서 2복선화가 필요하다는 주장은 대전에게 불리하게 작용하였다.

---

[152]   코로나19 이전 철도 수송량의 피크.

2복선화 포기 시 건설 신선 연장 문제:

분기역~익산 간 거리 면에서

오송~익산이 천안~익산보다 비교적 짧아 신선 건설비가 적다

이 논거는 대전 대안과는 상반된 전제 하에서 제기된 것이다. 2복선이 건설되지 않을 경우, 천안 대안이 과도한 투자를 부른다는 뜻이기 때문이다. 하지만 이는 곧 2복선화 필요 주장이 천안에게 가장 유리한 주장이었다는 뜻이기도 하다. 천안은 가장 북쪽에 위치한 분기역 후보이기 때문에 어차피 필요한 복선을 미리 짓는다는 논리로 천안아산 분기를 옹호할 수 있었다. 바로 이 문제로 때문에 충북은 천안이 얼마나 불리한지 보이기 위해 계속해서 2복선화가 필요하지 않다고 주장했다.

2복선화 사례 부재 문제: 국외에도 고속철도 복복선은 없다

충북의 강력한 논거 가운데 하나는 바로 그 당시에 세계적으로도 고속철도 복복선이 존재하지 않는다는 것이었다. 가령 하루 40만 명이 탑승하여 여전히 세계에서 가장 붐비는 고속철 노선인 일본의 도카이도 신칸센 역시 전 구간 복선만으로 운행된다. 그렇다면 경부고속선에 복복선을 설치하겠다는 말 또한 설득력이 떨어질 수밖에 없다.

물론 이는 경부선(줄기-가지 구조)과 도카이도 신칸센(단일 줄기)의 노선 구조가 다르기 때문에 벌어진 일이다. 또한 중국의 베이징~톈진, 난징~상하이, 우한 근교, 광저우 동쪽 방면 등에는 이미 고속선 2복선이 건설되어 영업 중이므로 이들의 반대 또한 이제 옛말이 되었다. 게다가 한국 역시 2복선화를 준비 중인 이상, 이 논거는 한국 고속철도 노선 기획의 문제를 지적하는 비판 이상의 의미는 없게 되었다.

호남 방면 운임 쟁점

연대기 부분에서 확인한 호남 방면 운임 문제를 처음 제기한 것은 전 북 지역이다.[153] 이들은 "오송 분기역으로 결정되면 승객 1인당 왕복 운임이 5,800원 추가"된다는 주장을 내세우며 오송 분기에 반대했다. 운임 문제는 호남에서 발굴한 오송 분기의 약점이자, 지금까지 보완 되지 않고 있는 문제점인 셈이다.

이후의 연대기적 정보는 이미 5장에서 서술하였다. 여기서 같이 참고할 사실은, 경부고속선 경주 우회의 경우 개통 이후 꾸준히 운임 할인이 적용되고 있다는 사실이다. 동대구~부산 구간의 운임은 약 130원/km 수준으로, 호남고속선 오송~익산 구간(155원/km)에 비해 임률이 20원 이상 저렴하다. 이 구간에 대해 동대구~부산 수준의 임률 을 적용할 경우 2,000원 이상의 임률 하락이 기대된다. 할인율이 이보 다 더 낮다고 해도,[154] 적어도 호남고속선 열차의 천안아산~공주 구간 에 대한 임률 할인과 그 금액 부담을 누군가는 책임져야 할 것이다.

---

[153] "호남 고속철 오송역 충북 이기주의 발상", <전북일보>, 2005. 3. 4.

[154] 국토부 관계자는 "2단계 부산~동대구 운행 거리가 기존 경부선보다 길어져 km당 운임 단가를 적용 하면 부산~서울 운임을 59,600원으로 인상해야 하지만 철도 이용 저변 확대와 서민 생활 안정을 위해 7~13% 할인해 운임을 책정했다"라고 말했다. "KTX 2단계 구간 내달 1일 개통", <국제신문>, 2010. 10. 7. 약 10%의 할인율은, 부산과 대구 근교 시내 구간에 대해서는 임률을 재래선에 준하여 낮게 잡고 있어서 나온 것으로 보인다.

기술 문제라는 실패한 반격

이런 공세에 대응하여 충북은 하나의 반격을 더했다. 현재의 철차륜 마찰식 고속철도라는 기술 자체가 진부화될 수 있다는 내용이다. 이 기술은(2000년대 초반 기준) 20년 이상 지날 경우 다른 기술로 대체될 수도 있으므로, 20년 이상의 미래를 평가에 넣는 것 자체가 부적절할 수 있다는 것이 오송 분기 유치추진위원회의 주장이었다.[155]

이 논리는 당시의 기술적 전망을 반영하는 진술이다. 당시 조야에는 고속철도의 기능이 자기부상열차로 옮겨 갈 것이라는 전망이 팽배했다. 이미 1990년대 일본에서는 시험선이 개통하기도 했다. 따라서 오송 분기 논쟁 당시에 해당하는 2000년대로부터 20여 년이 지나면, 현재의 철차륜식 고속철도 대신 자기부상열차가 도입되어 현재의 철차륜 열차는 애물단지가 되고 말 수도 있다.

그러나 오송 분기 논쟁 이후 약 20년이 지난 2023년 현재, 이 전망은 전혀 실현되지 않았다. 철차륜식 철도의 네트워크 효과가 강고하기 때문이다. 게다가 자기부상열차는 에너지 효율도 낮으므로, 수십 년 뒤까지도 현재의 철차륜 고속열차를 거의 대체하지 못할 것으로 보인다. 결국 이 전망은 기후 위기 속에서 에너지 효율이 더욱 강조되는 현재의 상황과 부합하지 않게 되었다. 그렇다면 이는 다른 여러 공격과 함께 충북의 실패한 공격으로 기록할 수 있을 것이다.

---

[155]   오송백서, 650.

7장. 정책 흐름 모형, 정책의 창, 오송 분기

결과적으로 무기를 든 예언자는 모두 성공한 반면
말뿐인 예언자는 실패했다.

- 니콜로 마키아벨리, 『군주론』 6장

1절. 역사를 정리하는 모형의 힘: 정책 흐름 모형

이렇게 오송 분기에 이르는 길, 그리고 이 길을 이루는 여러 논리들을 살펴보았다. 이 길과 논리는 지질 시대부터 몇 달, 나아가 며칠 만에 뒤바뀌는 정국에 이르는 다양한 시간 층위로 이뤄져 있었고, 더불어 지리적으로도 차령산지나 하도처럼 인간의 개입이 어려운 강고한 존재자[156]부터, 교통로와 도시 체계, 인구 분포에 이르는, 인간의 행위에 의해 변형이 가능한 존재자는 물론, 경부축이나 강호축, 수도권 집중이나 균형 발전처럼 본질적으로 사람들이 공유하는 아이디어에 해

---

[156] '존재자'라는 말을 사용하는 철학적 배경은 『납치된 도시에서 길찾기』 10~11, 45~52 참조.

당하는 실재까지 포함하고 있었다. 시간적, 지리적, 심지어 개념적으로도 온갖 성격의 존재자들이 뒤섞여 있는 잡동사니처럼 보이는 이 존재자 무리는, 놀랍게도 (적어도 1995년 이전에는 누구도 생각하지 못한) 오송 분기라는 결과로 이어져 있었다.

오송을 둘러싼 경험적 데이터든 연대기를 가지런히 제시하는 작업이든, 이 잡동사니에 무언가를 더하는 것 자체는 더 이상 큰 의미가 없다. 이제 필요한 것은 이렇게 뒤섞인 잡동사니를 이해하고 설명할 틀이다. 나는 이 필요를 채울 틀을 행정학의 논의에서 발견했다. 이른바 '정책 흐름 모형'(the policy streams model)[157]이다. 이 모형은 어떤 정책이 실제로 현실에 구현되려면 서로 독립적으로 흘러가는 세 가지 흐름이 필요 조건이라고 말한다.

문제 흐름(problem stream)[158]

정책은 문제에 대한 반응이다. 가령, 철도 수송량이 붕괴하거나 수십 년 간 적자에 시달리면서도 철도 내외부 교통망은 여전히 정체와 혼잡에 시달릴 수 있다. 이런 식의 문제는 철도와 교통망의 상황을 관찰해 인지할 수 있다. 관찰과 문제 인지를 위해서는 방금 제시한 것처럼 수송량이나 회계 실적과 같은 일종의 지표를 추적할 수도 있고, 사고나 니어미스(near miss) 같은 하나의 사건으로부터 출발, 문제를

---

[157] 이 개념은 다음 논문을 통해 접했음을 밝힌다. 이석우, 「우리나라 철도산업의 구조개혁 정책 결정에 관한 연구」, 고려대학교 행정대학원 공공정책전공 석사학위논문, 2017. 신용배, 「옹호연합모형을 통한 정책 변동 연구 - 수도권 공장 총량제 정책을 중심으로」, 가톨릭대학교 행정학과 박사학위논문, 2010. 논의를 심도 있게 전개한 존 웰스 킹던의 다음 책을 검토하여 논의 구성에 참조하였다. Kingdon, J. W. *Agendas, Alternatives, and Public Policies*, Pearson, 2014(Second edition).

[158] Kingdon, 같은 책: 5장(90~115).

파악하는 과정을 진행할 수도 있다. 하나의 대상에 대해 관찰과 문제 파악을 진행했다 해도, 행위자에 따라 서로 다른 방식으로 문제를 정의하는 상황은 얼마든지 가능하다. 가령 철도의 적자와 수송량 붕괴를 놓고, 이런 사태는 철도의 방만 경영으로 인해 벌어진 것이라고 보면서 철도회사와 노조에게서 문제를 찾는 입장이 있을 수 있고, 그와 달리 전체 교통망 속에서 철도망 자체의 경쟁력 약화로 인해 벌어진 것이라고 보면서 전체 교통 체계의 변화에서 문제를 찾는 입장이 있을 수 있다. 이렇게 이뤄진 문제 정의는 이후 수립되는 정책 흐름과 정치 흐름의 출발점이다. 더불어 시간의 흐름과 함께 계속해서 변화하는 상황을 추적하는 작업을 통해 앞서 이뤄진 문제 정의가 조금씩 변화해 갈 것이다.

정책 흐름(policy stream)[159]

문제를 해결하는 방법에 대한 아이디어는 이른바 전문가에게서 나올 것이다. 이들은 학회와 같은 커뮤니티에 아이디어를 제출한다. 그리고 이렇게 제출된 아이디어는, 킹던의 표현을 따르면, 정책 원시 수프(policy primeval soup)를 이룬다. 원시 수프란 생명체가 나타나기 전 원시 지구에서 유기물이 잔뜩 녹아 있어 생명체가 나타날 조건이 갖추어졌을 것으로 추정되는 걸쭉한 바닷물을 말한다. 수많은 사람들이 내놓은 아이디어들은 이 수프 속에서 마치 초기의 생명체와 같이 정책 대안으로 조합된다. 이렇게 조합된 정책 대안은 다른 정책과의 경쟁에 돌입하여 일종의 자연 선택에 노출될 것이다. 이 경쟁 속에서,

---

[159]   Kingdon, 같은 책: 6장(116~144).

기술적으로 타당하고 사회적으로 요구되는 가치를 실현하며 미래의 여러 제약 사항을 충분히 예견하고 있는 정책이 살아남는 과정이 바로 정책 흐름을 이룰 것이다. 그러나 이 과정에서 하나의 대안으로 의견이 수렴되는 일은 (마치 생태계에서처럼) 드물고, 일반적으로 경쟁하는 여러 대안이 살아남는다. 이들 각각의 대안을 지지하는 전문가들은 자신들이 (여러 동기에서) 지지하는 대안을 실현하기 위한 방법을 찾으려 할 것이다.

정치 흐름(political stream)[160]

이러한 정책을 실현하는 데 필요한 자원을 마련하려면 결국 정치 과정을 활용하지 않을 수 없다. 방대한 재정과 강제력을 동원할 수 있는 권위 없이, 나아가 시민들의 공감대 없이 명시적인 설득을 통한 협의만으로 정책을 실현하는 것보다 무리한 꿈은 없을지 모른다. 이런 정치 과정은 문제 흐름이나 정책 흐름과는 독립적인 흐름을 이룬다. 가령 구매력 증진을 위해 도심부의 집적을 가능한 한 철저하게 활용해야 한다는 공감대가 사회 전반에 깔려 있다면 많은 사람들을 도심부에 집결시킬 수 있는 철도망의 특징을 적극 활용하는 정책 대안이 좀 더 쉽게 실현될 수 있을 것이다. 에너지 효율을 자신들의 정치적 신조에 포함하고 있는 정당이 있다면, 그리고 이 정당이 총선 등에서 승리했거나 승리를 위해 철도를 활용하고자 한다면, 철도망 확충이라는 정책 대안은 이런 정치 과정을 타고 실현에 한층 가까이 접근할 수 있을 것이다.

---

[160]   Kingdon, 같은 책: 7장(145~164).

이들 흐름이 적절히 결합(coupling)하면 정책은 현실이 된다. 가령 철도의 쇠락이라는 문제 흐름이 지속적으로 존재하는 상황에서 고속철도가 필요하다는 정책 대안이 제출되기만 해서는 이 대안이 실현되지 못한다. 고속철도가 사회적 가치, 가령 도심 개발이나 에너지 효율화와 부합한다는 사회적 공감대가 필요하고, 더불어 이 공감대를 대변하는 특정 정당이 선거에서 이기거나 관료 조직이 대안을 현실화하는 권위 있는 조치를 취해야 한다. 세 흐름이 모두 결합되어야 정책 대안이 현실이 될 수 있다는 뜻이다. 이 결합을 우주선이 발사되려면 필요한 많은 조건이 한 번에 충족되어야 하는 상황에 빗대어 '정책의 창'(policy window)이라고 부른다. 또한 이러한 정책의 창에 이르는 결합을 창출하기 위해 활동하고 실제로 창이 열렸다고 판단하는 행위자를 킹던은 '정책 중개자'(policy entrepreneur)라고 부른다. 이러한 정책의 창은 당연하게도 물리적 창문이 아니므로 정책 중개자가 없다면 존재하는지 여부도 알 수 없을 것이다.

이런 모형은 곧바로 오송 분기의 역사를 정리하는 틀이 될 수 있다. 지금까지 살펴본 많은 정보를 정리할 질문을 제공해 주기 때문이다. 오송 분기의 배경이 된 문제가 무엇인지, 정책 대안은 무엇인지, 그리고 오송 분기 대안이 올라탄 정치 흐름은 무엇이고 어떤 정책 중개자가 중요한 역할을 했는지, 각각의 질문은 오송 분기를 이해하는 데 필수적인 틀이 된다.

약간의 내용을 더 추가해 둔다. 오송 분기와 같은 지리적 사건 앞에 열린 창문을 이해하려면, 이 세 흐름에 장기지속(longue durée)[161] 차

---

[161]   페르낭 브로델, 『물질문명과 자본주의』(전 6권, 주경철 옮김, 까치, 1995~97)에서 제안된 개념.

원을 더해야 한다. '장기지속'이란 개별 사건의 배경이 되어 개인, 조직과 같은 행위자의 견지에서 보았을 때는 사실상 변화하지 않고 지속하는 존재자들로서, 지리적 구조부터 인간의 심성에 이르는 범위에 존재할 수 있다. 가령 차령산지, 옥천대는 충청지역에서 활동하는 모든 행위자가 수천만 년 동안 감안해야 했던 대상이라는 의미에서 장기지속적 존재자이다. 지형과 지질, 한국의 도시 체계와 교통망 특징에 대한 정보 없이는 오송 분기와 관련된 세 흐름을 설명할 수 없다는 점에서, 장기지속 차원을 설명에서 감안하지 않을 수 없다. 이제 정책 흐름 모형에 장기지속 차원을 더한 보완적 모형을 활용하여 다시 정보를 배열해 보자.

2절. 충북에게 열렸던 정책의 창

먼저 장기지속적 존재자들에 대한 정보를 다시 살펴보자. 오송역의 배경 가운데, 서남-동북 방향으로 이어진 옥천대, 이와 유사한 방향으로 배열된 대보화강암 회랑, 그리고 이를 침식하면서 동북측에서 서남측으로 흘러 나가는 미호강과 금강이 가장 먼저 존재했다. 이 다음, 역사 시대에는 충청도라는 구역이 존재하기 시작했고, 19세기 말에는 이 구역이 동서로 분할된다. 1904년에는 추풍령을 이용하기 위해 옥천대와 직교하면서 양청 접경으로 접근해 온 경부선이 대전~천안 간 양청 접경과 유사한 선형을 그리며 새로이 생겨난다. 이어서 경부선과 직교하는 지선 망, 충북선이 건설된다. 1950년대에는 이 망을 활용하여 충북 지역과 강원 남부가 연결된다. 특히 강원 남부의, 옥천대와 연속된 태백산 분지의 퇴적암층을 구성하던 광물 자원은 이 연결을 인적 연계로 발전시키며, 나아가 20세기 초부터 이어져 온 충북 중심 X축의 몽상을 현실에 실현할 수 있도록 돕는다.

이 장기지속적 배경 위에 1980~90년대에 대두된 문제 흐름을 짚어 보자. 먼저 '교통 지옥' 문제는 당시 한국의 모든 교통 투자를 정당화하던 문제다. 더불어 수도권 집중 심화는 한국 도시 개발의 핵심 문제, 아마도 장기지속 수준의 숙제일 것이고, 수도권의 대체제로서의 중부권 개발 역시 당시 충청권이 풀어야 했던 문제로 언급할 수 있을 것이다. 이때 철도망의 약화와 쇠락이라는 문제 역시 함께 조명되었고, 철도망 바깥의 여러 문제를 해결하는 데 이 망에 대한 보강 투자가 필요하다는 진단이 나오기 시작한다. 더불어 90년대에는 문화재, 생태계처럼 현재 인간의 필요가 아니라 미래 세대의 필요를 위해 필요한 대상을, 그리고 이를 넘어 사물 그 자체의 필요를 가진 것으로 상정된 대상을 보존해야 한다는 문제가 제기되었다. 또한 중앙이 시키는 대로 지방이 따라야 하는 권위적 의사결정이 아니라 분권과 자치를 구현해야 한다는 문제의 흐름 역시 더불어 강조되었다.

한편 오송 분기와 직접 관련된 문제의 흐름은, 고속철도와 관련된 정책 흐름이 등장하면서 그 귀결로 등장한다. 도표 7-1에서는 해당 문제를 정책흐름과 인접한 위치에 표현해 이 귀결 관계를 나타내었다. 호남고속철도의 구조 문제 자체가 오송 분기 논쟁의 핵심임은 이미 확인했다. 더불어 행정수도의 입지 그 자체, 그리고 지금의 세종시로 입지가 결정된 이후에 그 관문역이 어디냐는 문제 역시 오송 분기 논쟁의 핵심이었다. 이들 문제는 정책 흐름 속에서 고속철도와 주변 개발 계획이 구체화되면서 나타난 것이다.

노태우 정부 당시 등장한 고속철도 계획의 핵심 내용은 여러 관련 계획을 거치며 수정을 거듭했다. 바로 이것이 오송 분기와 관련된 가

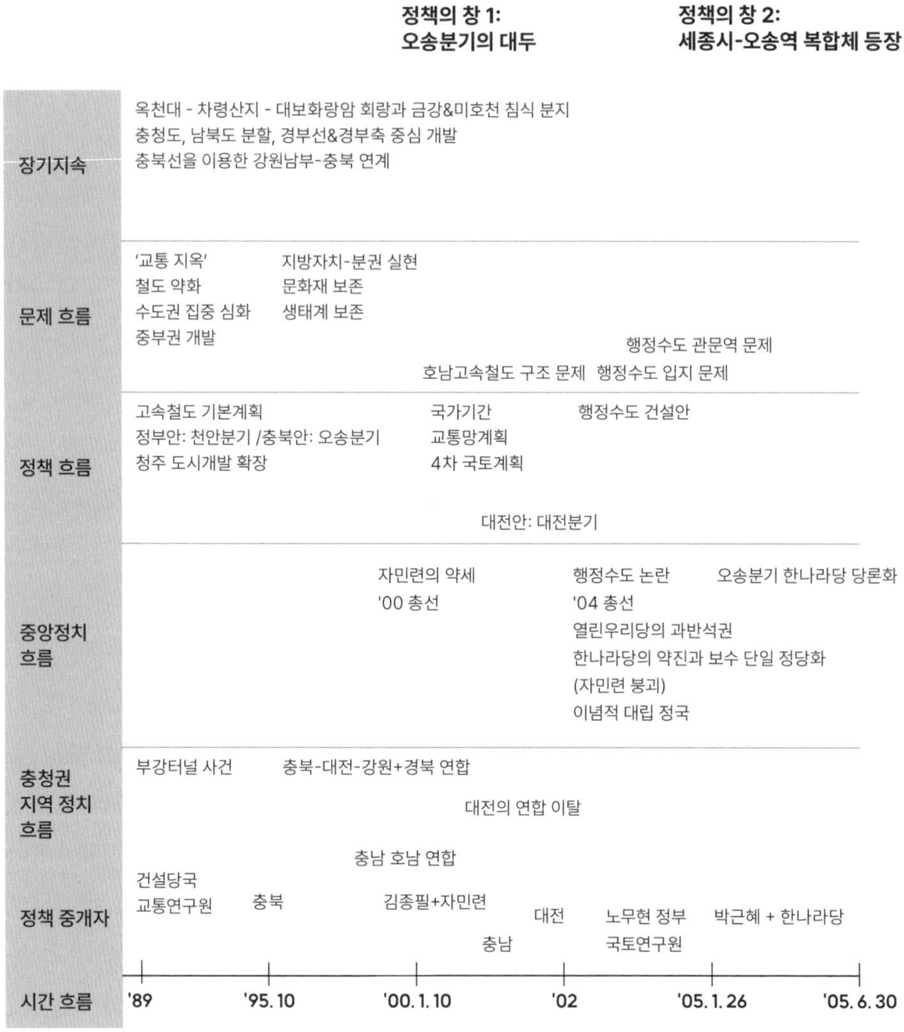

정책의 창 1: 오송분기의 대두 **정책의 창 2:** 세종시-오송역 복합체 등장

장기지속
옥천대 - 차령산지 - 대보화랑암 회랑과 금강&미호천 침식 분지
충청도, 남북도 분할, 경부선&경부축 중심 개발
충북선을 이용한 강원남부-충북 연계

문제 흐름
'교통 지옥' 지방자치-분권 실현
철도 약화 문화재 보존
수도권 집중 심화 생태계 보존
중부권 개발
행정수도 관문역 문제
호남고속철도 구조 문제 행정수도 입지 문제

정책 흐름
고속철도 기본계획 국가기간 행정수도 건설안
정부안: 천안분기 /충북안: 오송분기 교통망계획
청주 도시개발 확장 4차 국토계획
대전안: 대전분기

중앙정치 흐름
자민련의 약세 행정수도 논란 오송분기 한나라당 당론화
'00 총선 '04 총선
열린우리당의 과반석권
한나라당의 약진과 보수 단일 정당화
(자민련 붕괴)
이념적 대립 정국

충청권 지역 정치 흐름
부강터널 사건 충북-대전-강원+경북 연합
대전의 연합 이탈
충남 호남 연합

정책 중개자
건설당국
교통연구원 충북 김종필+자민련 대전 노무현 정부 박근혜 + 한나라당
충남 국토연구원

시간 흐름 '89   '95. 10   '00. 1. 10   '02   '05. 1. 26   '05. 6. 30

도표 7-1. 오송 사례에 적용한 정책 흐름 모형, 그리고 두 차례의 '정책의 창'.

장 기본적인 정책 흐름일 것이다. 이 흐름을 주도한 중개자 가운데 가장 처음 등장해 가장 오랫동안 정책 흐름을 구현하는 활동을 한 행위자는 정부와 교통연구원이다. 충북은 오송 분기안을 제시하며 이 흐름에 개입하기 위한 중개자로 등장한다. 정부 그리고 충북은 정책 흐름 전체를 지배한 두 대안, 천안 분기안과 오송 분기안을 각각 옹호한 핵심 정책 중개자다.

초기에는 정부가 상황을 주도하고 있었으므로 특별한 동맹을 확인하기 어렵다. 하지만 충북은 상황을 뒤집기 위해 먼저 충북이 처해 있던 장기지속적 조건과 지역 정치의 흐름을 활용한다. 충청권의 3분할 상황(장기지속적)에 주목한 것이다. 이에 따라 천안 분기안이 선택되면 호남 방면 철도망 연결에서 손실을 보게 될 대전을 동맹으로 끌어들이고, 충북선을 통해 형성된 강원권과의 연계(역시 장기지속적)를 활용하여 강원 역시 동맹으로 끌어들였다. 김대중 정부에 들어서는 더욱 강력한 지역 정치 흐름이 충북에게 연결되었다. 김대중 정부 초반 충북에서 세력이 퇴조하던 자민련과의 협상 끝에 자민련의 총재 김종필이 총리 권한으로 오송 분기안을 유력 대안으로 인정한 것이다.

김종필이 총리 권한을 활용해 호남고속철도를 언급하는 정부 정책 대안의 흐름에 개입하는 이 장면을 충북에게 열린 첫 번째 정책의 창이라고 평가할 수 있다. 충북은 도표 7-1에 제기된 모든 문제 흐름을 반영하는 정책 대안을 만들어 놓고 정책 흐름에 참여하였고, 2000년 4월의 총선을 앞두고 약세를 면치 못하던 자민련과의 협상에서 자신들의 대안을 정부가 부분적으로 수용하도록 하였다. 충북은 2000년 1월 시점에 있던 모든 흐름을 결합시켜 이전에는 단순한 주장이었던 자신들의 정책 대안을 유력한 경쟁자로 만들어 냈다.

두 번째 정책의 창은 행정수도 논쟁 직후 열렸다. 분기역과 관련된 문제의 흐름과 대안의 흐름은 크게 달라지지 않은 상태에서 노무현 정부의 행정수도 이전 안은 분기역과 세종시 관문역 문제를 연동시키는 문제의 흐름을 만들어 냈다. 이 흐름 속에서 현재의 세종시가 행정수도로 결정되면서 세종시-오송역 복합체는 다른 분기역을 제치고 가장 우세한 위치에 설 수 있었다. 이런 의미에서 두 번째 정책의 창에서 노무현은 핵심 정책 중개자로 평가할 수 있다. 한편 행정수도 논쟁은 충청권 전체를 하나로 묶어 내는 정치적 흐름을 창출해 냈으며, 노무현 정부의 집권당인 열린우리당이 2004년 총선에서 압승하면서 이 흐름은 더욱 상승세를 탔다.

이 상승세를 무너뜨리기 위한 한나라당의 여러 시도 가운데 하나가 바로 충청권의 분할 통치였고, 충청권이 여러 갈래로 나뉘어 이권을 다투고 있는 분기역 문제는 공략하기 쉬운 약한 고리로 평가되었다. 이런 의미에서 박근혜는 두 번째 정책의 창에서 또 다른 핵심 정책 중개자이다. 충북은 오송 분기 지지를 한나라당의 당론으로 얻어 내어 한나라당이라는 전국 정당이라는 기구를 활용해 호남을 제외한 전국의 지방 정부를 설득할 정당성을, 그리고 이를 바탕으로 국가가 만든 의결 기구를 자신들의 뜻에 부합하도록 움직일 기반을 확보했다. 더불어 지역 정치 내부에서 대전은 비록 이탈했지만 충남과의 대립 덕인지 계속해서 충북에게 기울어진 모습을 보여 주는 흐름을 보인다.

3절. 왜 오송은 두 차례 정책의 창에서 승리했는가

그렇다면 이 모든 역사적 작업을 마무리하는 질문은 바로 이것이 되어야 한다. 오송은 두 차례 정책의 창에서 어떻게 승리할 수 있었는가?

충북이 제안한 정책 대안은
고속철을 둘러싼 문제 흐름을 적지 않은 부분 반영했다

경쟁하던 천안 대안의 발전 역시 2복선화, 운임 문제 등으로 명확했지만, 문제 흐름만으로는 오송과 천안이라는 선택지 가운데 어느 한 쪽을 택하기 어려웠고, 정책 흐름만으로는 충북과 같이 적극적인 정책 중개자를 제압하기에는 불충분했다. 게다가 인접 정책 대안인 행정수도는 그 부지에서 가장 가까운 경부고속선 역을 오송역으로 삼았고, 이렇게 형성된 세종시-오송역 복합체는 충북이 제시한 정책 대안인 오송과 오송 분기의 정당성을 강화시킨다.

중앙정치의 흐름을 자신에게 최선의 방식으로 활용하였다

첫 번째 창에서는 지역 정당이면서 김대중 정부 초반 연립 정부의 한 축이었던 자민련을 활용했고, 두 번째 창에서는 전국 정당인 민주당(열린우리당)과 한나라당이 충북의 지지를 필요로 하도록 만들었다. 반면 충남-호남 동맹은 이처럼 중앙정치의 흐름을 활용할 만한 계기를 잡지 못하였다.

지역 정치의 흐름도 자신들에게 우세하게 가져갔다

2001년까지 충북은 대전과 함께 오송 분기를 지지했고, 이는 첫 번째 창의 결과에도 영향을 미쳤을 것이다. 2005년에도 대전은 중앙 정부가 마련한 분기역 의결 기구에서 충북에게 우세한 대안을 지지하고(평가단 위원 선정), 분기 이후에는 이를 쉽게 수락했다.

시간 지체

조속한 고속철도 개통을 바라던 호남의 요구에 따라 세 번째 창이 봉쇄되었다. 이는 6월 30일 이후 충남-호남 연합을 해체시키고 오송 분기의 현실화를 가속화시키는 요인이 되었다. 이후 제안된 세종시 관통 대안 등의 논쟁에서, 세종시-오송역 복합체는 계속해서 기존(지금 시점에는 현 망)의 대안을 정당화하는 논거로 사용된다.

결국, 오송의 승리는 정책의 창이 열렸을 때 충북 스스로가 원하던 정책 대안을 실현시키기 위해 정책을 둘러싼 세 흐름, 특히 중앙정치의 흐름을 적시에 결합해 냈기 때문에 실현된 것이다. 게다가 오송 분기 대안은 행정수도 대안과 결합되어 다른 세부 대안에 대한 논의를 어렵게 만드는 계기로 작용했다. 이렇게 열린 창문은 닫혔고, 오늘도 그 위로 호남선 KTX는 분기해 나간다.

4부.
비판: 정책의
실패와 성공 사이

오송역 이야기는 종막으로 접어든다. 겉보기에는 호남고속선 개통과 함께 상황이 끝난 것 같지만, 여전히 이 노선 주변에서는 현상을 변경하려는 많은 시도들이 거듭되고 있다.

이러한 시도들은 지금 오송역이 국토 중심역이자 세종시 관문역으로 설정되어 있는 현재가 최선의 상황이 아니라는 전제 없이는 성립하지 않는다. 다시 말해, 오송이라는 정책 대안을 비판해야 한다는 판단 없이는 현상 변경 시도가 이뤄질 수 없다.

8장은 바로 이런 현상 변경 시도를 규정할 수 있는 하나의 관점에 조명을 비춘다. 이 관점은 정책의 실패와 성공이라는 개념이 모호하다는 데서 출발한다. 정책의 실패와 성공은 일정한 관점에 의존한 평가일 수밖에 없다. 그리고 실제 현실의 정책은 시공간적으로 제한적인 정보 수집 능력과 판단력을 가진 행위자에 의해 운용된다. 따라서 어떤 정책이든 그리고 정책에 대한 어떠한 평가든 불완전하고 오류가 있게 마련이다. 어떠한 정책도 오류와 오차를 피할 수 없다. 정책이 이런 특징을 가진 이상, 성공과 실패라는 틀보다는 지속적인 오차 수정이 필요하다는 틀이 더욱 발전적이라고 생각한다. 이는 오송과 같이 논란 속에 있는 정책 결정에 대해 더욱 적합한 주장이다. 논란을 해결하기 위해서는 여러 행위자들이 주목하는 오차를 유형화하고 이를 바로잡기 위해 어떤 조치가 필요할지를 검토하는 작업이 필수적이다.

9장은 바로 이런 관점 하에서 오송 분기라는 정책 결정의 핵심 이유였던 지역균형발전 그 자체에 대해 검토해 본다. 정말로 세종시-오송역 복합체는 세종시라는 정책 수단의 힘을 더욱 강화시킬 수 있는 선택이었을까? 현재의 상황에서 오차 수정을 위해 취할 수 있는 방법은 무엇일까? 더불어 국토 전체 차원에 대한 구상인 X축 또는 강호축 구상을 구현할 때 오송 분기는 어떤 의미를 가지며, 실제 이 구상은 지지될 수 있는 것인가? 이미 발견된, 그리고 앞으로 발견될 오차를 수정하려 할 때, 어떤 조직 구조가 필요할까?

8장. 오차 수정 관점: 이미 벌어진 실수에 대응하려면

(생명을 신성시하는 믿음 때문에 호랑이를 그대로 두었다가

[마을 전체가] 사라져 버린 인도의 어떤 촌락에 관한

애처로운 이야기가 있다.) - 칼 라이문트 포퍼, 「추측과 논박」 7절

1절. '성패의 신화'를 넘어 '오차 수정 관점'으로

정책의 창문이 닫혀 현상이 굳어 버린 듯한 정책을 이야기할 때, 그 성공과 실패보다 입에 담기 쉬운 말도 없다. 길거리의 아무나 붙잡고 물어 보아도 사람들 대부분은 자신이 생각하는 성공한 정책과 실패한 정책에 대해 나름의 생각을 담아 열변을 토할 수 있을 것이다.

　하지만 이렇게 이들이 토하는 열변을 모아 보면, 분명 서로 양립하지 않는 평가들이 함께 모일 것이다. 가령 경부고속도로는 산업화의 주축이자 자동차 시대를 열어 한국 자동차공업, 나아가 자동차로 열린 중산층의 안락한 삶을 가능하게 만든 기반이었다. 도로 체계가

완전히 바뀐 지금도 여전히 도로공사는 경부고속도로의 도로번호를 1로 유지하고 있다. 그러나 동시에 이 도로는 당대 자동차 보급량 기준으로는 과격한 투자에 지나친 돌관공사(突貫工事)로 3년 만에 77명이 사망한 산업재해의 현장이었다. 대체 불가능한 투자였다고 하기에도 무리가 있다. 개통 53년이 지난 2023년 현재, 당시의 모습(왕복 4차로)으로 상용하는 구간은 사실상 존재하지 않기 때문이다. 전 구간에 걸쳐 확장이나 선형 개량(왕복 4차로인 옥천~김천 구간)이 있었다. 21세기의 획기적인 노선 확대로 인해 경부고속도로 이외의 경로로 주요 도시를 오가는 것 역시 큰 문제가 되지 않는다. 이렇게 토목 시설 면에서도 테세우스의 배[162]에 가까운 이 도로가 실제보다 10년쯤 뒤 본격적으로 자동차화가 진행되기 직전에 개통되었더라면 어땠을지에 대해서는 아직 제대로 연구된 적이 없다.

이 장황한 사례 소개의 요점은 이것이다. 설사 많은 사람들이 성공했다고 믿고 있는 정책이라 해도, 이 정책은 무언가를 포기하고 얻은 결과다. 정책 결정은 장점과 단점이 함께 섞여 한계를 가진 여러 대안 가운데 시대와 정책 중개자가 추구하는 가치를 구현할 수 있을 것으로 보이는 대안을 선택한 것이지, 전지(全知)한 철학자 왕이 고른 전선(全善)한 것은 결코 아니다.

이것은 어떤 정책이 실패했다거나 성공했다는 평가는 어떠한 경우에도 관점을 전제로 하지 않으면 의미가 없다는 뜻이다. 게다가 이

---

[162] 아테네의 창건자 테세우스가 탑승한 것으로 전해지는 배로, 수백년에 걸쳐 아테네에서 보존되어 왔다. 보존 과정에서 모든 구성 재료가 서서히 교체되었으므로 보존중인 배가 테세우스 당시의 배와 같은 배라고 봐도 좋은지에 대한 논란이 있었다. 저자의 역서 조엘 레비, 『사고실험』(이김, 2019): 236 참조.

관점은 오류를 범할 수 있는 유한한 인간이 가진 관점이다. 실패와 성공의 경계에 대해 엄격한 조작적 정의를 찾아낸다 하더라도 그 정의 자체가 불안정하다. 단순히 시행 속에서 오류를 찾아내는 방법을 통해 나아갈 수 있는 것도 아니다. 경부고속도로를 수십 개 건설하여 정책 효과를 실험할 수는 없는 노릇이다. 어느 사회든 자원의 한계가 있기 때문이다. 아니, 그렇게 건설하는 것이 잘 정리된 실험이라고 생각하기도 어렵다. 경부고속도로를 하나 건설할 때마다 사회가 변화하고 도로 주변의 교통 수요와 도시 체계도 변하게 되므로, 초기 조건을 통일한 다음 이 조건을 이러저러한 방식으로 조작할 때 일어나는 변화를 확인하는 대조 작업은 불가능하기 때문이다.

게다가 한 번 시작된 정책은 지속적인 시간의 흐름에 노출될 수밖에 없다. 정책 시행이 적기를 놓치는 것 역시 문제다. 현재와 가까운 이익일수록 확실하고 손에 잡히는 법이다. 미래의 불확실성을 견디며 지난한 의사결정 과정을 계속해야 할 이유는 없다. 사회의 변화 정도가 아니라 인류 활동에 의한 지구 가열처럼 자연사에 남을 만한 변화까지도 얼마든지 등장할 수 있다. 제아무리 튼튼해 보이는 길이라 해도 이러한 변화 앞에서는 얼마든지 방기되어 사라질 수 있다. 정책이란 이처럼 일종의 동적 과정 속에 놓여 있다. 고정된 상태로 남아 있는 정책이란 존재할 수 없다.

상황이 이렇다면, 어떤 정책이 단정적으로 실패 또는 성공했다고 말하는 것은 정책이 놓인 조건을 너무 단순하게 축소하는 관점을 전제로 한다. 이 관점을 '성패의 신화'라고 해 두자. 성패의 신화를 피하려면 이런 사실에 주목해 보라. 정부는 불완전한 정책을 내놓는다. 예측할 수 없는 문제의, 정책의, 정치의 흐름 속에서 좌우되는 것이 정책인 이상 그럴 수밖에 없다. 게다가 정책을 위해 만들어 낸 사물들을 둘러싼 흐름도 계속해서 변화한다. 처음 집행된 이 불완전한 정책은, 정책 설계자들의 오산과 이후의 변화 속에서 갈팡질팡한다. 이렇게 갈팡질팡하는 정책이 엉뚱한 방향으로 튕겨 나가지 않게 하기 위해서는, 결국 정책이 시작된 이후에 진행되는 오차 수정의 과정이 필요하다. 여러 정책 중개자들이 설정한 목표라는 과녁에서 어긋난 부분을 지속적으로 체크하고, 상황을 조금이라도 더 나은 방향으로 바꾸려는 노력이 필요하다. 어떤 정책이든 이런 관리 노력이 필요하다는 관점을 '오차 수정[163] 관점'이라고 해 두자.

---

[163]   다음 저술에서 따온 말이다. 김영평, 『불확실성과 정책의 정당성』(고려대학교출판부, 1995).

보강 6: '2종 오류'와 '1종 오류'

백서에 기록된 충북 측 교수 중 한 명의 발언이 매우 인상적이었다. 오송역이 아닌 천안아산역을 분기역으로 택할 경우, 그릇된 대안을 옳은 대안으로 선택하는 2종 오류를 범하게 된다는 말이 적혀 있었기 때문이다.[164]

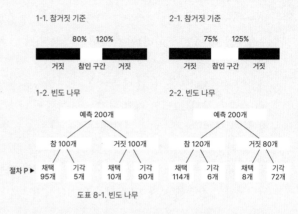

도표 8-1. 빈도 나무

여기서 통계학의 정의를 잠시 살펴보자. 통계학에서 어떤 절차가 참인 가설을 거짓으로 보고 기각하는 오류를 1종, 그리고 거짓인 가설을 참으로 보고 채택하는 오류를 2종이라고 부르는 것은 맞다. 다만 기각과 채택은 참과 거짓과는 구분해야 한다. 전자는 인식적 차원의 증거에 따른 평가, 다시 말해 판단자의 지각에 따라 내려진 평가를 의미하는

쌍 개념이고, 후자는 존재론적 차원, 다시 말해 현실 세계 그 자체가 가설과 일치하는 것인지 여부를 의미하는 쌍 개념이기 때문이다.

실제로 통계학의 논의를 따라 이 개념이 어떻게 사용되는지 살펴보자.[165] 가령, 철도 노선 A가 목표 수송량의 80~120%를 달성할 것이라는 예측이 있다고 하자. 이 예측은 곧 하나의 가설이다. 그리고

---

[164]   박종호, "호남고속철 분기점 결정과 충청북도의 주장", 오송백서, 1536.

[165]   이렇게 빈도 나무를 활용해 조건부 확률을 나타내는 기법은 저자의 역서(공역), 게르트 기거렌처, 『숫자에 속아 위험한 선택을 하는 사람들』(살림, 2013)에 제안된 방법이다.

이 가설은 참이거나 거짓일 것이다. 이때 이 가설을 평가하는 일종의 절차가 있어야 한다. 평가할 예측은 200개이며, 이 가운데 참(목표 수송량의 80~120% 이내)인 예측이 100개, 거짓(목표 수송량의 80% 미만이거나 120% 초과)인 예측이 100개라고 하자. 그리고 가설 평가 절차 P는 참인 예측 100개 가운데 5개를 거짓으로 판정하고, 거짓인 예측 100개 가운데 10개를 참으로 판정한다고 가정해 보자. 이제 예측 200개에 절차 P를 적용한다고 하자. 이 경우 P는 예측 105개를 참으로, 그리고 예측 95개를 거짓으로 판정할 것이다. 이 판정에 따라 각각의 가설을 참과 거짓이라고 판정할 경우, 5개의 예측에 대한 평가는 1종 오류, 10개의 예측에 대한 평가는 2종 오류가 될 것이다.

이런 논의 속에서 몇 가지 함축을 찾아볼 수 있다. 먼저 1종 오류와 2종 오류는 서로 반비례하는 확률을 가진다. 이것은 1종 오류 사례와 2종 오류 사례를 가르는 참과 거짓의 경계 자체가 평가의 목적에 따라 변경할 수 있는 값이기 때문이다. 가령 예측이 참인 범위를 목표 수송량의 75~125%

로 변경하면,[166] 참인 예측은 늘고 거짓인 예측은 줄어들며 이에 따라 1종 오류는 늘고 2종 오류는 줄어든다. 이렇게 바뀐 범위에 들어오는 예측을 120개, 그 여집합인 예측을 80개라고 하고, 절차 P가 1종/2종 오류를 범할 확률은 동일하다고 하자. 이 경우 P는 참인 예측 가운데 6개를 거짓으로(즉 1종 오류를 범함), 거짓인 예측 가운데 8개를 참으로 판정할 것이다(즉 2종 오류를 범함). 예측이 참인 범위를 넓혀 2종 오류의 빈도는 낮췄지만, 그 결과 1종 오류의 빈도는 높아졌다는 뜻이다.

더불어 이런 식의 양적 비례관계에 앞서, 1종 오류와 2종 오류는 일종의 개념들의 체계 없이는 사용될 수 없다는 사실 또한 조명할 필요가 있다. 가설은 일정한 기준에 따라 참과 거짓을 나눌 수 있고, 절차 P는 틀릴 확률이 있으며, 이 틀릴 확률의 종류는 두 가지이고 서로 반비례하는 방식으로 연결되어 있다는 것 등등. 이 체계가 실제로 사례에 사용되려면 참과 거짓에 대한 확률, P가 틀릴 확률이 경험적으로 확인되어야 한다는

---

[166]   빈도 나무를 계속해서 활용하기 위해 택한 설명 방법이다.

것도 중요하다.

물론 분기역 선정과 관련된 가설이 수치화될 수 있는 가설이기 때문에, 그리고 분기역 선정 절차가 맞고 틀릴 확률이 알려진 절차이기 때문에 충북 측에서 오송 분기 불채택이 2종 오류라고 평가한 것은 아닐 것이다. 이것을 하나의 수사로 이해한다면 그것으로 충분할지 모른다. 하지만 왜 1종 오류가 아니라 2종 오류라고 했을지 그 한 가지만은 꼭 짚고 넘어가고 싶다.

방금 보인대로, 1종 오류와 2종 오류의 확률은 서로 반비례한다. 다시 말해 2종 오류를 허용하지 않기 위해서는 1종 오류를 어느 정도 허용할 수밖에 없다. 이런 판단은 2종 오류가 더 중요하다고 보는 경우에만 적절하다. 가령, 앞서 살펴본 사례에서라면, 노선 개통으로 인한 시민 편익을 극대화하려면 1종 오류를 가능한 한 줄여야 하지만, 이 경우 수요 예측이 실패해 재정을 낭비하는 노선이 증가할 것이다. 그렇다면 재정이 부족한 상황에서는 2종 오류를 피하는 것이 더 중요하다. 조금 더 직관적인 사례를 더해 본다. 진짜 감염병 환자를 놓쳐 감염병의 확산 속도를 늦추는 것이 중요하다면 1종 오류(환자인데 비환자로 판정)를

가능한 한 줄여야 한다. 하지만 이렇게 되면 2종 오류(비환자를 환자로 판정)가 늘어난다. 따라서 불필요한 진료를 줄이는 것이 중요하다면 2종 오류를 피하는 것이 오히려 더 중요할 것이다.

그렇지만 앞서 소개한 사례와는 달리, 분기역 문제에 1종 오류와 2종 오류를 적용하는 것은 매우 이상해 보인다. 충북의 주장에 따르면 오송 분기가 참, 천안 분기가 거짓이다. 그런데 현재 정부의 절차로는 100% 천안 분기를 선택할 수밖에 없다, 즉 당시 정부의 절차에 따르면 거짓인 모든 사례에서 2종 오류가 나올 것이다. 하지만 이것은 결국 (2종 오류의 빈도와 반비례하므로) 1종 오류가 극단적으로 낮다는, 즉 참인 사례에 대해 정부의 절차는 사실상 모두 거짓을 내놓는다는 함축을 가진다. 정부의 절차를 전혀 신뢰할 수 없다는 수사법인 셈이다. 정부와 충북이 기나긴 마찰을 빚어 온 이유를 알 수 있다는 논평을 남길 수 있는 후대인의 입장에 있는 것이 참으로 다행스러운 일이다.

자비의 원리에 따라, 2종 오류에 대한 언급이 정부의 절차를 전혀 못 믿겠다는 주장이 아니라고 해 보자. 그렇다면 남는 것은 결국 확률적

주장뿐이다. 그러나 우리는 대조할 만한 고속철도 분기역 사례를 가지고 있지 못하다. 무엇이 오송 분기와 천안 분기 선택 사이에서 교환될 것인지, 그 내용을 확인하려면 결국 3부에서 살펴본 오송 분기의 논리로 되돌아올 수밖에 없다. 오송 분기의 이점은 무엇이고, 천안 분기의 이점은 무엇인가? 나로서는 강호축으로 이어지는 X축 구축, 그리고 세종시-오송역 복합체의 구성과 사수가 물거품이 되지 않게 하려면 오송을 택해야 한다는 이야기, 결국 그것 이상은 찾을 수 없었다. 먼 길을 돌아왔지만, 일종의 텅 빈 기표 앞에 서고 말았다고 할까.

2절. 오송, 성패의 신화 대 오차 수정 관점

3부에 이르기까지 확인한 역사 정보를 이용해 오송 분기와 그 후일담에 두 관점을 적용해 보자. 성패의 신화를 통해 보면 오송 분기는 어떠한 결정인가? 그리고 오차 수정 관점을 택해 보면 어떻게 다르게 볼 수 있는가? 표 8-1을 확인한 다음 계속해 보자.

표 8-1. 오송: 성패의 신화와 오차 수정 관점 적용

평가 기준	성패의 신화		오차 수정 관점
	성공	실패	
역의 접근성	충북 발전의 계기가 되었다	모두가 만족하기 어려운 어중간한 위치에 역이 생겼다	결정 이후 결정의 단점을 계속 보완했어야 한다
수도권- 호남 우회 노선 문제	소요 시간 수 분가량의 증가는 감내할 만하다 & 임률을 낮출 것이다	임률 인하 약속이 지켜지지 않았다	약속 이행을 위한 조치가 필요했다
선로 용량 부족 시 대응	2복선은 없을 것이다	결국 2복선화 사업을 진행해야 했다	2복선화 진행 시 조건을 협의했어야 했다
호남- 대전 간 통행 대응	박정자역이나 그에 준하는 역을 지을 수 있다	대전~익산 간 호남고속선 열차가 줄어들어 버렸다	충북이 중간에 견해를 바꿨다는 사실을 명확히 하고, 논쟁 초기 오송 대안을 정당화한, 대전 서부에 근접 정차역을 확보해야 한다
공주 철도 공급 문제	공주는 보존이 필요하다	역 접근성이 극히 좋지 않아 공주는 여전히 철도 오지다	대전 서부 인접 정차역을 통해 공주의 접근성을 보완해야 한다
국토 X축 1: 강호축 문제	아직 미완이므로 계속 추진되어야 한다	고속열차~충북선 간 하루 평균 200명의 환승객(2019) 처리는 환승으로 충분하므로 과도한 투자이다	투자를 시작하는 호남-충북선 환승 통행량의 문턱값을 설정했어야 한다
국토 X축 2: 영호남 환승 문제	영호남 간 고속열차 오송 환승이 실제로 적지 않다 (300명/일, 2019)	굳이 거기서 환승해야 하는가?	환승으로 영호남 간 연결을 언제까지 제공해도 좋은지 문턱값을 제시했어야 한다
역세권 개발 문제	주변은 성장하는 신도시 며 '미호강 시대'가 열리고 있다	도보권 개발은 제대로 안 되고 있다 대중교통 연계가 아직 미흡하다	도보권 개발 계획을 최우선적으로 수립했어야 한다
수도권 연담화 회피 문제	수도권과의 연담을 피하기 적당한 거리다	어중간한 입지로 인해 세종으로의 분산 자체가 어렵다	연담화 회피와 입지 분산 사이에서 좀 더 토론이 있어야 했다

논의의 진행을 위해, 3부에서 확인한 쟁점을 9개로 압축해 본다. 성공의 신화를 택한 충북에서는 청주와 세종에서 가장 가까운 역이 생겼다는 점, 더불어 국토 X축의 구축과 역세권 개발과 여타 청주 지역의 성장이 순조롭게 이뤄지고 있다는 사실, 그리고 차령산지라는 지형의 도움 덕에 수도권과의 연담화가 결국에는 어렵다는 주장까지 더해, 오송역이 계속해서 성장하는 중부권의 관문이라고 주장하고 있다. 오늘도 붐비는 오송역과 주변 주차장은, 어쨌든 오송역이 하루 2만 명 넘는 승객이 이용하는 대규모 역으로 자리를 잡았다는 사실을 보여준다.

한편 실패의 신화를 택한 오송 비판자들은 오송 분기 당시 이뤄졌던 충북이나 정부의 여러 호언장담이 실현되지 않았다는 점에 주목한다. 가령 호남고속철도 임률 인하 약속은 국토부 장관이 구두로 내뱉은 말임에도 실현되지 않았다. 더불어 공주는 철도 오지로 남았으며, 대전-호남 간 통행 역시 제대로 지원받지 못하고 있다. 평택~오송 2복선화 사업은 곧 착공할 예정이고 20년대 후반이면 개통을 볼 것이다. 충북의 주장 가운데 명백히 실현되지 않은 것이 적어도 세 가지 있고, 나머지 부분에서도 부실한 부분이 발견된다. 그렇다면 오송 분기는 실패한 정책일 것이다.

그렇지만 이렇게 성공과 실패라는 단정이 꼭 중요한 것은 아니다. 다시 강조하지만 정부의 정책은 언제나 목표로부터 빗나갈 수 있다. 또한 오송 분기가 성공하거나 실패했다는 주장은 서로 조금씩 다른 지점을 짚는다. 서로 통약 불가능한 말을 주고받는 양측 사이에서 합의할 수 있는 사실을 찾아 조금씩 앞으로 나아가는 것, 오직 이것만이 오송 분기 같은 사례를 대할 때 취해야 하는 방향이다.

표 8-1의 오차 수정 관점은 바로 이를 위한 몇 가지 제언들로 이

뤄져 있다. 각각의 쟁점에서 오송역 선택이 성공이나 실패를 불러왔다고 단정하고 상황을 끝내기보다는 여기에서 나타난 문제들을 보완할 기본 방향을 제시하고 있기 때문이다. 가령, 영호남 간 환승객이나 오송역의 충북선 방면 환승객의 숫자는 하나의 기준선을 정해 환승이상의 투자 요구에 대처할 수 있는 문제였을지도 모른다. 이러한 기준선을 명시하지 않은 상태에서는 지속적인 요구에 대처할 방법이 마땅찮을 수밖에 없다. 더불어 운임 할인, 대전 서부와 공주에 인접한 역건설, 2복선화 문제와 같이 의사결정자에 따라 변화할 수 있는 문제에 대해서는 지속적으로 이행 감시 작업을 했어야 한다.

기준선과 이행 감시 없이는 어떠한 결정이든지 지속적으로 현실과의 오차를 키울 것이고, 더불어 과거의 결정이 낳은 여러 문제에 대해서도 적절한 대응을 해낼 수 없다. 더불어 실패라는 문제 제기가 성공했다는 평가보다 중요하다고 하려면, 결국 두 관점을 비교할 수 있는 동등한 평면이 있어야만 한다. 기준선, 그리고 이행 감시 작업은 바로 이 평면의 기능을 하게 될 것이다.

3절. 오송 분기 의사결정의 구조와 오차 수정 관점

기준선과 이행 감시는 일견 당연해 보인다. 하지만 의사결정 과정에서 이런 관점에 대한 논의가 미흡했던 것으로 보인다. 의사결정 기구로 지방 정부 추천인으로 구성된 평가단(이하 위원회)이 활용되었다는 사실에서 다시 출발해 보자. 위원회 형식을 빌려 의사결정을 한다는 것은 분명 지방 정부 사이의 토론과 이를 통한 협력을 창출해 대표성 있는 의결을 수행하려 했다는 의미다. 그러나 때로 중재자 없이는 타협이 불가능한 갈등도 있는 법이다. 실제로 충남 측 대표단은 호남 3개 지방 정부와 함께 퇴장하지 않았던가?

이 퇴장은 예견된 것이었음을 이미 확인했다. 아마도 문제는 이 의사결정 구조가 지금의 세종시 입지를 결정하던 당시에 활용된 구조를 그대로 따왔다는 데서 나왔을지 모른다.[167] 세종시 평가 추진 체계(159~164쪽 참조)는 한 차례의 결정을 수행하는 데 초점이 맞춰져 있을 뿐, 그다음의 변화에 대해서는 다음 세대에 맡기는 방식이었다. 이러한 의사결정 구조를 오송역에도 그대로 가지고 왔다는 것은 오송역과 세종시 사이의 중요한 차이를 망각한 결정으로 보인다.

세종시 입지 갈등과 오송역 입지 갈등의 공통점은 분명 존재한다. 양청 접경 지역 인근에서 치열한 경쟁의 대상이 되었다는 점이 바로 그것이다. 그런데 세종시와 오송역은 갈등에서 상대해야 할 적의 위치와 분포, 시간적 안정성이 서로 다르다는 중요한 차이가 있었다. 세종시의 경우, 지역균형발전의 거점으로서의 지위 자체를 약화시키는 적은 오직 수도권과 중앙 정부뿐이었다. 이명박 정부 초반에 세종시 개발을 축소하려던 시도가 바로 그것이다. 이 적 앞에 충청권은 하나되어 맞섰다. 세종시 개발은 충청권의 덩치를 불리는 일인 이상, 세종시 개발 계획이 제대로 수행되지 않으면 충청권 전체에게 불이익이 되므로 모두가 하나되어 공조한 것이다. 2010년대 후반이 되자 수십만 명의 세종 시민도 생겨났다.

그러나 오송역의 지위를 약화시키는 적은 오히려 충청권 내부에 있었다. 오송과 관련된 철도 계획을 축소하려는 중앙 정부의 계획은

---

[167]   국토연구원, 호남고속철도 기본계획 조사연구 보완용역 공청회 자료, 2005. 12.

물론, 충청권 내부의 고속철도를 변형하려는 비충북 충청 지방 정부들 역시 중요한 적이었다(호남은 고속선의 빠른 완성을 더욱 중요시하였다). 충북은 여기에 대응해 세종시-오송역 복합체가 곧 세종시를 완성하는 방법이라는 주장을 되풀이했다. 그리고 이 주장에 근거해, 충북은 본선상이든 기존선이든 간에 오송역 주변에 고속철도 정차역을 추가하는 것을 결사적으로 반대해 왔다. 중앙 정부의 관료조차 이들을 자극하는 것을 포기한 상태다.

하지만 세종시-오송역 복합체는 결국 이질적인 존재자 사이의 조합이다. 세종시처럼 지역(충청권) 총 인구의 약 10%에 달하는 대규모 도시라면 지역 내부의 동력으로는 결국 그 지위를 흔들 수 없다. 2020년대의 한국처럼 인구가 감소세로 돌아선 상태에서는 더욱 그렇다. 그렇지만 역은 주변 교통망의 변화에 따라 그 지위가 유동적일 수 있다. 단 하나의 거대 적, 즉 서울 집중 시도만을 상대하면 성과를 유지할 수 있는 세종에 비해, 오송역은 충청의 다른 지역을 지속적으로 견제해야 그 지위를 유지할 수 있었다. 그리고 이 지위 유지 시도는 오송역으로 인해 손실을 입은 지역에서 시도하는 오차 수정 요구와 충돌할 수밖에 없을 것이다.

상황이 이렇다면 오송을 선택하는 결정을 세종과 마찬가지로 한 방에 내리겠다는 것은 곧 미래 세대에게 지속적인 부담을 떠넘긴 결정이라고 보아야 한다. 하나의 역이 가진 미래 지위가 인구 50만의 대도시만큼 견고할 수 있다는 전제를 가지지 않는다면, 한 번의 결정 이후의 모든 것을 미래 세대에 맡기는 것으로 큰 갈등이 모두 해소되리라고 믿기 어렵다.

한나라당의 당론이 이미 알려진 상태에서, 그리고 호남권 및 충남 평가 위원이 퇴장한 상태에서 이런 결정이 내려졌다는 것 자체도 중요한 문제다. 다시 강조하지만, 이는 이미 널리 공표된 정보를 반영하지 않은 상태에서, 그리고 가장 중요한 이해 당사자를 대변하는 위원들이 빠진 상태에서 호남고속철도와 관련된 의사결정이 내려졌다는 뜻이다. 오송 분기 결정은 중대한 실질적 결점을 이미 알고 있었음에도 추후에 결국 수정할 수 없는 오차를 남기는 것을 감수하고 이뤄졌다. 이러한 마찰은 오송역 주변 고속철도망을 놓고 충청권의 마찰이 결국 계속될 것임을 예고하는 전주곡이었다. 이 전주곡을 확인하였음에도 과거의 과업지시서에 속박되어 의사결정 방법을 정하고, 그에 따라 결정된 최종 평가 결과를 그대로 밀고 나간 것 역시 일종의 오차 수정 실패라고 볼 수 있을 것이다. 더불어 가능한 한 빨리 호남고속철도를 개통해야 한다는 호남권의 시각은 분명 합리적인 면은 있으나 오차를 수정하는 데는 그리 효과적이지 않았다.

4절. 오차 수정 시도의 현장과 충북

이제 오차 수정 관점에서 오송 분기 이후 일어난 갈등을 점검해 보자. 앞서 '다음 세대'를 언급했다. 다음 세대로 갈등을 떠넘기려면, 큰 갈등 없이 수십 년이 지나갈 것이라는 전제가 만족되어야 한다. 그러나 다음 번 갈등은 생각보다 빠르게 왔다. 분기역 결정 단 7년, 아직 분기역이 완성되지도 않은 상황에서 처음으로 일어난 갈등은 세종 관통 고속철도 대안을 둘러싸고 벌어졌다.

2013년 세종 관통 고속철도 신설안

쟁점의 핵심은 이것이라고 추정한다. 세종시는 서울의 정부 기능을 대체하고 외국과 민간의 행위자까지 삼남 지역으로 내려오게 만들고자 하는 거점이다. 이 기능을 위해서는 여전히 국내 최대의 경제 거점으로 기능할 서울과의 원활한 교통이 필수적이다. 그러나 서울과 세종 사이의 연결은 오송을 관문역으로 하기 때문에 오송에서 세종 중심으로 접근하는 30여 분의 시간이 추가로 소요될 수밖에 없다. 이는 개인과 기업 모두가 세종시 이동을 망설이게 만드는 요인이다. 세종 본 시가지 내에 중심이 되는 역을 짓는 것이 합리적이다(9장에서 추가 논의). 이러한 오차 수정 방향을 정부가 내부적으로 검토하던 중에 관련 정보가 언론에 유출되었다. 충북은 이 오차 수정에 크게 반발하였고, 오히려 [세종 시가지 내] "KTX역 설치는 세종시의 야간공동화 현상을 부르고, 정주 여건 조성에도 심각한 훼손을 초래할 것"이며 "(공무원들이 원거리 출퇴근을 할 경우) 전쟁 상황 등 국가 위기상황 관리에도 엄청난 위험 요소가 될 것"[168]이라며 중앙 정부의 오차 수정 시도가 정당하지 않다고 몰아가려 했다. 이에 정부는 오차 수정 시도를 단며칠만에 부정하고 단순히 오송과 평택을 잇는 경부고속선 2복선화만을 수행하려 한다.

---

[168]　엄재천, 'KTX 세종역 신설 논란'... 충북 긴급 대책회의, <충북일보>, 2013. 2. 26.

2014~15년 서대전역 경유 논란

호남고속철도 개통을 앞두고는 서대전역 정차가 중요한 쟁점으로 등장했다. 대전과 호남 사이의 수요를 충당하려는 목적에서였다. 2004년 이래 호남 방면 열차 전체가 정차하던 서대전에서 서울 방면 고속열차가 완전히 사라지는 것도 문제였다. 그러나 이렇게 일부 열차가 서대전으로 우회할 경우, 오송역에서 호남 방면으로의 연결은 서대전 경유 고속열차의 수에 비례하여 약화되고 만다. 이런 상황을 방지하기 위해 충북은 서대전 정차에 반대하려 했다. 오송역이 이미 분기역으로 결정된 상황에서 일부 열차를 재래선으로 돌리는 것은 부적절하다는 주장이었다. 그러나 호남고속선으로는 익산까지 하루 편도 40편, 추후 개통되는 수서발 고속열차까지 감안하면 60편 이상이 운행하는 상황에서, 하루 한 자리 수(편도 8편)의 열차가 서대전을 경유하는 수준의 경미한 오차 수정까지 충북이 막지는 못하였다.

2015년~ 호남고속선 상의 세 역

지금 KTX가 305km/h로 달리는 호남고속선 상에는 현존하는 공주역, 그리고 신설 요구가 있는 세종역과 논산훈련소역이 있다. 공주역의 경우, 앞서 언급했듯 천안아산 분기 당시에는 공주와 인접한 곳에 신설될 예정이었다. 그러나 현재의 오송 분기가 선택된 노선에서는 공주 지역의 역이 공주 본 시가지에서 멀어질 수밖에 없었다. 박정자 인근 지역에도 역을 받지 못한 공주는 결국 세 도시의 가운데 지점에 역을 받는 타협안을 수락해야만 했다. 그러나 이렇게 본 시가지에서 20km 떨어진 역에 만족할 수 있는 도시는 아무 데도 없다. 20km는 앞서 이야기한, 그리고 오송~세종과 오송~청주 사이의 거리인 15km에 비해서도 먼 거리다. 결국 논산은 별도의 역(논산훈련소역, 강경~논산 간 호남고속선-호남본선 교차점)을 요구하기에 이른다. 공주, 세종, 논산 모두 호남고속선의 현재 구조에 대응하여 오차 수정을 시도하고 있지만, 선로와 본 시가지 자체의 거리 그리고 선로 자체의 한계 때문에 이 오차 수정은 사실상 성과를 보지 못하고 있다.

2016~27년 고속철도 2복선화와 세종 관통 2복선화, 그리고 천안아산 무정차

보강5에서 언급했듯 고속철도 2복선화를 추후에 검토한다는 판단의 책임은 정부에게도 있다. 남쪽 갈래가 6개(서대전 경유 제외)이므로 북쪽으로 두 갈래로 갈라질 경우 고속열차를 각 경우의 수마다 시간당 한 편씩만 투입하면 고속선의 선로 용량이 꽉 찰 것이라는 예상은 산수의 영역이고, 철도 계획 당국이라면 당연히 이 산식을 정확히 제시할 수 있었기 때문이다. 아무튼 이 상황 때문에 발생한 고속철도 병목이라는 오차를 수정하기 위해 정부는 고속철도 2복선화 사업을 진행하고 있다. 이 준비 과정에서 세종역을 관통하는 복선을 건설하려는 대안을 검토했다는 것은 이미 살펴본 대로다. 그런데 2023년 현재 건설 준비 중인 노선은 선로 접촉 지역의 수용성을 높이기 위해 사실상 전 노선 지하화를 진행중이며, 더불어 이때 사업비가 과다 투입되는 역을 생략하기 위해 새 복선에는 천안아산역을 건설하지 않기로 한 적도 있다(2022년 현재 추가됨). 오송역의 관문 기능은 전제로 하면서 다른 역을 생략하는 장면은 오차 수정 시도가 불편부당하지 않게 이뤄지고 있다는 논란을 자초하고 말았다.

이 시도 사이에는 아주 흥미로운 공통점이 있다. 물론 이들 오차에는 모두 오송역이 관련되어 있다. 그리고 이 오차는 하나같이 오송 분기역 결정에 앞서 이뤄진 충북의 주장과 부합하지 않는다. 첫 오차에서는 세종시 접근성 개선이라는 명백한 장점조차 충분히 인정받지 못했다. 둘째 오차에서 충북은 대전을 오송 분기로 끌어들일 때와는 아예 다른 방향으로 움직였다. 한때 충북에게 박정자역을 약속받았던 공주는 오차를 충분히 수정할 기회조차 얻지 못했다. 2복선화가 필요 없다고 했던 충북은 2020년대의 2복선화 사업에 대해서는 어떠한 책임도 지지 않고 있다.

5절. 만시지탄: 오차 수정 이행 감시 위원회를 설치했더라면

그렇다면 상황을 이렇게 요약할 수 있다. 오차 수정 관점을 반영하지 못한 의사결정 과정, 실제로 계속해서 시도되었으나 극히 불충분했던 오차 수정 과정, 그리고 그에 대해 자신들의 과거 논리를 상당 부분 무시하면서까지 오차 수정 과정에 대해 반발한 충북.

그렇다면, 정말로 만시지탄이지만 당시 건설교통부는 최소한 두 개의 지시를 더 내렸어야 했다. 오송 분기 결정이 가진 단점과 그 단점을 해결하기 위한 오차 수정 과정을 명시적으로 권고하는 문서를 생산할 것. 이 문서에 따라 오송 분기 결정이 가진 오차를 수정해 나가도록 정부와 지방 정부에게 명령하는 이행 감시 위원회를 설치할 것.

물론 이런 이행 감시 위원회가 있다고 해서 모든 문제가 순탄하게 풀렸을 리는 없다. 목도했다시피 충북의 시도는 집요하였으므로, 지방 정부 간 합의체로 운영되었다면 이 위원회 역시 충북의 시도에 의해 파행으로 갔을 가능성이 있다. 첫 번째 정책의 창이 열린 이후 중앙 정부는 표면적으로나마 중립적 태도를 취해야 했던 만큼, 그리고 많은 학계 인사들 역시 오송 분기에 관련되어 있던 만큼, 이를 방어할 만큼 중립적인 주체 역시 존재하기는 어려웠을지 모른다. 그러나 이들 이행 감시 위원회가 권고했어야 하는 오차 수정안은 표 8-1과 4절에서 볼 수 있듯 이미 충북이 내놓은 발언으로 언어화되어 있던 상태였다. 이미 언어화되어 정책으로 쉽게 번역할 수 있는 문제점이, 그리고 이로 인해 호남고속철도를 늦게 개통하는 오류를 피하면서도 다른 종류의 오차는 보완할 수 있는 방법이, 언어를 생산한 주체(충북)가 가진 관점 때문에 정책 오차 수정에 활용되지 못한 것이 뼈아프다.

그렇다면 정말로 방법이 없을까? 오송 분기가 하나의 극단적인 사례 이상이라면 방법을 하나 찾아볼 수는 있다. 오송 분기는 결국 하나의 유형에 속하는 사건이다. 선호 시설을 자기 땅에다 끌어오고자 하는 관점 사이의 충돌, 즉 '핌피(PIMFY)'는 혐오 시설을 자기 땅에서 내보내야 한다는 관점, 즉 '님비(NIMBY)'와 거울상을 이룬다. 그리고 두 관점은 공공시설의 입지를 논쟁과 갈등 속으로 끌어들일 수 밖에 없다. 님비와 핌피 모두를 억제할 중립적 관점, 그리고 이를 구현할 주체의 필요성 자체는 공공시설의 입지에 대해 입장이 갈릴 잠재력이 남아 있는 한 계속될 것이다.

아쉽게도 이런 갈등의 사례에서 사후 협의 이행 위원회가 존재하는 사례는 확인하지 못했다. 더불어 개별 결정마다 별도 조직과 법령을 만든다면 이는 지나친 행정력의 낭비가 될 수도 있다. 그렇다면 중앙 정부나 국회 차원에서, (가칭) "공공시설의 입지에 대한 협치 이행 감시 위원회"를 구성하고 오송역의 오차 수정 문제를 하나의 안건으로 지속적으로 상정하는 것이 일종의 균형점이다. 이 위원회는 오송역과 같은 입지 갈등 사례 분쟁을 기록하고, 각 입지 결정 대안이 가진 단점을 정리하며, 이 단점을 보완할 사후 이행 방안을 수립할 것을 전문 기관에 요구한 다음, 이렇게 확보된 이행 방안의 실제 이행을 감시해야 한다. 여러 부처 간 합의가 필요한 계획일 것이 틀림없는 만큼, 이는 적어도 총리실[169] 산하의 관청, 아니면 국회의 부속 기구로 설립해야 할 것이다.

중립적이며 강제력 있는 감시 위원회, 이것이 이미 오차가 벌어져 많은 것이 진행된 오송 분기에서 그나마 오차를 수정하여 무언가를 해볼 수 있도록 만들 제도적 기반이다. 오차 수정은 오차와 그 수정 방법을 알게 된 즉시 수행해야 한다. 이후의 피해를 줄이고자 한다면 더욱 그렇다. 더 이상 표 8-1에서 제기된 것과 같은 쟁점이 무시되지 않도록 권고안을 작성하고 이행을 감시하는 정부의 결단을 촉구한다.

---

[169] 그러나 이미 책임 총리의 권한으로 첫 번째 정책의 창이 열린 것을 목도한 이상, 이것만으로는 충분한 대안은 아닐 것이다. 앞으로의 연구를 기약할 수밖에 없다.

9장. 지역균형발전 그 자체: 오송역은 어떤 지역균형발전을 불러온 것일까

…독자로서는 지난 반세기 동안 여러 곳에서 수천 가지의 형태로
중앙집권화가 촉진되어 왔다는 것을 알게 될 것이다.
전쟁이나 혁명·정복 등이 이러한 현상을 더욱 촉진했다.
같은 기간 동안 인간의 관념과 이해관계와 열정 또한
무한히 다양화해 왔다. 그러나 어떠한 방법에 의해서건 모든 것이
중앙으로 집중되어 왔다. 이러한 본능적인 집중 현상은
지극히 변덕스러운 생활과 관념 속에서 유일하게 안정된 현상이었다.
- 알렉시스 드 토크빌, 『미국의 민주주의 II』 4부 5장

1절. 지역균형발전이라는 오래된 목표

8장은 이미 오송 분기가 진행된 상황에서 이를 되돌릴 수 없다는 점을 직시하고 내놓을 수 있는 대책이었다. 또한 오차의 범위를 충북과 오송 분기에 대해 정부가 제시한 쟁점으로만 좁혀 논의를 진행했다. 하지만 이것으로 논의가 충분하다고 하기는 어렵다. 충북이 오송역을 지키기 위해 휘두르는 전가의 보도인 '지역균형발전' 자체에 대한 비판적 평가 없이는 논의를 더 전진시킬 수 없을 것이다.

이야기의 출발점은 지역균형발전이라는 목표 그 자체다. 박정희 연간부터 수도권 집중에 대해 구체적인 분산 방법을 모색해 온 이상, 이것은 적어도 50년 이상 한국 정부의 꾸준한 관심이었다. 이 책의 초점인 충청권으로 범위를 좁히자면, 이 관심은 주로 내륙에 적합한 경박단소형(輕薄短小型) 제조업과 정부기관의 입지를 활용해 이뤄졌다. 2부에서 확인한 반도체나 바이오 산업 입지는 물론이거니와 유명한 행정수도 계획 역시 박정희 시대의 작품이다. 전두환 정부 당시에 수도권 규제법이 입법된 것, 그리고 1987년 대전 행정도시 육성 대책이 발표되고 약 10년에 걸쳐 대덕단지와 정부대전청사가 조성된 사실도 있다.

그렇지만 동시에, 상반된 신호가 나타난 현실 또한 무시할 수 없다. 이미 확인한 사례 가운데 청주공항을 이야기하지 않을 수 없다. 청주공항 대신 인천공항이 개발되었다는 점을 감안하면, 청주공항의 약화는 수도권 개발 억제를 통한 지역균형발전 정책이 힘을 잃었다는 방증이다. 한편 삼성으로 대표되는 전자산업은 계속해서 경기 남부에서 성장했고, 대도시에 의존하는 IT산업의 발흥은 이에 기름을 부었다. 수도권에서는 생산자 서비스업은 물론 첨단 제조업까지 성장해

가면서 경쟁력을 계속해서 강화해 나갔다.

문제는 이렇다. 정부는 계속해서 무언가를 시도했다. 그러나 새로운 산업이든 과거로부터 이어져 온 발전이든, 이들은 서울을 기반으로 계속되었다. 20세기 정부들의 시도는 모두 이 앞에서 빛이 바랬다. 2022년 지금까지 노무현 정부는 이 경향에 대항하기 위한 승부수를 띄운 마지막 정부였고, 이 승부수의 핵에 세종시와 이 도시의 관문역인 오송역이 있다.

이번 장은 바로 이 승부수를 다룬다. 충북이 '지역균형발전'의 핵으로 오송역을 격상시킬 수 있었던 것은 바로 노무현 정부 당시의 세종시라는 승부수를 오송역과 결합시킨 덕이다. 이 결합체의 이름을 앞선 논의에서는 세종시-오송역 복합체라고 불렀다. 그렇다면 세종시-오송역 복합체는 정말로 지역균형발전을 달성할 수 있는 수단이었는가?

이 질문에 답하는 작업은 하나의 관점을 전제로 해야 한다. 오송분기는 일종의 메커니즘을 촉발시킬 시작점이라는 이유에서 선택되었다는 관점이다. 여기서 메커니즘이란, 일정한 초기 조건에 몇 가지 조작을 수행했을 때 인과 사슬을 따라 일정한 결과가 나오는 일련의 과정을 의미한다.[170] 오송역이 발동시켜 균형발전이라는 결과에 도달할 수 있는 메커니즘은 크게 세 개다. 하나는 방금 언급한 대로 이 역이 세종시의 관문역으로 작동하여 일어나는 일련의 결과다. 당초 계

---

[170] 메커니즘이 무엇인지에 대한 세밀한 논의는 다음 철학 사전의 정의를 참고할 수 있다. Carl Craver and James Tabery, "Mechanisms in Science", *The Stanford Encyclopedia of Philosophy* (Summer 2019 Edition), Edward N. Zalta (ed.), https://plato.stanford.edu/archives/sum2019/entries/science-mechanisms

획가들은 이 결과를 무엇이라고 생각했으며, 이 생각과 현실 사이에는 어떤 오차가 확인되는가? 이 오차를 어떤 관점에서 수정해야 하는가? 그리고 충북이 지역균형발전을 위해 도입한 여러 논거는 이 수정 과정 속에서 어떻게 평가되어야 하는가?

오송역이 균형발전이라는 결과에 도달하기 위해 발동시킬 수 있는 또 다른 메커니즘은 국토 X축을 구축하여 일어나는 일련의 결과일 것이다. 물론 2023년 현재 강호축은 아직 완비되지 않았다. 그러나 이미 환승을 통해 X축은 부분적으로는 구축되었다고 보아야 한다. 정말로 강호축을 추가해 국토 X축을 구축하면 일어나는 인과적 과정이 균형발전이라는 목표에 도달하는 데 충분한 도움이 되는지 면밀히 평가되어야 한다.

이 장의 말미에서는 균형발전이라는 목표를 다루기 위해, 조금 결이 다른 문제도 함께 언급하려 한다. 국토 균형발전을 위해서는 지방이 자신의 미래를 결정하는 자기 결정권이 무엇보다 필요하다는 문제 제기가 바로 그것이다. 특히 오송 분기는 지방자치가 확산되고 있는 맥락에서 제기된 요구였고, 따라서 이 요구는 각 지방은 중앙이 이미 정해 놓은 목표보다는 자신이 정하는 목표에 따라 균형 발전을 추구할 수 있다는 자각의 일종으로 볼 수도 있었다. 그렇다면 이 자각이 정말로 지역균형발전이라는 목표를 달성하게 하려면 어떤 오차 수정 절차가 필요한지, 그리고 이 절차는 어떤 정신에 따라 구성되어야 하는지에 대한 논의가 필수적이다.

2절. 세종시 개발과 그 오차

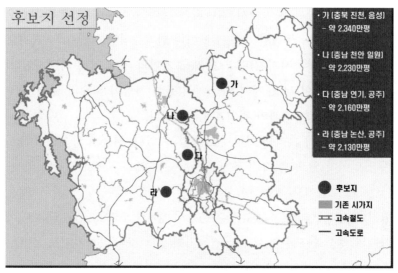

그림 9-1. 신행정수도 후보지 결정도. 신행정수도 건설 추진 현황 및 계획, 환경재단 발표자료, 2004. 6.
충청도 전체를 초기 후보지로 놓는다.

그림 9-1에서 논의를 시작해 보자. 신 행정수도의 후보지 네 군데 가
운데 그나마 경부고속철도의 역과 거리가 가까운 것이 지금의 세종
시-오송역 쌍인 (다)라는 데 주목해 보자. 논산 노성면-공주 이인면
[171]일대인 (라)는 경부선 접속을 위해 대전역으로 연계시켜야 했을 지
점이다. (나)는 천안 시가지의 정체를 뚫고 천안아산역과 연계했어야
할 것이고, (가)는 지금의 진천음성혁신도시로 외지에서 접근할 수단
은 오직 중부고속도로(추후 평택제천고속도로 추가)뿐이다.

---

[171]   현재 이인면 신영리에 호남고속선 공주역이 있으므로 호남고속선을 이용한 접근은 가장 쉬웠을 것이다.

이들 입지가 결정된 핵심 논리를 다시 짚어 보자. 국토연구원은 서울과 100km 이내로 인접한 입지를 가장 먼저 배제했고, 충청 해안 지역도 한국 동부 지역에서 지나치게 멀다는 이유에서 배제하였다. 더불어 전국 인구중심점(청주 관내)이나 면적중심점(옥천)과의 거리도 검토하였고, 기존 시가지 반경 2~3km 가량의 지점 역시 배제하였다. 이렇게 측정하여 남은 지역 가운데 평탄한 지형이 비교적 넓게 펼쳐진 지역을 선택한 결과가 위의 4개 지점이다.

입지 선정의 논리는 이렇게 요약할 수 있다. 서울과 약 90~100km 이상 떨어져 있으며, 기존 도시와는 독립된 새로운 도시를 건설할 수 있는 땅, 그럼에도 전국에서 2시간 이내에 접근 가능한 입지. 이것은 입지 선정의 논리상, 4개 입지 가운데서 행정수도와 그 관문역은 이미 현재의 세종시-오송역 쌍으로 결정되어 있던 것과 마찬가지로 보아도 좋다는 뜻이다. 2004년 시점부터 고속철도역과 주변 신도시가 존재하던 천안아산은 사실상 서울과 이미 연담되어 있었다. 대전은 이미 광역시였고, 20세기 후반 30년에 걸친 분산 시도[172]가 응집되어 지금의 규모를 이룬 대도시다. 세종-오송은 앞서 제기된 문제로부터 자유로웠기에 균형 발전의 새로운 축으로 선정되었다.

하지만 이런 입지 선정은 중요한 난점을 가질 수 있다. 세종-오송이 결국 수도권 집중을 완화하는 카드였다는 데 주목해 보자. 이를 위해서는 사람과 기관이 옮겨 와야 하고 정부가 그 마중물이 된다는 데는 누구도 이의를 제기할 수 없다. 문제는 철도 연결의 상황과 그렇게 해서 잃어버린 기회에 있다. 표 9-1을 살펴보고 논의를 진행해 보자.

---

[172]   확인했듯 대덕단지는 1973년에 설립되었다.

표 9-1. 계획가들의 생각 대 오차 비판

	계획가들의 생각	오차 비판
이주의 동력	정부가 앞장서고 이어서 외국, 민간 기관이 따라 온다	동의
연담화 가능성에 대한 입장	다른 도시와 구별되는 독자적 생활권이 있어야 한다	다른 도시와 연결될수록 삶의 기회가 늘어난다
수도권 인구 유입	수도권에 직원 주거를 그대로 둔 채 사무실만 이전해 올 가능성을 배제해야 한다	이를 통해 수도권 방면에 거점을 둔 사람과 기업의 이주를 촉진할 수 있다
수도권 산업 유입	대덕단지 등 주변과의 연계를 통해 가능하다	수도권 중심부와의 원활한 연계를 통해 생산자 서비스를 함께 강화했어야 한다
시내 대중교통의 역할	도시 내부의 뼈대를 잡는다 이를 통해 대중교통 중심 도시를 건설한다	동의
고속철도의 역할	필수적인 연결 기능을 제공하되 수도권 연담화를 방지할 수 있도록 도심과 거리가 있어야 한다	도보권 내에 주요 시설을 집약하고 도시 구조와 연동시켰어야 한다
광역철도의 역할	버스와 광역 고속도로망으로 처리하면 충분하다 제2경부고속도로(현 세종포천고속도로)를 건설하면 된다	충청권 내부 연결 및 경기 남부 연결을 광역 철도가 수행했어야 한다 특히 승용차가 없는 청년층의 생활 기회를 제약했다

세종시 계획가들은 자족 도시를 창출할 수 있는 메커니즘(우측 열)에 주목했다. 이 메커니즘이 제안하는 인과 사슬의 출발점은 연담화 가능성에 대한 입장에 있다. 이들은 해당 도시가 독자적 생활권이 되도록 유도하는 것이 비수도권 방향으로의 이주 동력을 만들어 내기 위해 세종시가 도시로서 가져야 하는 첫 번째 덕목이라고 생각했다. 이를 통해 수도권에서 세종으로 이전한 기관과 관련된 인구가 세종시로 자연스럽게 이주하도록 유도할 수 있다고 판단했다. 주변에는 이미 대덕단지 등 적지 않은 연구 역량과 청주 등 세종 주변의 제조업 거점들이 존재하므로 수도권 민간 산업을 끌어들일 수 있으며, 정부와

의 근접성에 기반해 서울의 다양한 민간 서비스와 외국 공관을 비롯한 외국계 시설을 남하시킬 수 있다는 것이다.[173]

교통은 이러한 메커니즘을 유발하는 근간이다. 특히 고속철도는 도시 중심에서 약간 이격되어 있어야 한다. 철도 고가나 둑길이 유발하는 시가지 분단 논란이나 경관 논란을 방지할 뿐만 아니라, 매일 세종시에 와야 하는 사람들의 통근은 불편하게 만들어야 한다. 따라서 전국에서 출장을 오기에 그럭저럭인 중간 정도의 접근성을 가진 철도망이 계획가들이 생각하는 세종시의 기능에 맞는다. 즉 도시의 씨앗 또는 개척자라 할 수 있는 공공기관 노동자와 그 가족이 이사를 하게끔 만들기 위해서는 통근하기는 어려운 수준의 거리가 확보되어야 한다. 세종시 주변 도시에는 충분한 철도망이 존재하지 않고 철도는 구축 비용이 지나치게 비싼 데다 유연성 없이 경직된 망이므로, 광역 교통은 철도가 아니라 도로로 구축한다. 이 가운데 급행버스망, 즉 BRT를 구축할 방향은 오송역, 대덕 및 대전역(2022년 현재 중앙차로 미완성) 방면, 반석역(대전 1호선 종점)과 유성온천역 방면(2022년 현재 미완) 이렇게 세 곳이다. 이들 방향을 향하는 버스가 내부 대중교통 중심축 도로와 직결 운행하면 광역 교통을 분담하기에 충분할 것이다.[174] 더불어 시내 대중교통은 도시 중심축(환형 도로)을 잡아 주는 역할을 하며, 주변에 고밀도 개발지를 밀집시키는 등 개발과 생활의 중심축으로 설정한다. 이 대중교통 축으로 교통 수요를 집중시키기 위해 주

[173]   여기까지는다음 자료에 명시된 내용을 바탕으로 서술하였다. 건설교통부, 행정중심복합도시 건설기본계획안 공청회 자료, 2005.

[174]   이 부분은 공식 문서보다는 보도에서 주로 확인할 수 있는 메커니즘 추론이다. 가령 유태종·우정식, "행정수도에 KTX역 없다니"... "역 만들면 누가 이사 오겠나", <조선일보>, 2013. 2. 26.

차장과 도로 공급 또한 억제한다.[175]

이 메커니즘에서 정점에 있는 것이 바로 오송역과 세종역 사이의 통행 시간인 30분이다. 바로 이 시간 때문에 이주 기관 직원들은 세종으로 이주하는 것이 강제되고, 세종 시민들은 외부로 통행하는 데 시간이 걸린다. 더불어 이 메커니즘을 보조하는 것은 상대 도시의 거점에 불완전하게 연결되는 광역 대중교통망이다. 대전으로 진입하는 사람들은 반석역에서 지하철로 다시 갈아타거나 갑천~대전역 사이에서 상습 정체를 견뎌야 한다. 이 마찰로 인해 세종과 대전은 각기 다른 별도의 생활권으로 기능할 수 있다.[176]

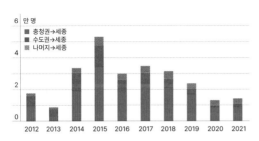

도표 9-1. 세종시 방면 순유입 인구의 분류, 2012~2021. 출처: 통계청 국내인구이동통계 전출지 전입지 시도별 이동자 수.

이 메커니즘은 목표를 달성했는가? 분명한 것은 2012~2021년 10년간 세종시로 순유입된 인구의 24% 남짓만이 서울, 인천, 경기 등 수도권에서 이주해 온 인원이라는 점이다. 충청권 내부의 이동 인원이 64%로 과반을 차지하고, 영호남과 강원에서 온 사람들이 13%에 달한다. 세종시 유입 인구 네 명 중 세 명이, 노무현 정부 당시 목표로 한 지역균형발전과는 무관하다는 뜻이다.

---

[175]   이 부분은 공청회 자료에 명시된 내용이다.

[176]   직접 탑승해 관찰한 결과, 대전으로 진입하는 방향으로는 버스전용차로 단절 구간의 정체가 북측으로 파급되어 소통이 원활하지 않다.

이런 계산도 더할 수 있다. 세종시는 전국의 인구 무게중심과 근접해 있으므로, 영호남과 강원에서 세종시로 이주하는 사람들의 수는, 지역균형발전 조치가 없고 현재의 신도시만 건설되었을 때 수도권에서 세종시로 이주한 사람들의 규모를 산정할 수 있는 기준선으로 볼 수 있다. 2012~21년 사이 영호남과 강원에 비해 수도권의 인구는 20~30% 많았으므로, 영호남 및 강원에서의 이주자와 인구 대비 동일 비율로 수도권에서 사람이 유입되었을 경우, 예상할 수 있는 순유입 인구는 약 4만 명이다. 실제 수도권에서 세종시로 순 유입된 인구는 6만 명이었으므로, 지역균형발전의 효과로 인한 인구 순 유입량을 약 2만 명으로 추정하는 것이 적절해 보인다. 10년간 세종시의 총 순유입 인구는 약 26만 명이므로, 지역균형발전 정책의 효과로 인한 인구 유입은 10년 동안 세종으로 이사해 온 세종시민 10명 중 1명도 안 된다고 말할 수 있다.

상황은 더욱 나빠지고 있다. 2020년 들어 세종시로 유입되는 수도권 인구의 절대량은 영호남 및 강원에서 유입되는 인구의 절대량보다도 더 적어졌기 때문이다. 유입되거나 새로 생기는 민간 기업과 생활환경만으로 승부를 보아야 하는 시점에 접어들자, 현실에서는 세종시는 수도권보다는 영호남의 인구를 빨아들이고 있다는 말이다. 대전 인근을 빼면 주요 도에서 세종시 인근에 접근할 때까지 도로 정체를 찾기 어렵다는 사실이, 그리고 수도권 방향으로는 철도가 부실하다는 사실이 이 상황에 영향을 끼친 것 아닐지 향후 여러 해에 걸쳐 필수적으로 검토해야 한다.

이렇게 수도권발 인구 이동은 기대에 미치지 못하고 더불어 광역철도망조차 부재한 사이, 세종 시내의 대중교통 수송분담률은 25%에

불과하다. 계획가들이 장담하던 70%[177]에 턱없이 못미친다. '차 없이
는 살 수 없다'는 말이 생활인들에게서 들려온다는 것이 이 숫자의 구
체적인 의미일지 모르겠다. 계획가들이 작동할 것이라고 상정했던 메
커니즘이 오차를 일으켰다는 비판은 바로 이 두 값에 기반을 둘 수 있
다. 다시 말해, 연담화 가능성을 방지하기 위한 교통 체계는 충분한 이
주로 이어지지 않았다. 더불어 이 교통 체계는 대중교통 분담률에 악
영향을 미쳤고, 오히려 도시의 활력을 저하시켰으며, 기껏 힘들게 옮
겨 온 정부가 민간을 이끌어 올 마중물로서의 역할을 충분히 하지 못
하게 만들었다.

　도표 9-2, 9-3은 상황을 조금 더 상세하게 검토하기 위한 자료다.
가장 먼저 조명할 부분은 바로 대전과 세종 사이의 승용차 분담률로

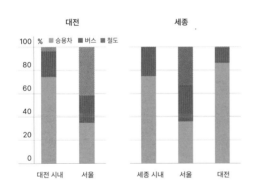

도표 9-2. 대전 시내 주요 도시 방면 수송분담률, 2020.
도표 9-3. 세종 시내와 서울 방면 수송분담률, 2020. 국가교통DB
에서 2016년 정기조사를 통해 2020년의 수송분담률을 추정함.

85%에 달한다. 세종과 대
전을 잇는 버스 노선들[178]
은 승용차의 들러리에 가
깝다. 고속도로를 뚫어 놓
은 채, 철도만 갖추지 않고
서로 별도의 도시로 작동
하리라고 볼 수 있다는 시
각 자체가 우습다고 생각
한다. 물론 대전도 시내에
서 승용차가 압도적인 지

[177]　행정중심복합도시건설청, 행복도시 세종—누구나 꿈꾸는 최고의 도시로 건설합니다, 행정중심복합
　　　　도시건설청, 2009: 21. 이 자료는 2009년 인천 세계도시축전에 방문하여 얻은 것이다.

[178]　반석역~세종시~오송역(B1), 대전역~세종시~오송역(B2) 노선이 있다. 노선 번호는 2022년 기준.

위를 차지하고 있다(모두 시내 수송분담률 75%). 하지만 승용차를 억제하고 대중교통으로 중심축을 설계한 적이 없고 오히려 자동차 지배가 확립되던 시기인 1970년대 이후 정부의 지속적인 투자를 받은 도시인 대전과, 도시 설계 단계부터 대중교통 배려가 이뤄진 세종의 대중교통 수송분담률이 거의 같다는 사실은, 세종 대중교통의 현재 성적표가 초라한 상황에 머물러 있음을 방증하는 값이라고 보아야 한다.

이것은 시내 망과 전국, 광역망을 서로 단절시켜 놓은 것에 가까운 현재의 세종시 망의 문제에서 기인하는 값일 수 있다. 가령, 세종과 서울 사이의 통행은 버스의 분담률이 서울과 대전 사이의 통행에 비해 높다. 이는 오송을 세종의 관문역으로 설정한 결과 오히려 철도로 접근하기가 대전보다 어려워졌기 때문일 것이다. 더불어 이러한 접근성 저하는 다른 층위의 대중교통 기능 역시 약화시킨다. 대중교통들은 각각 역할이 다른 노선들이 모여 이뤄진 네트워크이며, 이들 사이를 갈아타기 편리해야 서로 이용률이 증가하는 네트워크 효과가 나타나기 때문이다. 가령 국내 광역시에서도 도시철도 노선이 하나 늘어날 때마다 기존 노선 인원이 20~30% 정도 증가하는 현상은 쉽게 관찰할 수 있다. 더불어 대전의 경우에는 대전역에서 도시철도 최대 수요(약 10%)가 기록된다. 세종에도 고속철도역이 있었다면 시내 최대의 대중교통 거점으로 작동했을 것이다.

문제는 단순히 사람들의 숫자만이 아니다. 책을 여는 불만의 여행에서 확인했듯, 오송역은 보행자에게는 일종의 고립된 섬과 같다. 광장과 연결된 도보 축은 제대로 존재하지 않는다. 걷기 공간이 자동차 도로로 둘러싸인 역 부근의 좁은 공간 가운데 섬처럼 납치되어 있다고 해야 할까.[179] 역전은 보행자가 자연스럽게 모여드는 공간이라는 점에서 도시 설계에서 중요함에도 도시 속에서 중심을 잡는 역으로 설정하지 못한 것은, 대중교통의 존재감을 낮추고 실제로 사람들이 걸어서 모여들 만한 공간 창출 기법을 버린 선택이라는 점에서 비판을 받아 마땅하다. 게다가 이를 보완하기 위해 제안된 망은 "제2경부고속도로"이다. 이 도로는 공식 작명법에 따라 세종포천고속도로로 명명되었으며(번호 29) 포천부터 구리, 광주, 용인, 안성, 천안을 거쳐 세종으로 진입한다. 경부고속도로와 중부고속도로의 가운데 부분에 건설된 이 도로는 수도권 동남부의 자동차 지배를 심화시킬 것이고, 물론 세종시의 자동차 지배를 더욱 강화시킬 것이다.

이렇게 대중교통망이 서로 쪼개져 있고 보행 중심 공간이 부재한다는 사실은, 수도권의 산업과 인구를 끌어들이는 데도 악영향을 미칠 수 있다. 수도권이 강점을 가지고 있는 산업은 도심부를 공간적 기반으로 한다. 연구개발, 본사 기능, 금융, IT 등등, 이들은 도심지의 밀집된 인구 밀도에 기반한다. 코로나19가 끝나가자 많은 기업들이 결국 출퇴근을 다시 중요하게 보고 있다는 현실을 참조해 볼 수도 있다. 그런데 이 도심지가 도심 기능을 할 수 있는 것은 다양한 교통 기능이 모여 있기 때문이다. 특히 같은 넓이의 길로 가장 많은 수의 사람을 실어나를 수 있는 철도[180]가 도심을 형성하는 데 중요하게 작용한다는 점은 다시 강조해도 지나치지 않다. 서울 도심지에 있는 이들의 입지를 세종으로 내려오게 만들려면, 도심지에 버금가는 입지 조건을 제

---

[179] 나는 이 현상을 지시하기 위해 '걷기 공간의 납치'라는 개념어를 『납치된 도시에서 길찾기』 3장에서
        도입했다.

[180] 『거대도시 서울 철도』 6장 도표 42(349쪽) 참조.

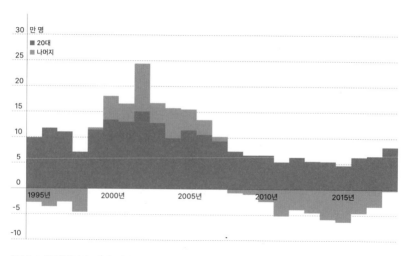

도표 9-4. 수도권 방면 인구 순이동의 추이, 1995~2017. 통계청, 각 연도 국내인구 이동 통계.

공하고, 세종 도심부에서도 서울에 버금가는 인적 네트워킹을 할 수 있는 환경을 구축해 주어야 한다. 물론 주변 제조업 연구개발의 고도화를 위해서도 이런 인적 네트워킹 환경은 중요하다. 그런데 이러한 잠재력을 가진 관문역이 세종시 중심부에서 15km 떨어져 있다면, 그리고 이 역 부근의 걷기 공간이 '납치'되어 있다면, 세종시 개발은 오늘의 산업 상황을 충분히 검토하지 못한 오류를 범했다고 해야 할 것이다.

더불어 경기 남부, 충청권 주변 주요도시 방면 광역교통망에서 철도가 완전히 무시되었다는 사실 역시 중대한 오류였다. 가령, 수원이나 천안처럼 중요한 주변 거점 도시에서도 세종 본 시가지 방향의 이동에 쓸 수 있는 대안은 승용차와 버스뿐이다. 이들 도시에서 중요한 역할을 차지하고 있는 철도망으로 세종에 진입하려면 조치원역을 이용해야 하는데, 조치원은 세종 중심축선 BRT와 BRT로 연계되지 못했다. 이 오차는 단순히 대중교통 대안이 없다는 것 이상의 문제이다.

청년층은 차량 소유 비중이 낮으므로 대중교통망의 핵인 철도망은 청년층의 기회를 보장하는 데 있어 중요한 역할을 할 수밖에 없다. 게다가 바로 20대 청년은 삼남에서 수도권 방향으로 향하는 이주의 핵심을 이루는 인구다. 세종시 입주에도 불구하고 20대 인구는 전국에서 수도권으로 순유입했다. 이들이 세종시에서 일하고, 놀고, 사람을 만날 기회가 수도권보다 미약하다면, 그것은 대중교통 대비 승용차의 이점이 훨씬 더 큰 세종시의 현 주소 때문일 것이다. 상황을 이렇게 만드는 데는 결국 광역망 계획의 부재가 중요한 역할을 했다고 보아야 한다.

3절. 오차에 대한 가능한 대응: 철도망 변형과 그 의미

세종시 계획가들의 생각과 현실 사이의 오차는 이러했을 것이다. 연담화 가능성을 적극적으로 거부하기 위해, 고속철도와 광역철도망이 도심과 걷기 공간과 시내 대중교통망을 위해 할 수 있는 역할을 무시하고 인구와 산업 입지의 지역 내 거점 집적을 부르는 방향의 메커니즘은 사용하지 않았다. 또한 내부 대중교통이 주변 망과 단절된 결과, 청년층처럼 대중교통에 의존하는 인구에게는 불리한 교통 환경이 구성되고 말았다. 결과적으로 세종시-오송역 복합체는 수도권과 주변부 사이의 '이중 교통 환경',[181] 즉 각 도시의 중심부로 철도망을 비롯한 대중교통망이 부드럽게 연계되지 못하고 주변부 도시에서는 승용

---

[181] 『거대도시 서울 철도』 6장 3절에서 도입한 용어다.

차가 교통망을 주도하는 상황을 더욱 강화하는 방향의 개발을 부르고
말았다.[182]

상황이 이렇다면 이렇게 질문할 수 있다. 그렇다면 이 오차를 수
정하려면 어떤 조치가 필요한가? 아주 간단한 방법은 세종시 접속 철
도망을 추가로 건설하는 것이다. 여러 층위의 철도망을 검토하면서
논의를 진행해 보자.

세종 접속 철도망 전체의 구조

철도망은 중층적인 구조를 가진다.[183] 세종시는 새 수도에 준하는
도시라는 데서 논의를 시작해 보자. 중앙 정부 기관이 있는 수도
라면 전국에서 출장을 오기 편리해야 한다. 여기에 고속철도가 쓰
인다. 고속철도가 도로, 항공 대비 경쟁력이 있으려면 표정속도는
$2^{7.5}$(180)km/h 선이 되어야 한다. 그런데 이 속도를 내기 위해서는 한
국 기준으로 1개 도(면적 약 1만km², 반지름 약 60km)에 한두 개 역에
만 정차해야 한다. 하지만 이렇게 되면 도 전체에서 1, 2위 규모의
대도시가 아닌 시군 단위는 통과할 수밖에 없다. 한국의 시군(면적

---

[182] 노무현 정부가 지방 분산을 위해 건설한 도시는 세종시를 필두로 도별 혁신도시(9), 강원, 충청, 호남
에 기업도시, 경북과 충남의 도청신도시까지 총 15개에 달했다. 이들은 지역균형발전을 위한 마중물
이므로 지역 개발 전략을 이끌기 위한 도구라는 의미에서 전략개발지라고 부를 수 있다. 그러나 이들
전략개발지 중 내부에 역이 존재하는 도시는 2022년 현재 단 하나 김천혁신도시뿐이다. 결국 사실
상 모든 전략개발지가 자동차에 의존해 개발되고 있는 셈이다.

[183] 표정속도와 역간 거리 또는 이동 거리 사이의 관계는 속도-거리 곡선으로 나타낼 수 있다. 나는 『거대
도시 서울 철도』 1장 2~4절의 도표 6~11에 걸쳐 이 속도-거리 곡선을 활용하여 교통수단 사이의 경
쟁과 보완 관계, 그리고 이러한 관계의 한계선을 그렸다. 여기서는 이 가운데 여러 철도망 사이의 보
완적 관계를 활용해 망을 그리기로 한다.

100,000[184]/160=580km², 반지름 약 14km)마다 한두 개 정도의 역에 정차하려면 표정속도는 $2^{6.5~7}$(약 100)km/h선이어야 한다. 이 기능을 현재 경부선 무궁화호, 미래의 GTX 등이 수행할 것이다. 나는 이를 '광역특급'이라는 하나의 범주로 묶는 것이 좋다고 생각한다. 더불어 이보다 지수적으로 느린 $2^{5.5~6}$(50~60)km/h급의 광역급행급 열차도 필요하다. 시군 내부의 중심지, 가령 읍면 단위, 혹은 대도시의 경우 구중심부를 철도망으로 빠짐없이 연결하려면 이 수준의 속도가 필요하다. 이보다 느린 속도(가령, 도시철도나 세종시 BRT에서 기록되는 2^5km/h선의 속도)는 하나의 시군 내부를 연결하는 교통망에 사용될 수 있다.

지도 9-1은 세종시에 진입할 철도망 계획에서 감안해야만 하는 공간 스케일이 어떤 층위로 되어 있는지 보여 준다. 전국 차원의 연결은 고속철도가 수행하는 기능이다. 그렇지만 이 연결을 모든 도시에 제공할 수는 없다. 결국 고속철도 연결은 핵심 거점 도시와 보조 거점 도시 위주로 이뤄질 수밖에 없다. 다른 도시들은 빈도가 낮은 고속열차 직결 또는 거점역에서의 환승으로 연계되어야 한다. 그렇지만 100km보다 가까운 범위 내에 있는 도시라면 목표를 좀 더 높게 잡아야 한다. 자동차를 운전하여 이 거리를 가는 데는 대략 1시간 반 정도가 걸린다. 이보다 짧은 시간 동안 운전하는 것이라면 운전 피로가 그다지 높지 않고 출퇴근도 불가능하지는 않다. 그런데 대개의 경우 고속열차는 세종 바깥 50km 지점에서나 정차했을 것이다. 고속열차 역 사이에, 고속열차로는 흡수할 수 없는 승용차 수요가 잠재한 광대한 공간이 있다는 뜻이다. 게다가 고속철도의 본선은 기존 도시들의 회

---

[184]   10만km²는 한국(휴전선 이남)의 면적이다.

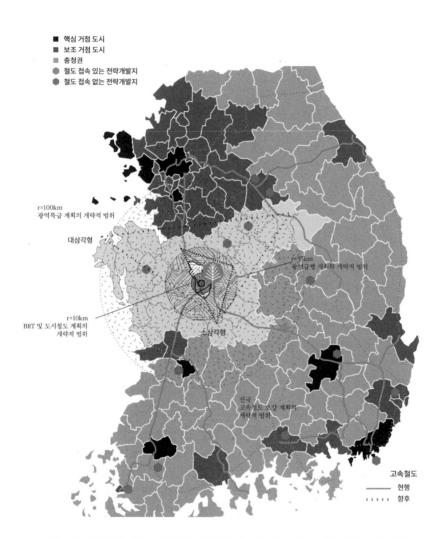

지도 9-1. 세종 철도망 보강 계획의 네 층위. 전국망 개선 방향을 참고하기 위해 고속철도 노선과 세종시와 같은 시기에 설정된 전략개발지를 동심원과 함께 제시하였다.

랑을 벗어난 곳을 달린다. 수원, 평택, 천안이 바로 그 사례다. 이들 지역에서 승용차에 준하는 속도로 세종 도심부에 접근하는 수단을 제공하려면 결국 광역특급 수준의 열차가 필수라는 말이다.

경기 남부와 충청 북부에서 활발하게 논의되는 여러 철도망에 약간의 연결선을 추가하여 광역특급망 운행의 기반을 구축하고, 이를 통해 세종시와 경기 남부, 충청권의 연계를 강화하여 수도권 남부의 인구와 산업이 세종으로 이동하더라도 큰 문제가 없도록 만들어야 한다. 세종 반경 100km 원의 북측은 21세기 들어 인구가 늘고 있는 충청 북부 지역이라는 사실 또한 중요하다. 이들 지역에서 일어나는 분산 현상이 공공교통에 기반하도록 만들어야만 한다. 그리고 이를 위해서는 세종과 대전을 남쪽 거점, 서울 등을 북쪽 거점으로 설정하고 두 거점을 오가는 남북 방향의 광역특급망을 도시의 뼈대로 삼아야 한다. 소삼각형 지역과 범위가 대체로 겹치는 세종 반경 35km 내부 지역, 그리고 그보다 작은 개별 시군 범위를 포괄하는 망은 광역특급망에서 가지를 쳐 나가면서 좀 더 작은 규모의 중심지를 세종과 연계하는 망이 될 것이다.

고속철도망의 개선 방향

이 가운데 가장 폭넓은 범위에 걸쳐 영향을 주는 것이 고속철도망이다. 오송의 X축 모양을 그대로 받아 현재 이들 망의 문제를 점검한 것이 지도 9-2이다.

이 지도는 남북, 동서 두 갈래로 고속열차를 타고 세종, 특히 정부청사에 접근하는 경로와 이 경로가 오송역으로 인해 각도가 어떻게 바뀌는지 보여 준다. 모든 지점 가운데 동북측에서 접근하는 충북선

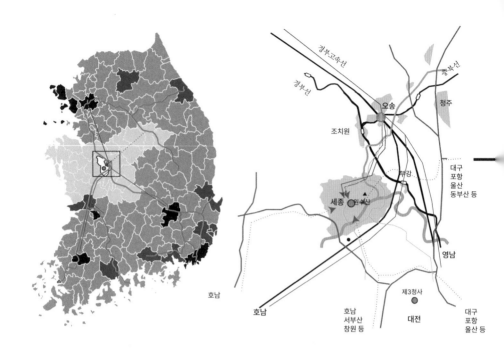

을 경유하는 통행이 방향 전환 각도가 가장 작다. 다시 말해, 오던 길에서 30도 정도만 좌측으로 꺾으면 세종 관내로 진입할 수 있다. 한편 북서쪽에서 접근하는 수도권발 통행은 방향 전환이 좀 더 급격하다. 오던 길에서 우측으로 70도 이상 꺾어야 세종 청사로 들어가기 때문이다. 한편 남측에서 접근하는 통행의 경우 왔던 길을 돌아가야 한다. 동남쪽에서 세종시에 접근하는 영남 출발 통행은 오송역에서 서남쪽으로 내려가야 한다. 다시 말해, 가던 방향에서 좌측으로 135도쯤 꺾어야 세종 청사로 접근할 수 있다. 한편 서남측에서 접근하는 호남 출발 통행은 방향을 180도 전환해 왔던 길을 정말로 거의 그대로 되돌아가야 한다. 정부 세종 청사는 오송역의 서남측에 있기 때문이다.

경로 구조와 인구 이동 정보를 함께 조합하면 한 가지 흥미로운

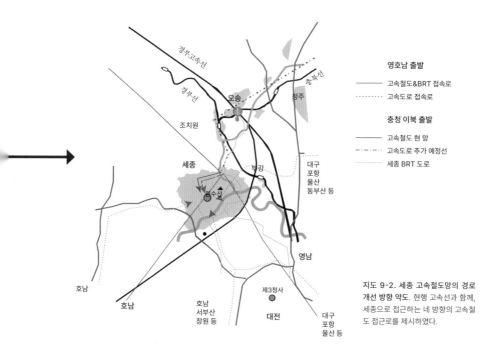

지도 9-2. 세종 고속철도망의 경로 개선 방향 약도. 현행 고속철과 함께, 세종으로 접근하는 네 방향의 고속철도 접근로를 제시하였다.

추론도 얻을 수 있다. 왔던 길을 되돌아가는 부분이 있기 때문에 영호남과 세종시 사이의 고속철도 연계는 수도권과 세종 사이의 연계보다 더 나쁘다. 그리고 이런 고속철도 연계 품질과 무관하게 영호남에서 세종으로 유입되는 인구의 규모는 꾸준하다. 고속철도 접속 품질이 낮은 방향에서 몰려오는 인구의 유입량이 오히려 더 크다는 것이다. 이것은 적어도 고속철도를 비틀어 놓았어도 세종시 계획과 상반되는 방향의 인구 유입을 차단할 수는 없었다는 방증이다.

　세종시를 전국 인구와 국토 면적 중심에 가능한 한 가깝게 위치시킨 이유는 충청권뿐만 아니라 영호남의 도시 체계도 다시 살려 내기 위해서였다. 그런데 이들 지역은 오히려 수도권보다 세종시 접근성이 나쁘다. 특히 호남은 왔던 길을 돌아가야 하는 사태까지 벌어지고 있다. 실제로 기존 철도망을 개량하여 활용 중인 전라선 연선, 가령 전주의 경우 그냥 고속도로를 이용할 때보다 경로가 40km 이상 길어진다. 아무리 두 배 빠른 고속열차라도 이렇게 경로가 1.5배 이상 더 길어지면 경쟁력은 크게 떨어지고 만다. 수도권 방향의 연계만 신경 쓴 나머지, 영호남 방면의 연계는 제대로 관리조차 되지 못한 셈이다.

이를 해소하는 망 개선의 방향이 무엇인지 확인할 수 있는 지도가 지도 9-2의 최우측 지도다. 다음 두 조건을 만족한다면, 방금 지적한 문제를 해결한다는 점에서 지금보다 나은 고속철도망이 될 것이다.

1) 세종의 환상형 BRT망과 교차하거나 적어도 접촉한다.
2) 남부 지역, 특히 호남 지역에서 주요 기관으로 가기 위해 역방향으로 이동하는 거리를 최소화한다. 세종 BRT에 접하면 이 거리는 BRT 노선 연장의 1/2이내로 묶인다. BRT 노선은 원형이기 때문이다.

조건 1, 2는 세종시 내부 교통망의 조건 덕에 결국 하나로 수렴한다. 더불어 방금 지적한 문제와 무관하게 따라야 하는 기본적인 조건도 있는데, 세종시의 기존 개발계획 및 지형과 정합할 뿐 아니라 고속철도의 선형 역시 가능한 한 똑바르게 펼 수 있어야 한다는 조건이다.

이 모든 조건을 만족하는 입지는 미호강과 BRT 노선이 교차하는 세종시 북측 지역이다. 미호강 및 금강 하도 그리고 원수산·전월산(지

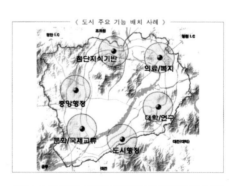

그림 9-2. 세종시 기능 계획도. 건설교통부, 행정중심 복합도시 건설 기본계획안 공청회 자료 [1], (2005): 48.

하 산악터널 시공)을 활용하면 다른 개발계획을 거의 바꾸지 않고도 사실상 직선으로 뻗은 선형의 고속선을 확보할 수 있다. 더불어 미호강 서안의 누리동 지역은 세종시 개발계획에서 '첨단지식기반' 산업 부지로 지정되어 있다(그림 9-2). 이런 분류에 속하는 산업은 수도권과 같은 대도시의 전문가와 쉽게 연계될 수 있어야 하는 만큼, 이 인근보다 고속열차 역이 위치하기에 적절한 입지는 없다.

광역특급망의 구성 방향

이렇게 건설될 고속철도망에 뒤이어 광역특급망이 따라 붙어야 한다. 실제로는 광역특급망을 더 먼저 구축하는 것이 나을 것이다. 고속철도는 이미 평택~오송 2복선화 사업이 착수된 반면, 세종 접속 광역철도망을 반대하는 목소리는 없기 때문이다. 이를 기회로 경부본선과 접속하는 철도 노선을 부설하여 경기 남부와 충청 북부 지역의 주요 도시를 세종과 직접 연결하는 광역특급망의 기반을 닦아야 한다,

세종으로 집결시킬 수 있는 노선은 도표 9-5의 좌측에 제시되어 있다. 서울에서 출발하는 경부선부터 제천에서 출발하는 충북선까지, 세종 북쪽으로 총 8개 계통, 서측 또는 남측으로 2개 계통을 구상해 보았다. 이들 계통은 기본적으로 현존 노선 또는 시공 중인 노선을 활용하며, 이들 사이의 연결선을 부설해 세종으로 접속할 것이다. 이렇게 지금은 비어 있지만 약간의 투자만 이뤄지면 철도망이 제공하는 이동 경우의 수를 늘릴 수 있는 위치가 실제로는 어떻게 되는지는 지도 9-3을 통해, 이들 노선망의 연장은 표 9-2를 통해 확인할 수 있다. 지금 존재하거나 추가로 건설될 필요가 있는 망을 빼면, 약 300km 가량의

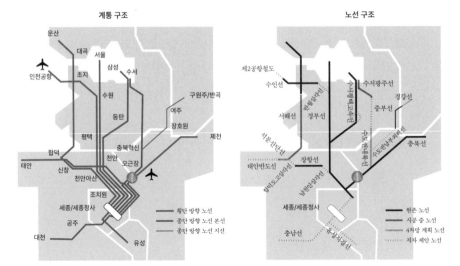

| 계통 구조 | 노선 구조 |

도표 9-5 광역특급망의 도표화. 계통 구조에는 주요 역명을, 노선 구조에는 노선명을 명기했다. 저자 제안 노선의 경우 공식 명칭은 아니다.

노선만 추가하면 수도권 남부(경기 남부, 충청 북부)의 주요 도시와 세종시를 거의 모두 연계할 수 있게 된다.

도표 9-5의 우측은 표 9-2에 제시된 새 노선망이 어떤 기존·시공·계획 노선을 연결하는 의미를 가지는지 보여 준다. 이 가운데 가장 필요한 것은 물론 조치원~세종~공주 사이의 노선, 즉 충남선 동측 구간이다. 이 노선 없이는 어떠한 계통도 세종으로 진입할 수 없다. 이 구간이 완성되고 열차만 확보하면 경부선으로는 즉시 특급열차를 투입할 수 있다. 오늘도 운행 중인 무궁화호의 표정속도가 100km/h에 육박하는 이상, 이것은 이른바 'GTX'와 그 기능이 동등하다.

그 다음 노선들은 세 방향의 연계를 강화할 수 있다. 먼저 동탄역구내 배선을 개선하면 세종에서 수서평택고속선 방향의 특급 운행이가능하다. 현재 동탄역의 배선을 보면, GTX-A선 열차가 정차하는 부본선의 경우 남측으로는 본선과 접속하지 않아 동탄 이남으로 열차를 남하시킬 수 없으므로, 이를 개선하여 남측으로 A선 열차를 운행하는 것이 필요하다(다만, 제4차 철도망구축계획에 수록된 수도권 내륙선을 그대로 활용하는 것이 더 효과적일 수도 있다). 남천안 삼각선을 확보하면 세종에서 장항선 방면으로 직결 운행하는 계통을 구성할 수 있고, 이를 미래 태안반도 방면으로 직결 운행할 수 있다. 더불어 반월 삼각선을 확보할 경우 경부본선에서 인천 방면으로 직접 접속하는 열차를 운행할 수 있으며, 이를 세종에서 출발시키는 특급으로 편성할 수 있다. 이후 제2공항철도를 확보하면 세종은 물론 경부선 연선과 수도권 남부 지역의 인천공항 접속이 개선된다.

2순위 노선은 이들 노선의 효과를 더욱 확대하는 데 그 목적이 있다. 가령 합덕도고삼각선은 서해선과 장항선을 연결하는 노선으로, 서해선 방향에서 장항선의 아산 방면으로도 열차가 쉽게 접속하도록 만든다. 더불어 태안반도선은 당진까지 접속되는 석문산단선 운행 열차를 서산, 태안까지 운행할 수 있도록 한다. 이들 두 노선은 천안 등지에서 추진 중인(3장 5절 참조) 울진 방면 횡단 철도의 서측 구간으로서도 의미가 있다. 더불어 중부선의 경우 수서광주선의 활용도를 올리고 수도권 동남부 방면 통행을 더욱 입체적으로 흡수할 수 있는 기반으로 제안된 것이다.

3순위 노선들은 광역특급의 포괄 범위를 영서 지역 남부(세종 100km 원 내부에 들어옴)의 원주까지 넓히고, 세종으로 진입한 열차들의 일부가 대전 유성까지, 그리고 공주에 종착한 열차가 부여와 대천까지 연계되도록 특급망을 확대할 수 있는 노선망이다. 이들은 수요 기반이 비교적 약하지만 망 연계의 완성도를 높일 뿐만 아니라 대전과 세종 및 충남 내륙-서해안 사이의 연계도 철도로 흡수하기 위해

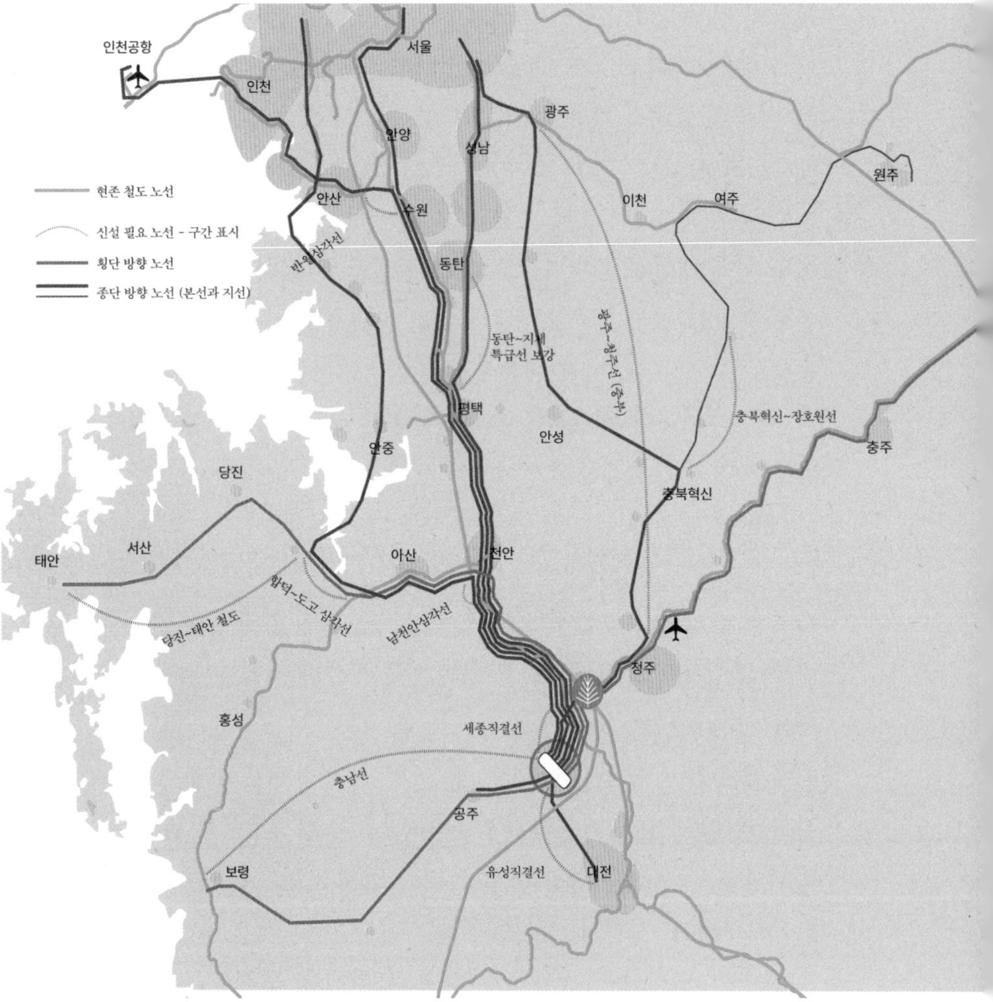

인천공항
인천
서울
안양
성남
광주
원주
현존 철도 노선
신설 필요 노선 - 구간 표시
횡단 방향 노선
종단 방향 노선 (본선과 지선)
안산
수원
이천
여주
반월삼각선
동탄
동탄~지제
특급선 보강
광주~청주선 (중부)
평택
충북혁신~장호원선
안중
안성
충주
당진
충북혁신
태안
서산
아산
천안
합덕~도고 삼각선
당진~태안 철도
남천안삼각선
청주
홍성
세종직결선
충남선
공주
보령
유성직결선
대전

지도 9-3. 수도권 남부와 충청 대삼각형 지대의 도시와 세종을 연계하는 광역 특급망의 지도상 표현.
각 시가지는 실제 시가지의 규모에 준해 그렸다.

표 9-2. 세종 광역특급망 구축을 위해 필요한 새 철도망과 그 개략적인 우선순위

		구간	연장(km)	예상 투자비(억 원, km 당 400억 원으로 가정)
최우선	충남선 세종	조치원~세종시내	10	4,000
1순위	충남선 공주	세종~공주	15	6,000
	동탄 배선 개선	동탄역 구내	1	2,000
	남천안삼각선	아산~소정리	5	2,000
	제2공항철도	인천~인천공항	20	8,000
	반월삼각선	상록수~성균관대	10	4,000
	계		51	22,000
2순위	합덕도고삼각선	신창~합덕	10	4,000
	태안반도선	태안~당진	50	20,000
	중부선	광주~안성	50	20,000
	계		110	44,000
3순위	수도권남부외곽선	충북혁신~장호원	30	12,000
	충남선 대천	공주~대천	60	24,000
	유성직결선	세종시내~유성	20	8,000
	계		110	44,000
추가 투자 필요 노선			281	112,400
기존선			386	
시공 중 노선			110	
4차 망 계획선			75	
총계			852	

제안된 노선이다. 아마도 박정자역이라는 유령이 기반하고 있었던 수요가 바로 이 노선을 통해 흡수될 수 있을 것이다.

이들 노선을 모두 건설하는 데는 아주 거칠게 계산해 약 11조 원이 필요할 것으로 추정된다. 그러나 순전히 세종만을 위해 건설되는 노선은 이 가운데 오직 세종 연결선뿐이다. 이외의 노선은 다른 많은 목표와 함께 세종 연계 특급 계통을 운영하는 데 활용할 수 있는 노선이다. 따라서 세종 연결은 오히려 경기 남부와 충청 북부에 이뤄질 여러 철도망 투자의 편익을 높이는 역할을 하는 투자가 될 것이다. 가령 세종은 대전과 함께 이들 광역특급 계통의 주요 목적지로서 종관 방향 노선의 경우 서울 등 수도권 중심부로 진입하는 열차는 물론 빠져나가는 열차 모두에 대해 승객 수요를 보장할 수 있다. 더불어 세종시가 없었다면 정당화가 어려웠을 충청 횡단 계통 역시, 이른바 '행정수도 회랑'을 구축하기 위한 노선으로 간주하여 정당화할 수 있다.

소삼각형 지대 광역급행 구축 및 세종 내부망의 변형

도표 9-6은 세종시 반경 35km 범위, 즉 충청 소삼각형 지역과 그 주변 시가지를 연계하는 광역급행급 철도망의 기본 구조를 제시한 것이다. 이 망은 주변에 존재하는 현재의 철도망과 몇 가지 추가 노선을 활용하여 지역에 산포하는 여러 시가지를 관통하거나 연접하는 노선들로 구성된다. 대전부터 진천음성혁신도시까지, 그리고 아산부터 증평 일원에 이르는 범위가 모두 이 안에 포함된다. 공주 역시 충남선 부설만 이뤄진다면 이 망의 범위 안에 넣을 수 있다. 앞서 광역특급을 위해 투자해야 할 노선으로 제시된 남천안 삼각선 역시 이 망을 아산까지 운행하기 위해 필요한 노선이다. 더불어 청주 시내 구간의 투자 역시

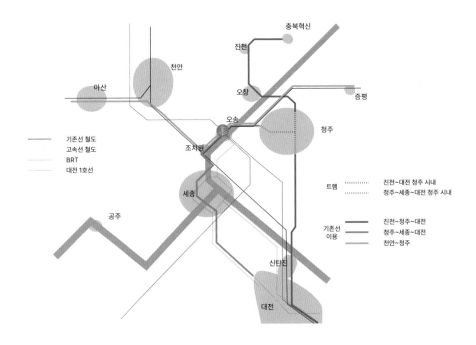

도표 9-6. 저자 제안 충청 소삼각형 지대 광역급행급 철도망 구조. BRT는 점선, 철도망은 실선.

수요를 따라가기 위해 필요한 노선이다. 광로 사직대로나 무심천 상공을 이용해 고가 구간을 늘리고, 구도심 구간에서는 기존 간선도로망의 대중교통 전용화 및 광장화를 진행하는 한편, 이를 통해 터널의 심도를 낮추는 방식을 택하면 논란을 어느 정도 피할 수 있을 것이라고 생각한다.

　도심과 광역 교통에서 차량을 줄이기 위한 과감한 투자의 일환으로도 이 망을 활용할 필요가 크다. 차량은 2022년 현재 대전권·대구권 광역철도에 운행하기 위해 개발 중인 2량 편성 열차를 필요 시 중련시켜 투입하면 충분할 것이다. 단, 세종시 일부 구간에서는 대전 1호선 열차가 운행할 수 있도록 대응시킨다.

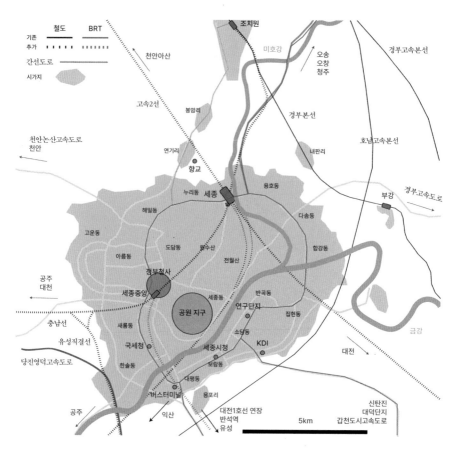

지도 9-4. 세종 내부 철도망에 대한 저자 구상.

지도 9-4는 이 가운데 세종시 부분을 어떻게 처리할 것인지에 대한 구상이다. 고속2선, 즉 경부고속철도의 2복선 기능을 수행하는 노선은 미호강과 원수산·전월산을 활용하여 세종시 동쪽을 관통하는 방향으로 건설할 수 있다. 고속철도 2선 본선의 세종역은 이 노선이 세종 순환 BRT 노선을 관통하는 북측 지점에 건설한다. 이는 조치원에서 분기한 충남선이 정부청사 인근과 세종시 서측에 접근하도록 해줄

자연스러운 선형을 제공할 수 있기 때문이다. 이 위치에서 세종역은 미호강 하천부지 상부를 활용해 건설할 수 있으므로 도시 개발 계획을 변경하지 않더라도 하천 위에 고가를 건설하는 것이 가능할 것이다.

안타깝게도 2023년 현재 충청권에서 논의되는 광역망은 충청권의 도시 구조를 반영하는 입체적 노선이 아니다. 청주와 대전 사이의 직접 연결조차 제대로 논의되지 않았고, 충북 혁신도시로 진입하는 철도망은 4차 철도망 계획에 겨우 등재되었을 뿐 광역철도의 범위에서는 언급되지 못하였다. 아산과 천안 방면에서 대전, 청주 방면 연결역시 충분히 검토되지 않았다. 도계를 넘는 수원, 평택의 경우 세종시 연계를 강화해야 하는 범위로 사실상 상상조차 되지 못하고 있다. 더불어 영호남에서 바로 세종으로 연결되는 망 역시 필요하다. 하나의 선으로 연결할 수 있으나 철도가 없는 시가지를 잇는 노선, 더불어 대중교통 이용객의 거리를 크게 단축시킬 수 있는 노선에는 조금 더 과감한 투자를 진행해야 한다. 이를 통해 충청 지역에서 이중 교통 환경을 가능한 한 완화시켜 나가는 것이 투자의 목표가 되어야 한다.

물론, 이것은 충북에서 극히 반대할 대안일 것이다. 오송역이 양청 접경 지역의 정점에 있는 최대의 철도역이 아니라 그저 하나의 철도역이 되는 대안이기 때문이다. 하지만 오송역이 수위에 있는 현재의 교통망이 의도와는 달리 지역균형발전이라는 전략적 목표를 달성하는 데 중요한 약점을 노출하고 있는 실정을 감안하면, 오송역의 입지를 유지하고 강화하는 것이 곧 '지역균형발전'을 실현하는 길이라는 주장은 옹호하기 어렵다.

보강 7. 자연 취락, 도보 시대의 도시, 오송읍

도보가 도시 교통을 지배하던 시대의 시가지와 자동차 시대 이후의 시가지는 걷거나 지도만 봐도 구별할 수 있다. 도보 시대의 시가지는 계획 없이 자발적으로 형성된 구불구불한 골목이 다수 존재하고, 그 폭은 차량이 진입하기 어렵거나 겨우 교행할 수 있는 정도다. 반면 자동차 시대의 시가지는 길이 직선으로 나 있고, 필지는 네모 모양, 통상 직사각형으로 나뉘어 있다.

후대의 도시 구조, 곧 자동차 시대의 도시 구조가 더 우월하다는 것이 일반적인 직관일 수 있다. 특히 차량의 힘을 빌려 물류와 긴급 사태를 해결할 수 있다는 데 착안하면, 도보 시대의 길은 개발을 통해 제거해 나가야 할 낙후된 잔여물처럼 보일 수도 있다. 하지만 이런 발전의 방향이 도보 시대의 길과 시가지 구조가 모두 직선과 직사각형이 지배하는 구조로 바뀌어야 한다는 주장을 반드시 함축하지는 않는다.

고전의 주장을 빌리지 않더라도,[185] 당신이 거리에서 사람들을 관찰하는 것을 즐기는 사람이라면 역사 중심지에서 느끼는 재미와 활기를 얼마든지 확인할 수 있을 것이다.

역사 중심지의 무엇이 이렇게 사람들을 끌어들일까? 나는 불규칙적이고 구불구불한 길, 그리고 이로 인해 예측하기 어려운 길거리의 조합이 한 가지 요소가 될 수 있다고 생각한다. 구불구불한 길은 곡면을 가지고 있다. 이 곡면은 멀리 보이는 소실점에 노출된 공간 속에 당신을 내던지는 것이 아니라, 건물과 주변 환경에 의해 보호를 받는다는 감각을 전달해 줄 것이다. 물론 이런 길에서는 차량이 자연스럽게 서행해 교통 안전을 확보하기도 좋다. 사실 아파트 단지 내부 도로에서도 이런 식으로 구불구불한 길이, 그리고 아파트 건물을 활용해 공간을 둘러싸

---

[185]   가령 루이스 멈포드, 『역사 속의 도시』, 김영기 옮김(지만지, 2016) 또는 제인 제이콥스, 『미국 대도시의 죽음과 삶』, 유강은 옮김(그린비, 2010).

288

위요성(圍繞性)을 구현하는 경우가 적지 않다. 길이 차량 진입이 가능할 정도로만 넓게 바뀐 것, 이것이 차이일 따름이다.

이런 역사 중심을 강조하는 것은 오송역에서 확인할 수 있는 '걷기 공간의 납치' 현상을 완화하는 데 중요한 역할을 할 가능성이 있는 자원이기 때문이다. 어떤 추론이 이런 주장의 배경에 깔려 있는가? 나는 1장에서 대전 도심의 성심당을 사례로 활용했다. 성심당에 차량을 끌고 가는 경우는 거의 없다. 보행자가 너무 많아 차가 막히고 주차 공간이 부족하기 때문이다. 사람들은 이같은 구도심에는 대중교통을 이용하여 접근한 다음, 수백 미터 정도는 걸어간다. 이것이 역사 도심의 통상적인 문법이다. 하지만 오송역 주변은 빈터처럼 남겨져 있고, 마치 공항처럼 하루에도 수천 대의 차량을 빨아들인다. 차량과 택시가 오송역의 주 접근 수단이고, 버스와 충북선은 이 차량이 비싸서 또는 탄소 배출 효율이 낮다는 사실을 알고 있어 타기 곤란한 잔여 인원을 태우는 것처럼 보인다. 상황을 바꾸어 역 주변에 접근하는 기본 수단이 버스와 충북선이 되도록 만들려면, 결국 역 주변 공간을 걷는 것이 기본이 되는 역사 도심처럼 꾸밀

필요가 있다. 그 물리적 조건은 바로 차량의 속도를 감속시키는, 그리고 걷는 사람들에게는 안정감을 주는 구불구불한 길과 골목이다.

물론 오송 주변에는 역사 도심이 존재하지 않는다. 하지만 이와 유사한 구조가 남아 있는 도보 시대에 건설된 자연 취락은 존재한다. 그런데 이런 식으로 계획도시 주변에 남아 있는 자연 취락은 아주 흥미로운 역할을 수행하고 있다. 계획도시 주변에 남아 있는 자연 취락은 토지를 비교적 자유롭게 활용할 수 있어 계획도시가 처리하지 못하는 다세대 주택(입말로 이른바 '빌라')이나 소공장이 들어선 경우가 많기 때문이다. 가령 세종시 인근의 용포리(지도 9-4 참조)의 자연 취락은 세종시에 극히 부족한 소규모 주거지로 활용되고 있다. 사회 초년생이면서 이동 시간을 줄이고자 하는 사람들에게 이곳의 '빌라'는 사회 생활을 시작하기에 무엇보다도 필요한 집이다. 더불어 이 구역에는 세종시 계획구역 내에는 존재하지 않는 모텔도 확인할 수 있다. 모텔은 젊은 도시에서 수천 명은 필요한 계절 노동자나 운송 노동자들의 숙소로 유용하게 활용되는 시설이다. 오송읍사무소가 있는 구시가지는 물론, 경부본선 방면의 부강, 조치원

방면의 연기리[186] 역시 세종시 인접 지역의 개발이 진행되면 용포리처럼 활용될 수 있는 지역이다. 어딜 가든 중산층을 위한 아파트가 부담스러운 사람들은 있고, 계획도시 인근 지역의 자연 취락은 구조(이미 공공교통 정류장이 있음), 토지 용도 지정 제도(용도 변경이 농지나 임야보다 쉬움)와 건물 임대료(세입자의 현금을 노리고 건물을 신축해 사업을 벌일 수 있음)에 기반하여 이들을 위한 마을로 변모할 것이다.

교통의 측면으로 돌아오자. 이 자연 취락 변형 마을 주민의 상당수가 중하류층 또는 청년층일 것이다. 따라서 승용차 역시 부담스럽고 대중교통을 최대한 활용하는 계층일 수밖에 없다는 데서, 그리고 이러한 지역의 길은 좁고 주차장 확보가 어렵다는 데서 다시 출발해 보자. 이런 식의 필요를 가진 인구 집단이 모일 자연 취락을 좀 더 조직적으로 활용하려면 결국 대중교통 연계는 필수적이다. 그러나 지금으로서는 오송역에 내린 도보객과 이들 주변

자연 취락 사이의 도보 망과 대중교통 연계는 사실상 단절되어 있다. 이 상황을 바꾸어야 한다. 자연 취락 변형 마을의 골목을 활용하여 이곳에 모이는 중하류층을 위해 걷기 좋은 도시를 만들고, 나아가 이를 통해 중산층에게도 매력적인 공간을 창출하는 것, 이것이 지금의 오송역을 바꿀 길이다.

게다가 오송 일대는 청주와 조치원, 세종 사이의 교통량이 지나가지 않을 수 없는 지역이기도 하다. 고층 개발을 하는 지금의 층고를 유지하든, 그리고 지금의 시가지 조직을 유지하든 아니든, 대규모의 통과 교통이 걸릴 지점이라는 뜻이다. 이들 통과 교통을 대중교통으로 흡수하려면, 오송역 접근 통행 역시 대중교통망으로 흡수하여 대중교통망의 배차 간격과 같은 공급 요소를 보강해야 한다. 이를 위해서는 걷는 사람이 재미를 느낄 수 있는 도심을 만들고 이들이 대중교통으로 접근하도록 하지 않으면 안 된다. 세종의 성장, 오송과 오창의 성장과 함께 적지 않은 시간 동안 교통량이 늘어나는 지점인 이상, 대중교통 이용객과 보행자가 편안하게 느끼는 도시를 건설하지 않으면 오송 일대의 교통난은 더욱 심화될 수 밖에 없다.

---

[186] 게다가 연기리 일대는 왕정 시기의 연기군 치로, 향교까지 남아 있다. 전근대 시기의 역사 도심인 셈이다.

이미 편도 5차선 대로가 뚫려 있고 수천 면의 주차장이 대지를 가득 메우고 있는 이상, 도로와 주차장을 넓혀 문제를 해결하겠다는 발상은 적절하지 않다.

여기에 한 가지 계산을 더해 볼 수 있다. 승용차의 1인 km당 탄소배출량은 철도보다 평균 5~6배 높다. 그리고 오송에서 세종, 오송에서 청주 사이의 승용차 이동 거리는 약 20km고, 서울에서 오송까지의 고속철도 이동 거리는 120km 수준이다. 따라서 당신이 세종이나 청주에서 승용차나 택시로 오송에 접근한 다음 서울로 올라왔다면 탄소배출량은 철도와 승용차/택시가 비슷하게 나올 것이다(에너지 소비량은 승용차가 철도보다 2배 더 많을 것이다). 조금만 더 외곽에서 접근한다면 이 비율은 역전되고 만다. 승용차 위주로 짜인 지금의 오송역 접근 체계는 탄소배출량과 에너지 측면에서 배보다 배꼽이 큰 상황을 조장하고 있는 셈이다. 이를 바꾸려면 결국 오송 접근의 기본 수단을 버스와 충북선으로 바꾸어야 하고, 이런 목적을 위해서는 역 주변 개발에서 주변 자연 취락의 구조를 활용하는 것과 같이 도보 중심의 시가지 구조를 만들어 차량보다는 대중교통이 편한 도시를 만들어 내야만 한다.

4절. X축/강호축 구상은 균형 발전에 도움을 줄 수 있는가

또 다른 균형 발전 촉진 메커니즘으로 초점을 옮겨 보자. 호남-충청-강원 연결, 다시 말해 X축/강호축 구축 구상이다.

분명 이 구상은 겉보기에는 그럴듯하다. 경부축은 20세기 한국의 틀을 형성해 갔다는 점에서 일종의 공간적 주류였다. 이 틀에 균열을 낼 수 있는 호남축을 건설하는 김에 공간적으로 비어 있는 충북과 강원 사이의 축을 더해 경부축에 버금가는 회랑을 구성하고, 이를 통해 경부축에 대항하는 대안 회랑을 만들자는 것이 이 구상의 내용이기 때문이다. 게다가 충북은 충북선이라는 교량선을 통해 강원 지역의 탄광 개발로부터 상당한 이익을 얻은 역사적 경험을 가지고 있었다. 이 역사적 경험을 재현할 기반을 고속철도라는 새 시대의 기술로 만들어 보자는 것이 충북의 생각이었을 것이다.

그렇다면 이러한 지리적 구상이 실제로 균형 발전을 위한 힘을 가질 수 있을 것인지가 문제이다. 균형 발전 요구가 제기되었던 핵심 이유는, 결국 서울과 수도권 방면으로 인구와 산업이 몰려들게 만드는 일종의 구심력이 있기 때문이었다. 이 구심력에 대응하는 원심력을 만들기 위해서는 일종의 힘점이 필요하다. 오송 분기 결정이 있었던 노무현 정부가 만들었던 가장 큰 힘점이 바로 세종시였다. 이미 살펴본 대로 세종시는 정부가 마중물이 되어 민간을 수도권 밖으로 끌어내기 위한 전략개발지의 성격을 가지고 있었다. 이 힘점을 서로 연계하는 틀이 강호축이 된다면, 아마도 국토 X축은 경부축으로부터 발전의 성과를 분산시킬 메커니즘을 작동시킬 수 있었을 것이다.

하지만 이러한 힘점들은 강호축과 밀접한 연관 없이 건설되었다.

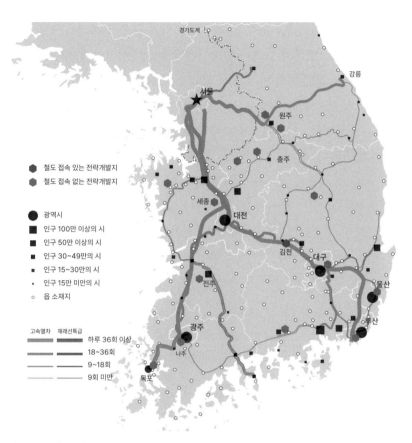

지도 9-5. 전국 철도망과 전국 전략개발지의 입지. 도시는 인천, 경기 바깥만 표시했다. 저자 작도.

호남고속선 주변에서 가장 가까운 혁신도시는 나주역에서 7km 떨어진 지점에 있다. 이는 역을 포기한 세종시와 유사한 문제점을 노출하는 도시 설계일 수밖에 없다. 도시 규모가 세종보다 작아 대중교통 연결을 원활하게 제공하는 것은 현실적으로 더욱 어렵다. 전북혁신도시역시 호남고속선 서편 12km 지점에 위치해 있지만, 정차역을 설정할경우 익산역과의 거리가 15km에 불과하게 되므로 속도 문제 때문에 당국이 난색을 표하고 있다. 충북혁신도시의 경우 충북선에서 직선거리로는 15km 떨어져 있으나 대중교통망은 없다시피하다. 당초 X축의 동측 구간이었던 태백선은 포기되었고, 강릉선은 원주 지역에서 복잡하기만 하고 이용하기에는 모든 방향에서 불편한 구조를 만들고 말았다. 본래 중앙선 열차가 정차(반곡역)했던 강원혁신도시에서는 철도가 사라져 버렸다.

　게다가 이른바 강호축 주변에서는 새 도시들만큼이나 기존 도시를 힘점으로 삼는 것 역시 여의치 않다. 호남은 철도망과 그 역할이 인구 규모에 비해 상대적으로 부실한 편이다. 오늘의 충북선은 충북 내부 연결에 쓰이지 못해 충주 및 연선 소도시와 오송, 대전 사이의 연결 경로로만 기능하는 중이다. 강원도에서는 원주와 강릉에서 인구가 늘고는 있으나, 오송에서 이들 방향으로 가려면 충북선과 중앙선이 합류하는 봉양 인근에 복잡한 연결선을 추가로 구축해야 하는 문제가 있다. 결국 각 지역의 도시 구조를 철도망과 대응하도록 구성하고 이것이 어려운 부분을 보완하기 위해 내부 망을 구성하지 않은 상태에서 고속철도 한 가닥만으로 강호축을 구축해 충분한 원심력을 창출하기란 불가능에 가까운 일이었다.

　이것은 강호축 기획이 힘점 사이를 단단히 연결하여 원심력을 창출하는 망으로서 기능하려면 실질적으로 막대한 투자가 필요하다는 뜻이다. 그것도 경부축을 보강하는 데 들어가는 수준이 아니라 국토 전체를 재설계하는 수준의 부담일 것이다. 호남, 충북, 강원 지역의 도시와 철도망을 완전히 강호축 중심으로 뜯어고쳐야 달성할 수 있는 목표이기 때문이다. 물론 이런 목표를 택해 도시 구조를 완전히 뜯어고치는 방향을 선택할 수도 있다. 하지만 이것은 아마도 지금의 경부축이 형성되는 데 걸린 시간처럼 한 세기 이상이 필요한 대규모 작업일지 모른다. 20세기 초중반, 대전이 청주보다 인구가 많아져 충청권 최대의 도시가 되는 데도 경부선 개통 이후 50년의 시간이 필요했다는 것을 잊어서는 안 된다.

게다가 이런 시도는 각 지역 내부의 역량과 망을 강화하려는 시도와 자원을 놓고 다툴 수밖에 없다. 호남 내부망이든 충청 내부망이든, 이는 강호축 구축과 무관하게 현실의 광역도시권을 지원하기 위해 그 자체로 필요한 것이다. 하지만 이렇게 이뤄지는 투자는 충북선 추가 투자, 그리고 강릉선-충북선 연계를 위한 여러 삼각선 설정과 같은 추가 투자와 제한된 자원을 놓고 경쟁할 수밖에 없다. 새로운 도시 개발 여력이 사실상 고갈되어 가는 상태에서 도시 체계를 변형하는 데 자원을 투입할 만한 여유가 있다고 볼 수도 없다.

더불어 X축이라는 아이디어가 기반해 있는 지질구조인 옥천대의 유용성은 점차 약화되고 있다. 분명 X축과 같은 아이디어를 내놓은 충북인들은 충북선과 태백선을 이용해 옥천대 및 그와 연결된 태백산 분지의 광물 자원에서 이익을 올린 과거를 기억하고 그렇게 했을 것이다. 그렇지만 무연탄은 이제 기후위기 시대를 맞아 남아 있는 명맥마저 끊겨야 할 상황이 되었고, 더불어 시멘트 역시 가능한 한 절약해야 하는 상황이 왔다(비록 계속 사용은 하겠지만). 옥천대는 실제로 강호축을 통해 경부축으로서는 제공할 수 없는 공간적 분업을 해낼 수 있는 몇 안 되는 기반이지만 이제는 그 의미가 미약해졌다는 뜻이다.

물론 충북은 공간적 분업 구상이 하나 남아 있다고 말할 것이다. 북한과 중국, 러시아 방면 철도 연결의 수도권 우회 노선이다. 그러나 이것은 고속철도가 아니라 화물철도의 영역이다. 더불어 화물철도 물동량의 핵은 경부축의 끝, 부산항이기도 하다. 부산항에서 수도권을 우회하기 위해서는 영남 내부 망을 변형하여 중앙선 방면으로 접속시키면 그만이다. 광양항에서 올라오는 물량이 있긴 하지만, 이들을 처리할 대안이 강호축만 있는 것은 아니다. 수도권 외곽 수요를 함께 처리하는 외곽 순환선이 강호축과 경쟁하는 대안이라면 강호축에게 유리한 부분은 거의 찾기 어렵다. 대륙철도 연결의 미래도 수요도 불분명한 현실 아래에서, 강호축은 그 우선순위가 가장 뒤에 있다는 것이 내 판단이다.

5절. 지역 균형 그리고 지방자치[187]

세종시-오송역 복합체 그리고 X축 구상까지, 지리적으로 특수한 구상에 포함된 균형 발전 메커니즘에 대한 논의는 이 정도로 해 두자. 이 다음에 생각해야 하는 쟁점은 조금 더 일반적이다. 오송 분기 사례는 지역균형발전을 계획하는 데 있어 지방 정부와 중앙 정부 각각에게 적합한 역할이 무엇인지 자체를 따져 보아야 한다는 요구를 우리에게 던지기 때문이다.

　　해결하려는 문제, 즉 수도권 집중 현상에서 출발해 보자. 어떤 상태가 이 문제가 해결된 상태일까? 인구와 산업이 수도권에서 빠져나가 다른 지역의 중심지로 이동해야 한다. 국토 전체 단위의 계획 없이는 이러한 기능의 분산은 불가능한 일임은 재론의 여지가 없다. 어디가 과밀 지역이고 이 기능을 어디로 분산할지에 대한 계획 없이 일어나는 일을 그대로 방치할 경우, 그동안의 경향에 따라 수도권 집중은

---

[187]　　김석태, 『지방자치 철학자들 그리고 한국의 지방자치』(한국학술정보, 2019)의 논의를 활용했다.

계속해서 심해질 것이다. 이 계획을 어떻게 창출할 것인가가 문제이다. 1) 중앙이 주도하는 계획, 2) 지방이 주도하는 계획, 이렇게 두 가지 극단적 선택지에서 이야기를 시작해 보자.

20세기 한국의 균형 발전 정책은 명백히 1번 선택지를 택해 이뤄졌다. 지방자치 자체가 이뤄지지 않고, 1990년대 초반까지도 중앙 정부가 시장, 도지사 등을 임명했던 만큼 이를 부인할 수는 없다. 그런데 오송 분기는 바로 이 중앙의 막강한 권력에 균열이 가던 시점에 있었던 의사결정이었다. 따라서 이 계획은 2번 방향으로 많은 부분 무게가 옮겨 간 상태에서 이뤄진 것이었다. 중앙 정부 역시 이 상황을 과거보다 무겁게 받아들였고 지방의 목소리를 함부로 억압하지 못했다. 중앙은 다만 분기역 결정에서 의사결정 과정의 틀을 잡고 이를 지원하는 역할을 맡았을 뿐이다.

이것은 2번 선택지가 가진 미덕을 감안했을 때 발전이라고 평가할 만하다. 자신의 미래를 스스로 결정하는 것보다 더 적절한 민주주의의 징표는 없을 것이고, 지역 역시 이러한 자기 결정권의 단위인 이상 2번 선택지는 1번에 비해 민주적이라고 평가할 수 있다. 중앙의 권위적 의사결정에 의해 지방의 자기 결정권이 무시되어 온 과거는 이제 배격되어야 한다는 이런 아름다운 이야기를 누가 반대하겠는가?

그러나 이 아름다운 이야기만으로 모든 문제를 해결할 수는 없다. 비록 층위를 달리한다고 할 수는 있으나, 이 이야기는 계획이라는 쟁점과 관련해서는 중대한 약점을 가지고 있다. 지방이 자기 결정권을 통해 결과적으로 자신을 약화시키는 결정을 내릴 수 있다는 문제점 말이다. 각 지방의 약화가 사회적으로 올바른 방향이 아니라는 합의 자체는 명확하다. 그렇다면 지방이 주도하는 계획이라고 해도, 그것이 결과적으로는 지방을 약화시키는 계획인지 확인하여 오차를 바로잡는 과정이 필요함은 부인할 수 없다. 이런 오차가 실제로 오송 분기에서 나타났다는 문제 제기를, 그리고 이 오차를 수정하기 위한 과정이 좌절되었다는 사실을 이미 3부의 앞선 논의를 통해 확인했다. 더불어 이 오차를 줄이기 위한 조정의 과정이 바로 8장 후반에서 제안한 논의였다는 점 역시 충분히 이해했을 것이다.

문제를 확인한 이상, 이번 절 서두에서 제시한 2개의 극단적 선택지 사이에서 절충이 필요하다. 여기서 추가하고자 하는 차원은 바로 오차 수정이다. 계획을 집행하는 중에는 반드시 오차 수정 과정이 필요하다. 그리고 이 오차 수정 역시 단순히 중앙이 권위를 가지고 수정 방안을 제시하는 방식이 아니라, 지방의 자기 결정권이 존중되는 과정 속에서 진행되어야 한다.

이 역시 아름다운 이야기에 지나지 않는 것처럼 들리기는 한다. 하지만 중앙이 위압적이기 때문에 진정한 균형 발전과 지방 분권에 오히려 방해가 된다는 주장은 충북이 자신들의 행동을 정당화하기 위해 지속적으로 사용해 온 논거였다. 심지어 고속철도 2복선화 과정에서 일어난 세종 관통 고속선 논쟁(5장 3절)이 있던 2013년에도 충북은 중앙 정부 측에 이런 태도가 존재한다는 주장을 무기로 삼아 중앙 정부를 굴복시켰다. 충북과 같은 비타협적 태도가 더 이상 확산되지 않게 하려면 궁극적으로는 충북이 활용한 정당화 기법이 통하지 않게 만드는 수밖에 없다. 지방의 자기 결정권이 보장되는 거버넌스 체계가 이를 위해 필요하다는 점을 부인할 수 없다.

제도적으로 이 문제를 풀어 내려면, 앞서 제기한 오차 수정 이행 감시위원회 위원으로 각 지방 정부가 참여하는 방향이 필수적이다. 각 지역이 위원 정족수의 50%, 중앙이 50%를 가지든, 지역이 더 높은 비중을 차지하든지 말이다. 이들 지방 위원은 위원회의 오차 수정 이행 명령이 중앙의 권위적 결정이라는 의혹을 차단할 수 있는 장치다. 또한 지방이 정족수의 100%를 차지했던 오송 분기 평가단의 과오를 피하려면, 중앙의 정책 기구가 추천하는 인원의 비중이 일정 이하로 떨어져서는 안 될 것이다.

오송 분기 평가단이 범했던 과오를 피하고, 더불어 중앙의 정책 기구에 대한 불신 역시 견제할 수 있는 또 다른 인적 풀도 고려할 가치가 있다. 이용자 대표가 그 역할을 할 수 있다. 특히 오송역처럼 실제로 고속철도를 사용하는 승객의 이용자 경험이 거시적인 목표와 괴리되는 경우, 이용자 대표에게는 이 괴리를 지적하고 사용자 경험이 오차 수정 과정에 반영되도록 움직일 동기가 있다. 중앙 또는 학계 대표, 지역 대표, 이용자 대표가 동수로 참석하는 의결 기구라면 중앙의 권위도 지역의 자기 결정권에도 치우치지 않는 기구가 될 수 있는 형식적인 조건은 갖춘 셈이다.

물론 이것은 어디까지나 제도일 뿐이다. 의결 기구는 결국 변화하는 상황 속에서, 그리고 위원들 각각이 가진 이해관계나 편견, 정보적 또는 인지적 한계 덕분에 무언가 이상한 결정을 계속할 가능성이 크다. 오송 분기라는 의사결정이 품고 있는 오류는, 무엇이 오차인지에 대한 지속적인 점검 작업 없이는 계속해서 반복될 것이다. 제도는 필요 조건일 뿐이고 결국 시민들의 꾸준하고 실질적인 관심이 없다면 이 오차를 수정할 기회를 보장하는 충분 조건은 충족되지 않을 것이다.

10장. 결론

이제 논의는 종착역에 도착했다. 오송역이라는 어딘가 이상한 역, 그리고 그 탄생 과정과 씨름하며 이 책이 풀고자 했던 문제, 이 문제들을 명시해 본다.

Q1. 오송역에서 정확히 무엇이 문제인가?

오송역의 이용자 경험은 역과 표적 시가지 사이의 거리와 연계 교통, 역전의 보행 동선이나 역 광장의 개발·활용 상황을 고려해 볼 때 '불만의 여행'이라고 부를 수 있는 수준이다. 이러한 불만의 여행을 불러온 것은 궁극적으로 호남고속철도 분기역 갈등, 그리고 세종시 진입의 관문으로 오송을 설정하여 창출된 세종시-오송역 복합체 덕이었다. 특히 분기역을 결정할 때 결정적인 영향을 미친 분기역평가추진위원회의 평가 점수는 사실상 모든 평가 항목에 걸쳐 오송역이 압도적으로 높았으나, 이 점수는 분기역 기본계획 과정에서 수행된 경제성 평가와 정합하지 않았다. 이는 어딘가 께름칙한 의사결정이 이뤄졌다는 뜻이다. 더불어 오송 분기의 여진으로 인해 충남 남부 내륙의 공주, 논산 등지는 고속철도 혜택에서 소외되어 곤란해 하고 있으며, 분기역 논의 초기 오송 분기를 통해 확보된 동부 분기 노선이 흡수할 것으로 예상되었던 대전 서부 수요 역시 서대전역을 이용해 처리하고 있는 등 미봉책이 이어지고 있다.

Q2. 그렇다면 이런 문제를 가져온 정책 중개자로 누구를 꼽을 수 있나?

A2-1. 세종시-오송역 복합체를 설정해 불만의 여행을 만들었다는 사실

1) 충북

이들은 행정수도 관문역을 오송역 단일역으로 설정해야 한다고 주장하며 로비를 진행하였다.

2) 노무현 정부 당시 세종시 설계자

이들은 행정수도 관문역이 오송이 되어야 한다는 의견을 적극 반영하고, 세종시 본 시가지와 고속철도 및 경부선 철도망을 10km 이상 떨어뜨려 세종시와 수도권 사이의 연담을 방지하는 방향을 택했다. 이런 관점에서 오송역과 세종시 사이의 거리는 오히려 자원이었다.

3) 경부고속철도 설계자

더불어 당초 청주 경유 노선을 오송보다 청주 시가지에 더 가까이 붙이지 않고, 마치 공항처럼 멀찍이 떨어진 입지를 택한 경부고속철도 설계 당시의 선택 또한 중요한 요인이다.

A2-2. 오송 분기 자체와 그 여진

1) 충북 그 자신

이들의 열정적(?) 로비 활동이 없었다면 충북은 열세를 면치 못했을 것이다.

2) 대전

대전은 1995~2001년 6년간 행동을 함께하고, 이후에도 동맹을 형성하지 않고 독자적으로 유치 활동을 벌였다. 특히 이들의 의도가 무엇이었든, 2005년 5월 9일 충청권 지방 정부와 건설교통부 실무자 사이의 분기역 평가위원 선정 방식에 대한 간담회 자리에서 대전이 충북의 손을 들어 준 것은 대전이 오송 분기 결정에 기여한 가장 결정적인 장면으로 꼽을 만하다. 2-1) 더불어 충북과 분기 시점까지 행동을 함께한 강원, 경북. 이들 또한 오송 분기가 곧 국토 저발전 지역 사이의 연계인 '강호축'의 주춧돌이라는 주장의 정당화에 기여했다.

3) 김종필과 자민련

중앙 정치의 흐름에서는 2000년 총선을 위해 개입한 김종필과 자민련을 먼저 꼽아야 한다. 이들은 충북에서 자민련의 세력 회복을 위해 천안 분기 대비 열세에 처한 충북의 손을 들어 주었다. 이를 위해 김종필은 총리 권한을 여러 차례에 걸쳐 적극 활용한다.

4) 박근혜와 한나라당

이들은 2004년 총선에서의 열세 및 충청권 지역 정당의 붕괴를 마주하고 충북에서의 세력 확대를 위해 오송 분기 당론을 적어도 2005년 1월 26일에 확정하며 박근혜는 유사 왕족이자 당의 실권자로서의 권한을 활용하여 (심지어 호남 방문에서도) 오송을 지원한다. 오송 백서에는 분기역 평가 위원에게 한나라당 소속 지자체장(당시 평가에 참여한 15개 지자체의 60%)들이 평가 위원들에게 이 당론에 따라 평가를 진행하라는 지령을 내린 것으로 보이는 발언이 수록되어 있어, 한나라당의 당론이 오송 분기 위원회의 향방을 결정하는 데 지대한 역할을 했음을 확인할 수 있다.

Q3. 이 상황에서 확인한 오차와 오류를 조정하려면 무엇을 해야 하나?

기술적·시간적 한계로 이 책에서 많은 것을 할 수는 없었지만, 여기서 핵심은 결국 성패의 신화에 집착하여 지금의 상황이 실패라는 평가에 애쓰는 것이 아니라 지금 할 수 있는 오차 수정에 주목하는 태도 전환이 필요하다는 데 있다.

이 가운데 공주나 논산 또는 세종 진입 교통망처럼 여진이 일어난 지점의 경우 추가 투자가 불가피하다.

특히 세종시-오송역 복합체는 세종시의 중요성을 감안하여 점진적으로 해체할 필요가 있다. 이를 위해 경부선, 청주-대전 간 직결 등을 포함하는 광역전철망을 구축하고, 분산과 여유, 자동차 지배의 공간 사이에서 이들 철도망이 집중과 활력, 확장된 걷기 공간을 만드는 축이 되게 해야 한다. 현재의 오송역은 다른 저술에서 내가 도입한 용어인 '납치된 걷기 공간'의 전형이다.[188] 전체 공공교통망의 정점이 이러한 상황에서 시내 공공교통망 개발만으로 도시를 공공교통 중심으로 구성할 수 있다고 보는 것은 오만이었다. 더불어 수도권 인구보다는 영호남 인구를 흡수하는 것이 2020년대 세종시의 현실인 이상, 공간 설계를 바꿀 시도를 하지 않을 수 없다.

비록 도시 개발 여력이 소진되어 새로운 개발에는 신중해야 하지만, 정말로 강호축 구상을 구현하길 원한다면 결국 철도망을 활용해 축 전반의 도시 전체를 바꾸지 않으면 안 된다. 단순히 철도망의 개발만으로는 그 효과가 고립되어 오송역과 같은 납치된 걷기 공간만 창출하고, 해당 역을 자동차 지배의 거점으로 만들 뿐이다.

호남 방면 분기역의 경우에도, 비록 2020년대에 진행될 평택 이남 2복선화 투자 상황에서는 실기하였지만 지속적으로 추가 투자 축선을 모색해야만 한다.

결국 오송역에서 확인할 수 있는 문제는 이렇게 요약할 수 있다. 저발전이라는 문제의 흐름을 극복하기 위한 의욕적 투자였던 오송역은 그 의욕만큼의 성과로는 이어지지 못했다. 이는 정책 구현 과정에서 발생한 수많은 오류 때문이다. 이들 오류 가운데는 도시 계획처럼 정책적 흐름 차원에서 일어난 오류도 있었고, 대전과 같은 일종의 스

---

[188] 『납치된 도시에서 길찾기』 4장.

캐빈저에 의한 오류도 있었으며, 자민련이나 한나라당처럼 지역 개발과 무관한 정국의 흐름(크게 보아 정치의 흐름)에 주목하는 행위자들이 내놓은 선택에서 비롯된 것도 있었다.

앞으로도 오송역과 같은 오류와 오차 투성이 정책은 계속해서 생겨날 것이다. 여기에 대응해 오늘의 우리가 내일의 철도와 도시를 위해 할 수 있는 것은 결국 역사를 냉정하게 기록하여 미래의 정책 중개자들이 정책을 결정할 때 참조할 합리성의 지평을 넓혀 놓는 것뿐이다.

물론 고속철도처럼 전 국토 차원의 뼈대를 잡는 망은 수정의 여력이 크지 않다. 그럼에도 그보다 낮은 위계의 망이나 도시 계획 등의 방법으로 오차 수정은 계속될 수 있고, 그렇게 되어야 한다. 이런 오차 수정 과정이 좀 더 원활히 진행되도록 돕는 것은 결국 명확한 관점이고, 이 관점의 기반이 되는 것은 정확한 기억과 책임 소재에 대한 반성이다.

지역 저발전의 극복을 위해 건설된 호남고속철도는 그 분기역 선정에서 오송역을 둘러싼 커다란 오차를 남겼다. 이제 우리에게 남은 과제는 이 오차를 미래를 위해 어떻게 활용할 것인지다. 나는 이 과제를 구현하는 방법 가운데 하나가 철도를 이용한 지역 개발 담론을, 그리고 오류와 오차를 수정하기 위한 제도적 틀을 발전시키는 데 있다고 생각한다. 이 책이 철도를 이용한 지역 개발 담론을 조금이라도 발전시키는 데 성공했다면, 그리고 납득할 만한 오차 수정 제도를 제안해 냈다면, 오송역이 유발한 오차를 수정하기 위해 이보다 필요한 것은 없을 것이다. 설사 이 책이 성공하지 못하더라도, 철도와 지역 개발에 대해 지금까지보다 더 많은 그리고 더 정교한 담론이 필요하다는 사실만은 충분히 조명이 되었기를 바란다.

부록 1. 오송역 연보

년도	사건
40~10억 년 전 (시생대~원생대)	충남 지역의 경기변성암, 충북-경북 접경 소백산맥의 소백산 변성암복합체 형성
6~3억 년 전(고생대)	옥천지향사의 퇴적층 형성
1.5억 년 전 (중생대 쥐라기)	한반도 전역에 대보 조산운동으로 중국 방면(북동~남서 방면) 구조선 형성 강릉~충주~청주~김제 간 대보화강암대 형성
중생대 이후	대보화강암 지역의 차별침식으로 호남평야, 청주 분지, 진천 분지 등 형성
약 2천만 년 전 (신생대 제3기 마이오세)	일본열도 분리와 한반도의 경동성 지형 형성, 동해 형성
약 4만 년 전?	구석기인 '흥수아이(청주 문의면 흥수굴에서 발굴)' 생존시기
약 1.3~1.5만 년 전?	이 무렵 소로리 볍씨의 벼를 중석기인들이 채취
약 1만 년 전	이 무렵 황해 형성, 해수면 현 수준으로
470	신라, 삼년산성(보은) 축조
475	백제의 남천
554	백제-신라 간 관산성(옥천) 전투, 백제 성왕 전사
660	나당연합군의 기습 작전으로 백제 멸망
676	기벌포(금강하구) 전투로 나당전쟁 종료, 신라의 삼국통일
681	신라, 지금의 청주 구도심에 서원경 설치
936	왕건, 천안부에서 후백제 정벌군 편성
1106	고려 예종, 양광도 설치
1291	카다안 침공, 연기전투
1418	조선 태종, 전국 8도제, 충청도 설치
18세기	강경이 조선 3대 장시, 부강이 내륙항로 결절점으로 부상
1894	1차 갑오개혁, 전국 23개부제, 충청도 해체
1895	3차 갑오개혁, 전국 13개도제, 충청남도와 충청북도 등장
1905	경부선 전선 개통

1911	호남선 전선 개통
1914	총독부, 행정구역 재편, 현재의 시/군 체계 확립
1920년대	금강수로 약화, 부강하항 퇴적으로 쇠퇴
1921.11.1	충북선 조치원~청주 개통, 조선철도주식회사에 의함, 제1차 청주역(서문 일대) 개업, 오송역 1차 개업
1923	충북선 청주~청안 개통
1928	충북선 청안~충주 개통
1932	충남도청이 공주에서 대전으로 이전
1936	장항선 개통
1946	조선철도 국유화에 의해 충북선 국유화
1950.6~7	한미연합군 금강방어선 구축, 지연작전 수행
1958	충북선 충주~봉양 개통, 충북선의 경부~중앙선 간 교량선화 완성
1968	충북선 청주도심 1차 이설, 제2차 청주역(우암동) 개업
1970	경부고속도로 개통
1973	태백선 전선 개통, 대덕연구단지 기본계획 확정
1974.12.5	오송역 1차 폐지
1977.9.5	오송역 1차 재개업
1978	행정수도 백지계획 수립
1980	충북선 복선화 개통 충북선 청주도심 2차 이설, 제3차 청주역(현) 개업 오송역 화물취급 폐지(10.17) 대청댐 준공
1983.2.1	오송역 2차 폐지
1984	북한군의 스커드 B 미사일이 청주공항을 사거리 범위에 포괄하게 됨
1987	중부고속도로 개통, 금성반도체 개업
1988	경부고속철도 오송기지 방면 인입선 설치확정
1989	석탄산업합리화정책 발표
1990	대전 정부제3청사 계획확정

1992	대덕연구단지 준공
1993	대전엑스포 개최
1995	제2차 전국동시지방선거, 충북지사 및 청주시장 주민 직접선출
1997	현 LG에너지솔루션 부지에서 오창 소로리 볍씨 출토 청주국제공항 개항 대전 정부제3청사 준공
1999	경부고속철도 시험선(천안~오송~대전) 개통 LG반도체(구 금성반도체), '빅딜'로 현대전자와 합병(현 하이닉스)
2002	논산천안고속도로 개통
2003	오송생명과학단지 착공
2004	경부고속철도 1단계 개통 행정수도(현 세종시) 입지 결정 (8.11)
2005	경부본선 병점~천안간 2복선화·광역전철 개통 호남고속철도 오송분기역 확정(6.30)
2006	충북혁신도시 입지 결정(2월)
2007	청원상주고속도로 개통(현 서산영덕고속도로의 중앙부)
2008	장항선 천안~온양온천~신창 간 복선화·광역전철 개통 장항선 군산~장항 간 연결
2009	당진~유성 간 고속도로 개통(현 서산영덕고속도로의 서측) 서천공주고속도로 개통
2010	질병관리본부 등 오송 입주
2010.11.1	경부고속철도 오송역 개업, 충북선 오송역 2차 재개업, 경부고속철도 2단계 개통
2012	정부세종청사 입주개시 세종특별자치시 충남으로부터 분리
2013	충북혁신도시 입주개시
2014	청주시-청원군 통합
2015.4.2	호남고속철도 개통 및 오송역의 고속철도 분기 현실화
2021	오송 질병관리본부 질병관리청 승격
2022	미호천의 이름을 미호강으로 개칭
2024	제2경부고속도로(세종~구리~포천) 개통 예정
2027	경부고속선 2복선화(평택~오송) 개통 예정

부록2. 용어 설명

강호축
한국 동북측의 강원도와 서남측의
호남을 연결하는 종관 방향 축. ☞ X축.

경부고속전철본선역
충북권유치추진위원회
1991년 결성되어 본래 충북을 통과하지
않았던 경부고속철도 본선을 충북
관내로 이끌기 위해 활동한 충북 지역
유지 중심의 단체. 이들은 역내 지역구
국회의원과 결탁하여 경부고속철도
본선이 충북으로 진입하지 않는다면
부강터널을 폭파시키겠다는
협박을 보냈다. 노태우 정부는
여기에 용공 혐의 등을 씌우지 않고
요구를 수용한다. 이후 구성원들은
호남고속철도 오송분기 추진에도
참여하게 된다.

경편철도
협궤를 이용하여 저자본으로
신속하게 건설하는 철도. 1910년대
이후 30년대까지 지선 철도망에 다수
활용되었으며 충북선 역시 초창기에는
이 유형으로 건설되었다.

교량선
서로 떨어져 열차가 바로 운행하지
못하던 두 노선이나 노선망 사이를
잇는 노선. 이를 통해 두 노선(망)을
이동할 수 있는 경우의 수를
지수적으로 증폭시킬 수 있으므로 기존
노선의 가치를 높이는 네트워크 효과를
유발한다.

굴곡도
두 지점 사이의 철도 영업 거리를
직선거리로 나눈 값. 높을수록 노선은
구불구불하다. $\sqrt{2}$ 이상의 굴곡도가
기록되는 철도는 왔던 방향으로
돌아가는 등 우회가 지나치게 심한
철도로 보아야 한다. ☞ 맨해튼 거리

납치된 걷기 공간
보행자가 역과 같은 특정 보행거점
주변에서만 걸어다닐 수 있고, 주변
지역으로는 진출하기 어렵도록 도시
구조를 짜 놓아 극히 제한적인 구역
내에서만 보행이 기본 이동 수단인
공간 구조. 이 공간 주변은 대체로
거대한 자동차 전용도로와 주차장이
둘러싸고 있다. 이 책에서는 2023년의
오송역 주변 상황을 지시하기 위해
활용하였다.

네트워크 효과
네트워크의 규모가 산술적으로
증가할 때, 그 가치는 지수적으로
증가하는 현상. 가령 역이 5개인 철도
노선은 역을 오갈 수 있는 경우의
수가 20가지이지만 10개인 노선은
90개의 경우의 수를, 30개인 노선은

870개의 경우의 수를 제공할 수 있다. 교통망에서는 거리에 따라 소요 시간 또한 길어져 경우의 수 증가의 효과가 반감되지만, 거리에 따른 소요 시간 지연이 거의 없는 통신망에서는 이러한 경우의 수 증가가 더욱 극적인 효과를 부를 수 있다.

니어미스
near miss. ☞ 아차사고.

님비
Not In My BackYard, NIMBY. 이른바 혐오 시설을 자신들의 지역에 설치하는 것을 반대하는 운동을 지시하는 말. 한국의 맥락에서는 비하적 의미로 쓰일 수 있다.

다핵구조
도시를 개발할 때, 고차 중심지를 여러 개로 설정하여 사람들의 활동이 특정 지역에 집중되지 않도록 설정하는 도시 구조. 서울의 경우 '3핵 도시' 구조를 이루고 있으며, 충청 지역에서는 세종시 개발에서 시도되었다.

대보 조산운동
중생대 쥐라기(약 1.5억 년 전)에 진행된 지질 운동으로, 지상에서는 화산 활동이 있었으며 심층에서는 마그마가 굳어 대보화강암층이 형성되었다. 이들 지층은 한반도에서 대체로 중국 방면(북동~남서) 구조선을 형성하였다. 함경북도 대보산에서 따온 명칭이며, 호남 평야부터 충청을 지나 강릉에 이른다. 금강 중하류와 미호강의 하도 방향은 대체로 이 구조선과 일치한다.

마이 카 시대
중산층이 가구당 1대 이상의 자동차를 보유하게 되어 자동차가 삶의 중심이 된 상황. 자동차화, '자동차 지배(『납치된 도시에서 길찾기』, 민음사, 2022)'와 통한다.

맨해튼 거리
Manhattan distance. 택시 거리, L1거리, 시가지 거리라고도 일컫는 이 거리는 두 지점 사이의 직선거리의 $\sqrt{2}$배에 해당한다. 두 지점을 잇는 직선을 빗변으로 하는 직각삼각형의 나머지 두 변의 길이와 같다. 정사각형 블록으로 구성된 시가지에서 블록의 맞은편에 있는 사거리 사이를 실제로 이동하려면 움직여야 하는 거리. 수학적으로는 비유클리드 기하학에 기반하며 실제로 수학자 헤르만 민코프스키(Hermann Minkowski)가 제시하였다.

무심천
청주 시가지를 남북으로 관류하여 흐르는 하천. 미호강의 지류이다. 전근대 청주의 기반이자 현 청주 시가지의 남북 방향 뼈대이나 청주와 청주 외부를 잇는 철도 교통망이 이를 따라 발달하지는 않았다.

미호강

충북 서부를 동북 방향에서 남서 방향으로 관류하는 하천. 왕정기에는 지역별로 이름이 달랐으며, 왜정기에 미호천이라는 이름이 붙었으나 지역의 요구로 미호강이라는 이름으로 바뀌었다. 오송역의 남동측을 흐르며 세종시 관내에서 금강 본류와 합류한다.

박정자

대전 유성 일대에서 공주로 향하는 국도와 계룡산 동학사로 진입하는 도로가 갈리는 삼거리 일대의 지명. 박씨 집안에서 지은 정자라는 뜻이다. 초기에는 호남고속철도 본선이 인근으로 통과하면서 대전 서부의 호남고속철도역 입지로 유력했으나 계룡산 관통 문제로 인해 현재의 노선이 채택되자 대전 서부의 호남고속철도역 입지는 불투명해져 지금에 이른다.

분기

하나의 철도 노선이 둘 이상의 가지 노선으로 나뉘어 각자의 방향으로 운행하는 상황. 반대 방향의 상황을 합류라고 한다.

분기비리

bungibili.co.kr. 오송 분기가 강원도 보상 논리에 기반하고 있다는 주장 및 충북도 관련 행위자들이 분기 유치 과정에서 비위를 저질렀다는 주장이 담긴 웹사이트의 제목.

산맥

지질 구조의 연속성을 평가해 규정하는 개념. 박수진·손일(2008)에서는 조산운동으로 생긴 지질 구조 및 현저한 산줄기의 연속성을 모두 확인할 수 있는 산줄기에 대해 붙이는 이름으로 규정한다.

산지

산맥보다 산악의 발달이 미약한 상대적 고지대를 지시하는 말. 박수진·손일(2008)에서는 과거 차령산맥으로 불리던 산줄기 가운데 충청지역에 속하는 부분을 묶어 '차령산지'로 지시한다.

세종시

좁게는 노무현 정부 당시 지역균형발전을 위해 기획되어 2030년대까지 개발이 진행될 "행정중심복합도시" 지역을, 넓게는 구 연기군 관내를 기반으로 설정된 현재의 세종특별자치시 지역을 지시하며 후자의 내부에 조치원역이 있다.

스캐빈저

다른 포식자의 사냥이 끝나면 사냥감을 빼앗거나, 포식자의 식사가 끝나면 접근하여 남은 고기를 뜯어먹는 습성을 가진 포식동물. 대머리독수리나 까마귀가 대표적이다. 오송 분기 시 주변 상황을 설명하기 위해 대전이 이에 비유되었다.

시가지
도시 개발이 이뤄져 건물이 밀집해
있는 지역. 녹지와 대비되는 폭넓은
의미로 쓰이거나, 지적도상의 '대지'와
유사한 범위를 지시하는 말일 수 있다.
지도에서는 통상 분홍색으로 표시하는
관행이 있다.

싸이트
"분기 비리"를 알리기 위해 제작된
홈페이지에서 자신의 페이지를
지시하기 위해 쓰인 낱말로, 당시의
표기법을 그대로 묘사하기 위해 썼다.

양청 접경
충청남북도의 경계부로, 천안, 청주,
세종, 대전이 위치하며 충청지역
인구의 60%가 분포한다(2020년 기준).
전근대에는 그 중요성이 높지 않았으나
경부선 철도의 부설, 한국 독립 이후의
도시화 과정에서 충청 지역의 중심지가
되었다.

아차사고
near miss. 사고 발생 직전에 사고를
회피한 상황을 말하는 것으로, 이를
무기명으로 보고하여 기술 개발이나
시설 개량에 활용할 수 있도록 하는
시스템이 항공을 시작으로 철도에서도
구축되고 있다.

열린우리당
노무현 정부의 집권당으로,
2004년 총선에서 승리하여 충청권,
특히 충북을 석권한 정당. 세종시
등을 활용하는 대규모 지역균형발전
계획을 수립하여 집행하였고 이를 통해
충청권을 석권하였다.

오송백서
호남고속철도 오송분기역
추진위원회에서 발간한 사료로,
1995년부터 2006년까지 충북의 행동과
이들이 접촉, 파악한 행위자들의
행동을 날짜별로 일목요연하게
정리하고 있다. 언론 보도와 함께
이 책의 핵심 사료이다. 상하권으로
나뉜다.

오차 수정 관점
정책 결정이 불확실성 속에서 이뤄질
수 밖에 없으며, 이로 인해 발생할 수
밖에 없는 오차를 평가하여 앞으로
수정해 나가는 것이 오히려 중요한
과제라고 보는 행정학의 관점. 시행
착오를 통해 사회가 점진적으로
개선된다고 주장한 여러 철학적 조류에
기반을 둔다. 이에 따르면 오송역 분기
결정 이후 결정에 반드시 수반되는
오차가 있음에도 오차 수정 관점이
제대로 작동하지 못하였다.

육로 10대로
조선의 수도 한양에서 전국 각지의
거점으로 뻗어 나가는 전근대 도로

체계. 군사 거점을 주요 경유지와
종착지로 삼는다. 남측 도로는 전주,
대구, 통제영(통영) 등이 핵심 거점이며
북측 도로는 서북방의 평양, 신의주와
동북방의 함흥, 서수라 방면으로
이어진다.

이중 교통 환경

공공교통망이 확립되고 그 이용 역시
생활 속에 자리잡은 대도시 중심부,
그리고 공공교통망이 부실하여 생활
속에서 쓰이지 않게 된 대도시 외곽과
소도시 지역의 상황을 대조하는 표현.
전현우(2020)에서 제안되었으며 이
책에서는 충청 지역과 수도권의 교통
환경을 대조하기 위해 쓰였다.

자기부상열차

전자석 사이의 반발력으로 열차를
레일 위로 부상시키고, 반발력의
크기를 조정하여 차량을 앞으로
나아가도록 만드는 기술. 철차륜과
철레일의 마찰력으로 운행하는 전통적
철도보다 소음과 진동이 적지만
에너지 소모는 더 크다. 고속철도용과
도시철도용으로 모두 개발되었으나
상업운전 노선은 세계적으로도 손으로
꼽는다. 국내에서도 도시철도용 기술이
개발되었으나(인천공항 자기부상열차)
영업을 중단하였다.

자동차 지배

자동차가 이동과 도시의 주인공이 되어
길과 건축물 등의 건조 환경을 바꾸고,
이를 유지하기 위한 에너지 공급망을
건설하도록 압박하며, 더 크고 빠른
차량은 사회의 경제 성장과 개인의
발전을 그대로 반영한다는 믿음을
확산시키게 되는 상황. 전현우(2022)
에서 처음 제안되었으며 '자동차화'를
다시 옮긴 말이다. ☞ 마이 카 시대

자비의 원리

principle of charity. 상대의 발언을
가능한 한 합리적으로 재해석하여
받아들이고, 이를 바탕으로 상대의
입장이나 주장을 추론하여 자신의
방침을 정해야 한다는 원칙.
언어철학자인 윌러드 밴 오먼 콰인이
어떤 언어를 사용하는지 사전 정보가
없는 선주민 집단을 관찰하는 학자에
대한 사고실험을 통해 제시하여
유명해졌다. 선주민을 이해하기 위해
학자가 깔고 있어야 하는 사고 방식이
바로 자비의 원리라는 것이다.

자유민주연합

부여 출신 김종필이 5공 말기 박정희
연간의 공화당 관련 인사를 바탕으로
창당한 신민주공화당을 전신으로
하며, 직접적으로는 김영삼 정부 시기
민주자유당에서 탈당해 충청 지역을
기반으로 창설한 정당이다. 1996년
총선에서는 충청권 전체를 석권하였고
1998년 대선에서는 DJP 연합의 공동
집권당 지위를 얻었으나 쇠퇴하여
2004년 총선에서 참패하고 지지세를
잃어 소멸하였다. 김종필은 총리 임기

말에 오송 분기에 영향을 미치는
결정을 했다.

저발전
이른바 '경제 개발'이 충분히 이뤄지지
않은 상태. 최빈국(least devleloped
countries) 같이 기초 의료와
초중등교육조차 불충분한 절대적
저발전, 선진국의 많은 지역들같이
세계 도시(global city) 지역에 비해
경제 생활을 이룰 기반이 부실한
지역 상대적 저발전이 있다. 충청권의
맥락에서는 물론 후자가 강조된다.

절토
차량이 너무 가파른 경사로를
올라가거나 내려가지 않도록 땅을 깎아
길을 만드는 기법. 길의 양편 또는 한
편에 인공 절벽이 생긴다. 이 기법을
쓰기 어렵거나 생태적 단절이 우려되는
산줄기를 지나야 할 경우 터널을
사용한다.

정책 원시 수프
생명 출현 이전, 지구의 바다에 녹아
있던 유기물 군집을 지시하는 말인
원시 수프(primordial soup)에 빗대어,
정책이 출현하기 전 존재했던 다양한
사회 개혁 아이디어의 군집을 일컫는
말. 이들 군집은 사회에 여러 종류의
문헌으로 제시되며, 이 문헌의 군락
속에 정책 원시 수프가 존재한다고 할
수 있다.

정책의 창
문제 흐름, 정책 흐름, 정치 흐름이 모두
합쳐져 열리는 정책 대안 실현의 기회.
사회적 문제가 지속해서 존재한다는
자각이 사회에 공유되는 문제의 흐름이
먼저 생기고, 이에 대응해 정책 원시
수프를 이루게 된 정책 대안들이 점차
체계를 이루게 되어 정책 흐름이
구성된다. 이어서 이를 이용하기 위한
정치 세력이 등장하여 자신들의 필요를
위해 정치 흐름 속에서 문제의 흐름과
정책의 흐름을 활용하게 된다.

정책 흐름 모형
☞ 정책의 창

조작적 정의
operational definition. 어떤 이론적
개념이 있을 때, 이 이론적 개념을
현실의 데이터와 연결하는 방법.
가령 1m의 길이라는 이론적 개념은
국제단위계를 통해 정의되는데, 이
때 국제단위계의 길이 1m에 대한
규정 "빛이 1/299,792,458초만에 가는
거리"가 바로 길이의 조작적 정의이다.
장하석의 경우 작업적 정의라고 이름을
바꾸자고 제안하기도 했다(2021).

종관선
남북 방향으로 연결된 철도 노선.
남북으로 긴 한국의 경우 주축 노선이
종관선이다.

중부내륙권

충북이 강원, 경북과 함께 설정한 내륙 개발의 단위. 이들은 충남이 호남 전역과 함께 결성한 호남고속철도 천안분기 대안을 옹호하는 동맹에 맞서 충북이 활용한 하나의 지역 단위로 작용하였다. 단 권향원 등(2016)은 충남-호남 동맹보다 이들이 더 약한 연계만을 형성했다는 점을 보여준다.

지역균형발전

비수도권의 저발전을 해소하기 위해 한국 중앙정부가 추진중인 과제. 대부분의 정부는 이 과제를 추진해 왔으며, 노무현 정부 당시 입안된 세종시, 혁신도시, 기업도시 등은 지금도 지역균형발전을 위한 전략 수단으로 활용 중이다.

철차륜

철로 만든 바퀴. 이와 맞물리는 레일 또한 철로 만들게 된다. '철도'가 처음 출현한 19세기부터 지금까지 활용되는 구조물이다. 단, 일부 도시철도망은 고무차륜을 사용하기도 한다.

카다안

충렬왕 연간인 1290~91년 고려에 침공한 몽골의 방계 황족. 카다안 부대는 함경도 방면에서 침공하여 한반도 X축의 동북쪽 축을 따라 지금의 세종시 일원까지 돌입하였으며 지금의 세종시 중심부 원수산 일대에서 여몽연합군에게 격멸되었다.

표정속도

scheduled speed. 열차의 시각표상 운행 시간을 운행 거리로 나눈 값. 이 속도를 높이면 승객이 차내에서 보내는 시간이 짧아지며, 이를 위해 주행 최고속도, 정차 시간, 곡선이나 선로 주변 지장물 등을 관리해야 한다.

필지

지적공부에 면적, 위치, 지목, 권리관계 등이 등록되는 개개의 토지 조각. 지적도를 통해 지도화된다. 하나의 건물이 여러 필지에 서 있을 수도 있고, 하나의 대규모 필지에 건물군이 건설될 수도 있다. 과거에 철거된 철도가 철도부지 지목으로 남아 있는 경우가 많아 철도 노선을 추적하는 데 도움이 된다.

핌피

Please In My FrontYard, PIMFY. 좋은 시설을 자신들에게 유리하게 유치하기 위해 벌이는 운동. 철도역 유치가 대표적이며, 오송역은 이 사례의 대표로 주목받았다.

한나라당

현 국민의힘의 전신으로, 오송 분기 당시 시점을 포함해 14년간 (1997~2012) 유지된 당명. 오송 분기를 당론으로 채택하여 오송 분기 결정을 지원하였다.

환상형 구조
기하 구조가 중요한 여러 분야에서 쓰이는 말이다. 도시계획에서는 서울 2호선처럼 도시를 순환하는 순환 노선을 이용해 도시 구조를 설정할 경우 확인할 수 있다. 세종시의 시가지 주축 역시 고리 모양의 BRT 노선으로 구성되었다.

회랑
corridor. 도시나 지리 구조에서 회랑은 일렬로 늘어서 굴곡이 크지 않은 하나의 선으로 연결할 수 있는 도시군이나 가늘고 길게 이어진 지형지물을 말한다.

747
오송역, 청주 시내, 청주국제공항을 연결하는 급행 버스의 노선 번호로, 보잉 747에서 따온 번호이다.

3대, 15대 장시
18세기 조선의 전통 장시 체계에서 정점이 되었던 장시로, 3대 장시는 평양, 강경, 대구, 15대 장시는 사평(서울 신사동), 송파, 읍내(안성), 공릉(파주), 강경, 덕평(직산), 전주, 남원, 마산포, 대화(평창), 비천(황해 토산), 황주(황해), 은파(황해 봉산), 진두(평북 박천), 원산을 말한다.

BRT
Bus Rapid Transit. 일명 땅 위의 지하철. 버스의 운행 속도를 높이고 승차를 편리하게 만들기 위한 물리적, 소프트웨어적 지원책이 붙은 버스 서비스 고도화 시스템. 국내에서는 세종시에서 가장 고도화된 시스템이 도입되어 있다.

GTX
광역급행철도의 속칭. 재래선 철도를 달리는 무궁화·ITX새마을·ITX청춘 열차와 표정 속도가 유사한 80~100km/h 이며 시종착역 간 거리 역시 100km 이상이다. 수도권 철도망에서 현재의 망으로는 부분적으로만 포괄되는 30km 이상, 100km 이하의 이동 거리에 대해 고속도로와 유사한 이동 시간을 기록할 경우 경쟁력이 있다. 그보다 짧은 거리에서는 역간 거리가 촘촘한 기존 광역철도에게, 그보다 긴 거리에서는 이동속도가 빠른 고속철도에 비해 불리하다. 전현우(2020)는 광역특급으로 바꾸어 부르자고 제안하기도 했다.

X축
한국 서북의 서울에서 동남의 부산을 잇는 경부축, 그리고 한국 동북의 영동 지역에서 서남의 호남 지역을 잇는 강호축이 양청 접경 지역 부근에서 X모양으로 교차하도록 고속철도망을 부설해야 한다는 충북의 주장. 한국 종관철도의 구축 방향에 대한 주장으로 오송분기를 지지하는 핵심 논리였다.

참고문헌

단행본

게르트 기거렌처, 『숫자에 속아 위험한 선택을 하는 사람들』, 전현우, 황승식 옮
  김, 살림, 2013.

김석태, 『지방자치 철학자들 그리고 한국의 지방자치』, 한국학술정보, 2019.

김영평, 『불확실성과 정책의 정당성』, 고려대학교출판부, 1995.

김준우, 『서울권의 등장과 나머지의 쇠퇴』, 전남대학교출판부, 2019.

니콜로 마키아벨리, 『군주론』, 강정인·김경희 옮김, 까치, 2015.

도나 M. 웡. 『월 스트리트저널 인포그래픽 가이드』, 이현경 옮김, 인사이트, 2014.

루이스 멈포드, 『역사 속의 도시』, 김영기 옮김, 지만지, 2016.

발터 크리스탈러, 『중심지 이론: 남부 독일의 중심지』, 안영진·박영한 옮김, 나남,
  2008.

알렉산더 해밀턴, 제임스 메디슨, 존 제이, 『페더럴리스트 페이퍼』, 박찬표 옮김,
  후마니타스, 2019.

알렉시스 드 토크빌, 『미국의 민주주의』, 임효동·박지선 옮김, 한길사, 2002.

이용상 외, 『한국철도의 역사와 발전 II』, BG북갤러리, 2013.

이중환, 『택리지』, 안대회, 이승용 옮김, 휴머니스트, 2018.

장하석, 『물은 H_2O인가』, 전대호 옮김, 김영사, 2021.

전현우, 『거대도시 서울 철도』, 워크룸프레스, 2020.

전현우, 「경인선: 혼잡 연대기」, 『확장도시 인천』, 마티, 2017.

전현우, 『납치된 도시에서 길찾기』, 민음사, 2022.

정인지 외, 『고려사』, 국사편찬위원회 한국사데이터베이스.

제인 제이콥스, 『미국 대도시의 죽음과 삶』, 유강은 옮김, 그린비, 2010.

조엘 레비, 『사고 실험』, 전현우 옮김, 이김, 2019.

칼 라이문트 포퍼, 『추측과 논박: 과학적 지식의 성장』, 이한구 옮김, 민음사,
  2001.

페르낭 브로델, 『물질문명과 자본주의』. 주경철 옮김. 까치, 1997.

Carl Craver and James Tabery, "Mechanisms in Science", in Edward N. Zalta
  (ed.), *The Stanford Encyclopedia of Philosophy*(*Summer 2019 Edition*).

J. W. Kingdon, *Agendas, Alternatives, and Public Policie*s, Pearson, 2014(Second
  edition).

학술지/논문/연구보고서

고동환, 「지방 상업도시의 출현」, 『신편 한국사 33권』 조선후기의 경제, 국사편찬위
　　원회, 1997.

권향원·한수정, 「정책네트워크와 정부 간 갈등, KTX 오송역 입지정책을 둘러싼 공
　　공갈등을 중심으로」, 『한국정책학회보』 25권 2호, 2016.

김양중, 「KTX 공주역 여건 분석 및 수요 확대를 위한 정책 제안」, 충남연구원,
　　2020.

김양직, 「충북선 부설의 지역사적 성격」, 『한국근현대사연구 33집』, 2005.

김재완, 「경부선 철도 개통 이전의 충북지방의 소금 유통 연구」, 『중원문화연구 4집』,
　　2010.

나도승, 「금강 유역의 역사지리적 고찰」, 『열린충남』, 충남연구원, 1996.

박병호, "호남고속철도 계획의 주요 쟁점", 『대한교통학회지』 17권 1호, 1999년 3월.

박수진·손일, 한국산맥론(Ⅲ): 새로운 산맥도의 제안, 『대한지리학회지』 제43권 제3
　　호, 2008.

배석만, 「일제시기 장항항 개발과 그 귀결」, 『역사와 현실』 117(2020).

손미선, 『청주 분지의 지형 환경』 한국교원대학교 석사학위논문, 2009.

심승희·한지은, 「장항선의 기능 및 연선 지역의 변화 – 일제강점기부터 서해선과의
　　연결 시기까지 –」, 『문화역사지리』 제33권 제1호(2021).

오덕성, 「호남고속철도 대전 공주 경유 타당성 연구」, 대전광역시개발위원회, 1996. 4.

이희준, 「증약터널 및 하야시 곤스케의 액석에 관한 연구 – 건립과정과 역사적 가치
　　를 중심으로」 『대한건축학회논문집』 2014, vol. 30, no. 10, 통권 312호.

임은성, 『강호축과 극동 철도 연결의 과제와 전망』, 충북대학교 석사학위논문,
　　2022.

Charles M. Tiebout, "A Pure Theory of Local Expenditures", *The Journal of
　　Political Economy*, Vol. 64, No. 5, Oct., 1956.

사료

박병호 외 6인, 호남고속철도 노선 대안 평가, 호남고속철도기점역오송유치추진위
　　원회, 1996.

충북개발연구원, "충북 리포트", 1995년 3월호.

한종수, "험난했던 행정도시 건설 과정", 디지털세종시문화대전, 세종특별자치시,
　　2013.

호남고속철도분기역오송(청주) 유치추진위원회, 『호남고속철도 오송분기역 오송
　　(청주) 유치 백서』, 2006.

공공자료

건설교통부, 행정중심복합도시건설 기본계획(안), 공청회 자료, 2005.

건설교통부, 호남고속철도 건설기본계획, 2006: 12-13.

국토지리정보원, 대한민국 국가지도집 II, 2020.

수도권정비계획법시행령, 1983. 10. 20 제정.

신행정수도건설추진위원회, 신행정수도 건설 추진 현황 및 계획, 환경재단 발표
　　자료, 2004. 6.

한국고속철도건설공단, 『경부고속철도건설사』, 2000: 234-239.

행정중심복합도시건설청, 행복도시 세종 – 누구나 꿈꾸는 최고의 도시로 건설합
　　니다, 행정중심복합도시건설청, 2009: 21.

17대 국회회의록, 건설교통위원회 255회 2차 회의록, 2005. 7. 6.

웹사이트

국가교통DB https://www.ktdb.go.kr/

국사편찬위원회 한국사데이터베이스, https://db.history.go.kr/

국토교통부 홈페이지 www.molit.go.kr

국토정보플랫폼 http://map.ngii.go.kr

국회 회의록 https://likms.assembly.go.kr/record/

디지털천안문화대전, 「신계리 우물목 고개」

미래철도 DB http://frdb.wo.to/

레일 블루 rail.blue

분기비리 bungibili.co.kr/

빅카인즈(언론 보도 DB, 1990~2023) https://www.bigkinds.or.kr/

철도답사가 '성산지기' 블로그(https://blog.naver.com/kgh19941061)

청주시의회 홈페이지 https://council.cheongju.go.kr/

충청북도의회 홈페이지 https://council.chungbuk.kr/

충북연구원 https://www.cri.re.kr/

충청북도 https://www.chungbuk.go.kr/

한국지질자원연구원, 한국지질도 (1:1,000,000), 2019. doi: 10.22747/data.2021
　　0129.2134

Openstreetmap https://www.openstreetmap.org/

QGIS https://qgis.org/

찾아보기

ㄱ

가경동 23, 133, 134
가로수길 9
가설 241
가항수로 58
감입곡류 88
감제고지 160
갑천 265
강갑생 156
강경 57, 80, 182
강경지선 81
강남 63, 107
강릉선 114
강외면 13
　강외면치 25
강원권 229
강원 남부 226
강원 내륙 63
강원도 104
강원도 보상 논리 185
강원혁신도시 294
강호축 15, 43, 184, 208, 221,
　235, 244, 260, 292, 305
개발의 이데아 44
건설교통부 148, 254
걷기 공간의 납치 269, 289
격리 원리 109
결합 225
경기 남부 내륙 65
경기도 107
경기도계 196
경기변성암대 51
경기육괴 51
경남선(京南線) 101
경부고속도로 29, 63, 105,
　237

경부고속선 202
　경부고속선 경주 우회 219
　경부고속선의 경주 구간
　　28
　경부고속전철본선역충북
　　권유치추진위원회 32,
　　33, 115
경부고속철도 13, 67
경부고속철도 경주 노선 논란
　149
경부본선 109
경부선 26, 73, 78, 95, 101,
　280
경북선 102
경우의 수 99, 191
경원선 159
경쟁 체제 138
경전선 211
경제성 평가 178
경주 28, 149, 212
경편철도 94
계룡 154, 183
계룡산 148, 178, 201
『고려사』 161
고생대 퇴적층 53
고속도로 29
고속선 2복선화 194
고속열차 189
고속철도 13
고속철도 2복선화 190
　고속철도 병목 253
　고속철도 시범선 145
고속철도 오송 기지 135
고속철도 오송역 유치기념비
　14, 32, 34

고속철도의 본선 273
골목 288
공공기관 노동자 264
공공시설의 입지 결정 255
공공시설의 입지에 대한 협치
　이행 감시 위원회 255
공암 149
공주 56, 92, 117, 121, 179,
　199, 212, 246, 252, 253,
　284
공주역 30, 179, 182
과업지시서 178, 250
과천시민회관 164
관문역 13, 181, 259
관입 51
광명 26
광물자원 96
광역급행 273
광역 대중교통망 265
광역시 56
광역전철망 305
광역특급 273
광혜원 116
교량선 74, 99
　교량선 경쟁 101
교통개발연구원 148, 154
교통연구원 229
교통 원리 109
교통 지옥 227
교통학회 201
구리 96
구심력 292
구 청주읍성 61
국가 균형발전 33
국가기간교통망계획 150

국가보안법 169
국가철도망 X축 33
국토 X축 155, 260
　국토 X축의 구축 246
국토균형개발 128
국토부 187, 188
국토연구원 39, 40, 165, 173,
　262
국토의 면적중심점 165
국회의원 154
군산 60, 117
군장연계 97
굴곡도 27, 132
권영길 157
권위주의 시대 43, 45
규모의 경제 196
균형 발전 221
균형발전성 165
극복고도 85
금강 29, 51, 56, 77, 93, 226
　금강하구 51, 61, 82
　금강하구둑 97
금성반도체 106, 124
급행버스망 264
기반암대 51
기술관료 44, 73
기술관료적 합리성 40
기업도시 272
기준선 247
김대중 정부 149, 229
김종필 125, 151, 229, 303
김천 104
김천구미 26
김천혁신도시 272
김포공항 128

ㄴ
나주역 293
낙동강 56
남만주철도주식회사 94

남부내륙선 191
남부지반운동구 51
남북 종관 회랑 59
남원 58
남이분기점 106
남천안 삼각선 281
납치 268
납치된 걷기 공간 305
내장산맥 76
내포 지역 59, 98
네트워크 99
네트워크 효과 220, 268
노동자 대투쟁 124
노무현 33, 158, 230
　대통령 163, 165
　참여정부 40, 163, 230, 259
　탄핵 169
노영민 172
노태우 정부 113, 123, 127,
　146, 206, 227, 310
논산 37, 80, 179, 253
논산역 179
논산훈련소 182
　논산훈련소역 37, 252
누리동 279
니어미스 222
님비 255

ㄷ
다세대 주택 289
다음 세대 250
단선 189
당론 149, 176
대구선 97
대덕단지 56, 203, 263
대덕연구단지 64
대보 조산운동 52
대보화강암대 53, 96
대보화강암 회랑 226
대전 12, 55, 79, 83, 110, 130,

148, 175, 197, 229, 262, 284,
　303
　남부순환고속도로 66
　도시철도 1호선 204
　시청 199
　대전역 12, 202, 264
　대전조차장 129, 154
　행정도시 육성 대책 258
　대중교통 수송분담률 266
대천 97
대한교통학회 155, 163
덕고개 87
도보권 개발 245
도보 시대의 시가지 288
도시 중심축 264
도시철도 210, 273
도전 50
도청신도시 272
도카이도 신칸센 218
돌관공사 238
동서고속선 113
동양일보 157
동측 노선안 194
동해안 64
둑길 264

ㄹ
라투르 45

ㅁ
마달령 83, 86
마이 카 시대 105
마찰 시간 119, 132
만세 164, 178
매장문화재 148, 155, 212
맨해튼 거리 27
메커니즘 259
면적중심점 262
모텔 289
목천 86, 160, 167, 214

몽골제국 159
무궁화호 130, 273
무심천 87, 135, 285
무연탄 103, 295
문의 83
문제 흐름 222
문화재 227
미래의 불확실성 239
미호강 8, 11, 23, 29, 77, 83,
105, 134, 160, 226, 278, 309
미호강 평야 135, 212
민정당 125
민주노동당 153
민주당 125
민주정의당 125
민주주의 297

ㅂ
바이오 산업 136
박근혜 169, 172, 175, 177,
230, 304
박맹우 177
박병호 32, 150
박정자 8, 148, 180, 199, 203
박정자역 254, 284
박정희 258
박정희 시대 258
박종호 32, 145, 208, 241
박태준 152
반곡 294
반도체 106
반석역 264, 265
반월 삼각선 281
반지름 114
발터 크리스탈러 109
방향 전환 276
배차 간격 195
배후지 111
백제문화권 148, 213
백제의 남천 92

변성암 52
병목 122, 131, 187, 216, 253
병목 구간 187
병천 214
병천천 87, 88
병천천 경로 89, 91
병행선 99
보은 83
보잉 747 23
보청천 84
복복선 163
복복선 문제 155
복선 189
복선전철화 95
본선 119
본선역 119
봉양역 294
부강 58
부강터널 123
부강터널 폭파협박 사건 123
부강 하항 81
부산항 103, 295
부평역 폭파협박 사건 125
북한 35, 124
분기기 22
분기 비리 185
분기선 118
분기역 27, 145
분기역 문제 171
분기역 선정 보완 용역에 대
한 과업지시서 173
분기역추진위원회 173, 174
분기역평가기준선정위원회
174
분기역 평가단 175
분수령 53
불경한 개념화 43
불만의 여행 30, 268, 302
불요불급선 103
비공식 역사 서술 42

비충북 충청 지방 정부 249
비충청 광역지자체장 177
빈도 나무 241
빌라 289
빨대 효과 73

ㅅ
사대문 안 도심 107
사직대로 285
사창동 27
산맥 53
산악 터널 204
산업 평화 124
산줄기 53
산지 53
삼남 24, 55, 210, 251
삼성전자 106, 110
삽교천 수계 87
상주 60, 68, 117
새정치국민회의 149
생명과 태양의 땅 충북 33
생산자 서비스업 258
생태계 227
서광석 156
서대전 경유 열차(KTX) 182
서대전역 30, 154, 179, 206,
252
서발턴 127
서울 21
서울 집중 249
서원경 135
서천 68
서측 노선안 193, 194
서해선 100, 281
서해안 81
서해안고속도로 66, 206
서해안 축 206
서행 189
석문산단선 281
석탄 52, 62

석포 104
석회석 52, 96
선로 사용료 182
성심당 25
성패의 신화(성공과 실패의
　신화) 15, 46, 237, 239, 245
세종 12, 69, 130, 253
　세종 관통 고속선 187, 251,
　294
　세종시 68, 160, 167, 173,
　212, 227, 230, 248, 259
　세종시-계룡산-자운대 회
　랑 203
　세종시 관문역 234, 259
　세종시 방면 순유입 인구
　265
　세종시 접근성 254
　세종시 접속 철도망 272
　세종역 30, 37, 251, 252
　세종 연결선 284
　세종특별자치시 56
세종시-오송역 복합체 168,
　185, 230, 235, 244, 249, 259,
　302, 304
세종시-오송역 쌍 262
세종포천고속도로 269
센서스 78
소금 106
소로리 볍씨 87
소백산맥 51, 62, 152
소백산변성암대 51, 53
소삼각형 지역 284
소정리 86
수도권 65
　수도권 규제 66, 107
　수도권 분산 196
　수도권 연담 164
　수도권 연담화 197, 211
　수도권~영남권 수송 197
　수도권 집중 221, 258, 262

수도권 집중 심화 227
수도권 집중 현상 296
수도권~충청권 수송 197
수도이전반대국민연합 168
수리티 83, 84
수서발 고속열차 252
수서역 21
수서평택고속선 114, 187
수원 67, 191
수평 통합 138
순열 99
순응 50, 161
스캐빈저 205
스커드-B 미사일 128
승용차 분담률 267
시멘트 103, 295
시베리아 횡단철도 33
시험선(고속철도) 135
신천안 146
신청주역 134
신탄진 82, 211
신한국당 149
신행정수도건설추진위원회
　165
신행정수도의건설을위한특별
　조치법 165
신행정수도특별법 164
실패와 성공의 경계 239
심상 지리 210
심성 123
심성암 52
심천 83

ㅇ
아산 12, 284
아연 104
안성 197
안성선 101, 207
안중 193
압록강 159

양청 접경 75, 98, 129, 130,
　146, 161, 167, 193, 226, 248
억눌린 주체 127
여몽연합군 160
여몽전쟁 160
여주 102
여진족 159
역사 도심 289
역사적 맥락화 45
역사 중심지 288
역사 지진 106
역세권 개발 211
역(逆)의 격리 원리 110
역(驛)의 접근성 245
역전 269
연기군 56, 68, 118
연기전투 161
연담 도시 76
연담화 가능성 263, 267
연청 지역 167
열린우리당 169, 230
열차 시각표 190
영남육괴 51, 53
영남 출발 통행 276
영동 83
영동선 97
영등포 107
영월 62, 101
영충호 시대 33
영호남 환승 문제 210
예비타당성조사 182
오근장역 27, 86
오류 234
오송 기지 215
오송 기지선 135
오송 만세 178
오송백서 143
오송 분기 68
오송분기위원회 172
오송 분기 평가단 299

오송생명과학단지 26
오송생명과학시범도시 156
오송 역사 부지 "땅 한 평 마
　련" 도민 참여 운동 157
오송역 환승센터 22
오송유치위 146
오송읍사무소 289
오송읍치 25
오송~평택 구간 187
오송폭포 83
오차 15, 179, 234
오차 수정 73, 235, 240, 298
　오차 수정 과정 306
　오차 수정 관점 45, 46, 237,
　　240, 245, 313
　오차 수정 시도 251
　오차 수정 실패 250
　오차 수정 이행 감시 위원
　　회 254
오창 52, 135, 290
옥산 105
옥천 83
옥천대 51, 52, 85, 96, 162,
　226, 295
옥천지향사 51, 52
왕건 98
외국 공관 264
용공세력 124
용산 21
《용의 눈물》 34
용포 203
용포리 289
용포-별산리 181
우물목고개 87
우암산 135
우회 100
우회선 81
운임 174, 184, 219
　운임 논란 183
운전 피로 273

울산 28
원수산 160
원심력 292
위요성 289
유목기병 159
유성 199
유성온천역 264
육수 53
음성 61, 65, 68, 106, 214
이명박 168, 172, 176
　이명박 정부 248
이상록 125, 155
이시종 188
이용률, 좌석 196
이용자 38
　이용자 대표 299
이원 83
이원철 126
이응조 148
이주 137
이중 교통 환경 271
이천-여주 평야 52
이촌향도 63
이행 감시 247
　이행 감시 위원회 254
익산 26, 115, 174, 193, 252
인구 조사 59
인천 191
일본 80, 218
　일본 제국주의 131
　일제강점기 59
일지 147, 186
임률 183

ㅈ
자기 결정권 260, 297
자기부상열차 220
자동차 시대 105, 237, 288
자동차 지배 269, 305
자동차 지배 공간 305

자립 발전의 축 136
자민련 149, 169, 229, 303
　자유민주연합 149
자비의 원리 36, 243
자연 선택 223
자연 취락 289
　자연 취락 변형 마을 290
자족 도시 263
장기지속 225
장대레일 135
장항 61
장항선 61, 95, 101, 207, 281
장항제련소 61, 96
장호원 101, 102
재경 충북인 네트워크 148
재래선 직결 210
재정 건전성 204
저발전 72, 116
전국 인구중심점 166, 262
전두환 정부 258
전라선 97
전략개발지 77, 272, 293
전북혁신도시 293
전설적 영웅담 44
전의 87
전자산업 107, 258
전주 58, 60, 117, 278
절차적 합리성 40
점촌 103
정부 세종 청사 22, 276
정선 62
정시성 190
정종택 123
정책 원시 수프 223
정책의 실패와 성공 234
정책의 창 225
정책 중개자 225, 238, 306
정책 흐름 223
　정책 흐름 모형 15, 143,
　　222

정치 흐름 224
제2경부고속도로 188, 263, 269
제2공항철도 281
제4차 국토개발계획 150
제4차 국토종합계획 32
제5공화국 65, 123
제6공화국 123
제조업 196
제천 68, 101
조산운동 53
조선경편철도주식회사 95
조선중앙철도주식회사 94
조선 태종 55
조작적 정의 116, 239
조천 87
조천 경로 (실제 경부선) 89
조치원 23, 79, 129, 161
존 웰스 킹던 222
존재자 221
종관 고속도로망 107
종관 방향 노선 95
주차장 24, 264
죽령 61
중국 218
중국의 개혁 개방 206
중국횡단철도 33
중부고속도로 65, 106, 128, 261
중부권 개발 227
중부권 동서횡단철도 208
중부내륙고속도로 66
중부내륙권 3도 협력회 150
중부지반운동구 51
중앙고속도로 66
중앙 노선안 193, 194
중앙선 95, 102, 294
중앙선 철도 61
중앙의 권위적 의사결정 297
중앙이 주도하는 계획 297

중앙 정부 40
중화학공업 64, 107
증약터널 83, 85
증평 26, 94, 102, 284
지리산맥 51
지방 43
　지방 분권 298
　지방의 자기 결정권 297
　지방의회 127
　지방이 주도하는 계획 297
　지방자치 47, 127, 260
　지방자치단체 56
　지방 정부 137
　지방 정부의 자기 결정권 18, 40
　특수 이익의 매개자로서의 지방 43
　해결의 기제로서의 지방 43
지상 대전역 202
지선 구조 119
지선역 119
지역균형발전 15, 37, 47, 235, 248, 258, 272, 296
지역균형발전의 신화 42
지역균형발전 프로젝트 42
지역이기주의의 신화 42
지역 정당 172
지옥철 65
지체구조 51
지하화 253
지형 50
직할시 56
직행선 81
직행선 대안 82
진천 65, 106, 214
진천-음성 분지 102
진천음성혁신도시 77, 167, 261, 284
질병관리청 9, 25

ㅊ
차령산지 21, 51, 53, 77, 102, 221, 246
차별 침식 52
참여연대 126
척식철도 101
천성산 201
　천성산 터널 문제 155
천안 12, 55, 79, 80, 87, 110, 130, 160, 197, 214, 218
천안논산고속도로 29, 67
천안 분기 174, 175, 179
천안아산 분기 152
천안아산역 12, 164, 214, 262
철도 고가 264
철도공사 22
철도를 이용한 지역 개발 담론 306
철도의 방만 경영 223
철도의 적자 223
철도 접속 293
철도청 148
철인왕 44
철차륜 마찰식 고속철도 220
철학자 왕 238
청년층 271
청산 83
청원군 132
청주공항 128, 258
청주 구시가 27
청주국제공항 23
청주시의회 157
청주역 8
　제1차 청주역 61
　제2차 청주역 63
　제3차 청주역 65
초강천 82
초기 조건 239
총선 153
　제17대 총선(2004) 170

1996년 총선 169
2000년 총선 169
2004년 총선 165
4월 총선 169
추병직 181
추풍령 53, 58, 80, 104, 131,
226
충남도청 56, 92
충남도청신도시 77, 206
충남선 94, 280
충남-호남 연합 231
충렬왕 159
충북개발연구원 146
충북권 115
충북 내륙 지역 61
충북대 150
충북도의회 157
충북도청 27, 56, 94, 133, 199
충북선 13, 26, 60, 94, 160,
226, 275, 289
충북선이 곧 이론이고 논리다
75, 208
충북을 위하여 이 한 몸 바치
자 164
충북의 광물 자원 208
충북의 투쟁 80
충주 58, 61, 159
충주 분지 52
충청감영 55
충청권 42, 170
충청권 광역전철 37
충청권의 분할 통치 230
충청남도 55
충청남북도 간 접경 지역 14
충청도 50, 226
충청병영 55
충청북도 만세 164
충청 북부 66, 196
충청수영 55, 98
충청수영로 57, 98

충청의 대삼각형 76, 107
충청의 소삼각형 77
침식 분지 52, 162

ㅋ
카다안 159
쿠빌라이 159
킹던 223

ㅌ
탄소배출량 291
탄소 배출 효율 289
탄전 61, 63
태백산 분지 51, 295
태백선 62, 295
태안반도선 281
테세우스의 배 238
토목 공사 202
통영 57, 58
통일신라 135
특대역, 오송 181
티부 137
티부 메커니즘 137

ㅍ
파당 200
편마암 51
평양 58
평택 67, 79, 197
평택~오송 2복선 37, 246
평택~오송 복선 구간 190
포항 28
표정속도 26, 130, 194, 272,
273
풍세교(경부고속선) 114
피반령 83
핌피 255

ㅎ
하이닉스 106

한강 56
한강수운 94
《한겨레》126
한국고속철도 계획 113
한국의 균형 발전 정책 297
한국의 인구중심점 210
한국지질도 51
한국 행정학계 43
한나라당 169, 177, 230, 304
한나라당의 오송 분기 지지
당론 169, 172, 175, 177,
208, 249
한반도 45
한반도 X축 159
한희유 161
함경도 방면 159
합덕고삼각선 281
항구적 교섭 상태 138
해결의 기제, 지방 43
행위자 45, 200
행정수도 158, 227, 229
행정수도 특별법 위헌 심판
170
행정수도 회랑 284
행정중심복합도시건설을위한
특별법 173
행정학 222
헌법 소원 168
헌법재판소 168
혁신도시 272
현대전자 106
현상 변경 시도 234
형산강 212
호남고속선 145
호남고속철도 기본계획 조사
연구 보완용역 공청회 39
호남고속철도 기점역 오송(청
주) 유치 추진을 위한 추진
일지 147
호남고속철도분기역오송(청

주)유치추진위원회 33
호남고속철도분기역 청주오
　송역유치 특위 157
호남고속철도 오송 분기역 유
　치 특위 157
호남고속철도 오송유치위원
　회 14
호남고속철도 운임 문제 174
호남 기존선 154
호남 방면 운임 문제 219
호남본선 93
호남선 97
호남선 KTX 232
호남 재래선 182
호남 출발 통행 276
호남평야 52
홍익대 철도교통기술연구센
　터 155
홍재형 33, 154, 171
화강암 52
화강암괴 51
화령 83
화령 경로 85
화학공업 136
화학탄 128
확률 242
확장된 걷기 공간 305
환경 운동 201
환상형 BRT망(세종) 278
환상형 도로(세종) 23
황간 79
황간-보은 경로 85
회랑 58
회의 중 퇴장 176
회인 83
횡단 방향 노선 95
횡방향 고속도로 68

123

1인 km당 탄소배출량 291
1종 오류 241, 242
2복선화 67, 189, 216, 246, 253
2종 오류 241
3대 장시 57
15km 131
15대 장시 57
20대 청년 271
21세기 국가철도망구축계획
　163
300km/h 114
747 23

ABC

B1, B2, B4 22
BRT 264, 270, 273
GTX 273, 280
IMF 210
IMF 구제금융 149, 153
IT산업 258
KTX-I 192
KTX-산천 191, 196
X축 35, 46, 101, 103, 104, 235,
　244, 275, 292
　국가철도망 X축 33
　국토 X축 155, 260
　한반도 X축 159
　현실의 X축 64
　X축의 몽상 64, 101, 207